放聲集 第三輯

蔣中正日記中的抗戰初始

臺灣學生書局印行

吳序

美國斯坦福大學胡佛研究所檔案館匯聚了近代諸多名人私家檔案文獻，數十年來吸引著中外幾代學人前往查閱和從事相應的研究。尤其是二〇〇六年蔣介石日記手稿開放之後，胡佛已經成為「人氣」最旺的檔案館，盛況不衰。我遇到過「爆棚」情景，即每天早上胡佛開館不久，閱檔室數十個座位便告滿座，後來的讀者只能在接待櫃台旁站候，迫使我早起早往；我也「享受」過在胡佛塔（Hoover Tower）內的專室閱讀蔣日記的待遇，那是胡佛館方應對閱檔室滿座而「站候者眾」的權宜之舉。二〇一四年夏季去胡佛，發現裝修一新的閱檔室空間明顯拓展，這在相當程度上也是因應蔣介石日記的閱讀群體之需。從二〇〇五年首次應邀訪問胡佛以來，我已經連續十年利用暑假前往胡佛閱檔，最初是查閱宋子文檔案，以後閱檔的範圍逐漸擴大，如國民政府時期的政要孔祥熙、張嘉璈、黃郛等人；如國府美籍財經顧問楊愛德（Arthur N. Young，亦譯作楊格），抗戰時期來華的美國將領史迪威、陳納德等等。當然，對於蔣介石日記，我也花了相當的時日閱覽；尤其是蔣介石抗戰時期的日記，我曾通讀一遍，並儘可能地摘錄。我參與過多次胡佛讀者之間的閱檔心得交流，蔣介石日記以及相應的人物和史事無疑屬於「最熱」的話題。

近年來有大量有關蔣介石日記的論著問世，直接對日記作「解讀」的，便見有楊天石先生的《找尋真實的蔣介石——蔣介石日記解讀》系列，以及郝柏村先生的《郝柏村解讀蔣公八年抗戰日記 一九三七～一九四五》。阮大仁先生是我在胡佛期間結識的最健談的學人，近年來多次聽他暢談蔣介石和抗戰。大仁先生乃台灣大學數學系出身、留美數學博士、企管碩士和電子工程碩士獲得者，與楊天石先生所受文史教育背景和近代史研究所研究員的專業職銜不同，更沒有經歷過郝柏村將軍那樣的軍旅生涯，但卻在近四年裏於台北的《傳記文學》雜誌上連續發表了十二篇有關中日戰爭的文章，誠屬不易；且更進層樓，把各篇文章的內容重新組合，大量加入新的史料史事，集中於「八年抗戰是怎麼樣開打的？」和「中勝日敗的原因何在？」這兩大問題謀篇，展開詳細的論述，終於完成這部題為《蔣中正日記中的抗戰初始》的新著，並在迎來抗戰勝利日七十週年之際付梓問世。通覽這部新著，我想談談大仁先生是如何「讀」蔣介石抗戰日記的。

多年以來，在造訪胡佛的蔣介石日記讀者群中，有專程飛越大洋前來的海外訪問學者，也有慕名前來一睹「真面目」的遊客，但不管身分如何各異，都必須遵循胡佛檔案館關於蔣介石日記的專門規定，即不得任何形式的複印複製，不准用電腦錄入，只能用胡佛提供的筆（起初可以選擇水筆，近年則只提供鉛筆）和紙進行抄錄。這意味著無論是要利用蔣介石日記進行某一專題研究，還是研究蔣介石日記本身，都必須經過初覽、摘錄和細讀。大仁先生這部書稿既然冠以《蔣中正日記中的抗戰初始》之名，就是以曾經的「讀」蔣日記文句本身為基礎，又在行文中展示了他是「如何讀」日記的。從目前書稿對於日記的直接引述和分析的內容來看，大仁先生通讀了蔣介石日記自一九二八年濟南慘案到一九四五年抗戰勝利的大部分內容，而對他試圖解決的「八年抗戰是怎麼樣開打的？」和「中勝日敗的原因何在？」主旨相連的具體問題，進行了細讀、研讀。

稱大仁先生「細讀」了蔣的日記，倒不是由於書稿中提到自一九二八年「五三」慘案到一九四五年九月抗戰勝利期間，蔣介石每天的日記均以「雪恥」開始，相信所有翻閱過該時期蔣介石日記的讀者，都會注意到這點。大仁先生讀日記之「細」，有發現一九三二年四月八日蔣介石在日記中列舉各「反動派」時，有「共產派」、「官僚派」、「閻（錫山）派」，但對馮玉祥僅稱「馮」，進而認為「蔣已了解馮將不得重回西北軍，即馮此時已無『派』可以供其領導也」；有發現一九三五年六月十六日的日記中，「仍被」二字「用毛筆刪除了，但是筆跡仍可讀」；不僅讀日記所記，還注意到日記中未記、不記之處；既讀出蔣介石撰寫日記時的「直筆」，還探究到蔣的「曲筆」、「隱筆」。令我欽佩的是大仁先生在文史領域既非「科班」又非「專職」，但對重大而複雜的史事把握上卻非常到位。如書稿在得出一九三二年一二八事變之初「蔣、汪已共同決定如何用外交去解決，二位都是『以戰求和』派」的結論時，十分精準地徵引了一九三二年一月二十八日當天日記中的如下文句：「下午往訪季新，與之商談外交方針，確定：一積極抵抗，二準備交涉。彼即贊同，並有願任行政院長之意。余再勸之，彼乃允就。晚即開會通過。」民國史學界對一二八事變國民政府的對日政策，概括為「兩面政策」，即「一面抵抗、一面交涉」，其在蔣介石日記中獨此一處表述得最為明確，這一政策不同於一九三一年九一八事變時的「不抵抗」而訴諸國聯，也不同於一九三七年七七事變和八一三事變發生後國民政府從立足抵抗到實現全面抵抗。在大仁先生這部書稿中，通過類似逐日、逐頁、逐行乃至逐字逐句的細讀而找到最具代表性和說服力的例子，還有很多。

如果說蔣介石日記中關於一二八時期「兩面政策」的提出是獨一無二的話，那麼大仁先生在敘述七七事變發生後「和乎？戰乎？由蔣日記去看蔣中正主動求戰的心路歷程」這一題目時，所要處理的是從一九三七年七月八日即七七事變發生翌日，一直到一九三八年一月十七日日本方面宣布不以國民政府為談判對手，約半年時間裏的日記。在這半年中，可以說蔣介石每日都無法回避「和」與「戰」，每天日記的內容都關乎著「和」與「戰」。目前的書稿，抄錄了六十六條記載，如果按日計，大體選取了該時期相關日記三分之一的內容，如果不經過細讀和反覆思考、權衡比較，是無法取捨的。不僅如此，大仁先生通過「細讀」確立起了關於「抗戰初始」半年時日裏的大局，其中就「戰」而言，自中央軍北上和日軍攻佔平津之後，同時在三個方面展開，即一、日軍自平津沿津浦線南犯至黃河邊；二、西線有南口之役和太原會戰；三、在華東地區，先是在上海展開八一三淞滬之戰，然後有南京保衛戰及南京大屠殺。就「和」來看，則先後有英國調停和德國陶德曼大使的調停。尤其是對於陶德曼調停，持續時間較長，情況錯綜複雜，大仁先生著重分析了陶氏前後兩次晉見蔣介石的不同，比較了戰場上中日雙方的態勢的此消彼長、日方態度的變化和條件的加碼、中方高層主和派與主戰派的分野，由此引出對蔣介石相應研判和決斷的評析，可圈可點之處不少。長期以來，史學界有可稱之為「陶德曼調停終止之問」的不同觀點，即一九三八年一月十六日蔣介石正式拒絕陶德曼轉達的日方議和條件，「對德大使明言，如倭再提苛刻原則，則拒絕其轉達」；一月十七日日本近衛首相乃發表不再以國民政府為交涉對象的聲明，「這兩件事相互之間有沒有關係？是否蔣之態度造成了日方與之決裂？」「中日之間關閉了和談大門，是由哪一方面主動造成的呢？」對此，大仁先生沒有簡單採行既有的某種觀點，而是表述了自己的見解：「我的看法是雙方不約而同，都對對方之態度感到不能接受，可是又沒有一個列強肯採用『一二八模式』去參與調停，英、德都只肯在雙方之間傳話，和談乃因之胎死腹中，連展開的機會都沒有。」「在一九三七年的秋冬，中日走上全盤作戰之路以後，中日之間的各種和議都是屬於『謀略』性的工作。即『戰』是主軸，『和』只是與之配合的計謀。」大仁先生這些結論，已經不是單純的「細讀」可以形成，而只能產生於對中國抗戰的大局、全局了然於胸基礎之上的潛心研讀。

在大仁先生筆下，蔣介石一方面是中國抗戰的最高領袖，同時也指出了這一地位的形成有其過程。如在分析蔣介石對一九三五年華北事變的處理時，大仁先生認真參閱了以蔣介石檔案為主要來源的《中華民國重要史料初編——對日抗戰時期（續編）》、梁敬錞先生的《所謂何梅協定》等重要史料文獻，發現當時國民政府的外交事務主要由行政院長汪精衛負責，軍委會北平分會主任何應欽可以事先不徵求軍事委員會委員長蔣介石的同意，僅「就近與汪院長籌商」，便覆函天津日本駐屯軍司令梅津，接受了日方的要求，使得日後蔣介石處理七七事變時一度處於被動；對於一九三七年七七事變後「蔣中正一人有權決定對日和戰之原因」，大仁先生也做了具體分析，包括從國民黨政治體制及其運作（如國民黨中政會的相應決議）來了解蔣的地位和作用的變化；但也指出，在面臨對日和戰的重大問題時，蔣既有當機立斷、力挽狂瀾的正確處置，也有疑慮、猶豫甚至誤判；抗戰爆發之初中蘇訂立互不侵犯條約時，蔣介石對於蘇聯助華之本質可以看得很清楚，但無法預見日後雅爾塔會議上俄國之漁翁得利，更無法預料和避免抗戰勝利之後「中華民國或國府，不但危殆，幾亦消滅了」的一幕。我並不認為特定歷史結局可以歸之於宿命，但十分贊成大仁先生對於蔣介石既不神化亦不矮化，秉持客觀公允、實事求是的原則。由此，我認為作為完整的中國抗戰史，包括其「初始」到「勝利」的全過程中，蔣介石都是一個不能忽視的重要人物；這部書稿作為大仁先生細讀、研讀蔣介石抗戰日記的成果，也只是「初始」，日後當有更為精彩的篇章問世。

吳景平

二〇一五年二月於復旦大學光華樓

傅　序

為迎接抗戰勝利七十週年，全球華人及海峽兩岸都掀起一股抗戰熱。從不同的角度展現出對抗日戰史的研究風潮。大仁兄以他對歷史研究的執著與自然科學的專業素養、敏銳的洞察力，完成這部《蔣中正日記中的抗戰初始》的大作，在這一波的研究中，有獨到見解，令人欽佩。

大仁兄自認為是「史觀學派」，其意在以宏觀的視野，對歷史的現象予詮釋，而不斤斤計較於歷史的細微考據。但從本書的標題及其內涵看，無論就其發生的時空及整個歷史的專業性、複雜性，都有其深度及廣度。故以宏觀視野著述本書，不但易於窺其歷史全貌，且不以偏概全而失歷史的真相。一部抗戰歷史是何等的巨著，但要能融入一本書中，對原則性的大問題，剖析清楚，又能解釋其歷史的發展於細微之處，難能可貴。

作者運用了他嫻熟的自然科學的方法，解釋抗戰中國必勝，日軍必敗的邏輯，掌握了國軍戰勝日軍的「必要條件」。在自然科學上，所謂必要條件，是「無則必不然」；「有則未必然」。論述排除「充要條件」的存在，不但認識戰爭現象的複雜性，亦在彰顯抗日戰爭的勝利，蔣委員長確實掌握了戰勝日軍的「必要條件」；及在軍事戰略甚或在大戰略上的突出成就，這是本書的精華。

基本上，歷史研究是史學與其他學術的科技整合。抗戰史屬於軍事史，其研究就不能脫離軍事學術研究的方法與內涵。此點在史學方法上，就沒有背離所謂「史料學派」的歷史考據。本書解釋了諸多軍事專業問題，引用軍事理論，中規中矩，具備相當的軍事專業水準。

另從戰爭及軍事戰略的專業角度來看，所謂的必要條件，近乎於「戰爭指導」。但從有記錄的抗日戰史中，並找不到官方完整的戰爭指導文件。然而不容否認的，在抗戰中蔣委員長是中方啟動戰爭機器的主導者，既使沒有官方文件的佐證，從他的日記中，也可澄清大部份的歷史真相。作者運用了這部份的大量史料，並引以為本書的書名，其用心可以理解。又認為這個「必要條件」，即是「持久戰」；「誘使日軍自東向西的作戰線」；及「以四川為根據地，在山區決戰的戰略方針」。蔣委員長在抗戰期中，且將此方針不斷的詮釋及強化，不但堅定自己的信念，亦為鼓舞守土將士的作戰士氣。而其立論基礎，端在孫子兵法——「先為不可勝」。蔣委員長更自信堅定的認為，在持久抗戰戰略佈局已完成之際，如果中國不能戰勝日軍，一切的戰爭及戰略、戰術原則都要推翻了。在此問題上，書中有極精闢的論述。

本書的重點，在討論八年抗戰是怎樣開打的？及抗戰是怎樣勝利的？也許讀者會問，一部「抗戰初始」如何能看出抗戰致勝的全貌？本書提出圍棋「定石」的比喻。認為定石決定了大勢，大勢既定，棋局雖未進入中盤，勝負已立判，戰局亦復如此。當戰略態勢已成，而又不能改變既成的戰略態勢時，最後的結果就是這已形成的戰略態勢所決定。武漢會戰完成後，日軍的重心已移到華中及華東地區，又因黃河決潰，將日軍南北分斷，使其首尾不能相連，並使我軍預想在山區與日軍決戰的態勢成真；且使日軍不能集中兵力，發動決定性會戰，以致於在豫、湘、鄂地區進行長期消耗的持久作戰，長達六年之久。縱使日軍發動「一號作戰」，亦未曾改變此一形勢。此戰日軍窮其最大兵力發動攻勢，亦只能圍繞著我四川根據地的山區外圍，而無法侵門踏戶的攻向我核心基地。自身卻拉長戰線，戰力逐漸耗盡，形成強弩之末，最後攻勢。

由於此段歷史，不是本書的主題，僅點到為止，而使讀者有意猶未盡的缺憾。還望大仁兄，再出一本書以補此遺憾。又因本書的結論，指出日軍的戰敗，否定了「屈原」與「蘇武」之說。而本書之外的後段歷史，更有強而有力的證據可以佐證。日軍在一九四五年五月初的大撤退即是一例，證明了日軍侵華的失敗。而這些歷史都發生在所謂「屈原」與「蘇武」之前，本書的立論無誤，值得再寫。

大仁兄為追求史實，效太史公治史之精神完成此著，為抗戰歷史還原真相，為蔣委員長的對民族、國家及歷史貢獻，增添佐證，立言以傳後世，爰樂為之序。

中華軍史學會副理事長
陸軍退役中將　傅應川謹識
中華民國一〇三年十二月

蕭　序

二〇一二年至二〇一三年，我在斯坦福大學胡佛研究所從事為期一年的訪問研究。期間，有幸結識了不少學者與師友，而阮大仁先生則是其中最特殊的一位。阮先生祖籍浙江餘姚，其祖父阮性存為清末民初著名法學家，浙江私立法政學堂創辦人，又是同盟會的元老，與胡漢民、汪精衛等人同學，曾任浙江省司法廳廳長，名望很高。其父阮毅成不僅長期擔任過浙江省民政廳長，而且還是國立浙江大學法學院首任院長。其母錢英女士畢業於浙江法政學堂，即浙大法學院之前身。二〇一三年，阮大仁先生親自將其珍藏的竺可楨書信捐獻給浙江大學檔案館，並在浙大法學院設立阮氏獎學金。作為一名從事中國近現代史教學與科研的浙江大學教師，之前在民國浙江檔案文獻中經常看到阮先生祖父輩的記載，甚至也做過一些與他們相關的研究項目，所以當親眼見到阮大仁先生時，就覺得格外的親切。而阮先生也許因為我是來自於杭州浙大的緣故，對我也是格外的關照。

阮大仁先生深受家學薰陶，自幼愛好文史，立志從事歷史研究。然而，其父阮毅成鑒於當時台灣的政治環境，則希望他從事科學研究。為此，阮大仁先生最終被台灣大學數學系錄取，之後又赴美留學，榮獲電腦工程碩士、數學博士。畢業後，他先後在大學、高科技公司、銀行任職，但始終沒有放棄自己年少時的愛好與志向。自一九七〇年代起，他開始不斷發表政論文章，針砭時政。退休之後，則充分利用他居住在斯坦福大學附近的優勢，潛心於史學研究。

阮大仁先生雖然沒有受過專門的歷史研究訓練，但他自幼勤奮好學，博覽群典，記憶超人，之後又專攻數學，具有嚴密的邏輯思維能力，加之生長在國民黨高官家庭，從小對官場政壇各事耳濡目染，故對近代歷史人物與事件往往有著深邃的洞察力和獨到的見解。二〇一二年，他的《蔣中正日記揭秘》一書在大陸出版，不久再版，成為暢銷書，令人欽佩。

近年來，阮大仁先生對抗戰史極為關注，並不斷有大作問世。二〇一三年六月七日，胡佛研究所與《世界日報》共同主辦了抗戰史研究工作坊，阮大仁先生作為獨立歷史研究者參與其事，在大會發表〈防衛四川的兩個門戶：潼關和石門〉的講演，他認為日軍自東向西攻入四川必須經陝、鄂、滇三省。為了確保抗戰大後方的安全，蔣介石選擇了三位嫡系將領分別駐守這三省，即胡宗南守陝西，陳誠守鄂西，杜聿明守雲南。因此，他提出胡宗南率領數十萬大軍駐守在陝西不完全是針對中共，也有防備日軍突襲四川之目的。在工作坊期間，有一件小插曲值得一提。阮先生雖為電腦工程碩士，退休後卻不用電腦，也不用電子郵件，其文稿均為手寫。當《世界日報》社記者要阮先生提供講演稿時，阮先生當即取出稿紙，揮筆書寫，兩千餘字的講演稿竟然一氣呵成，一字不改。一時四座皆驚。

收入本書的數篇文章，均是他在胡佛研究所檔案館閱讀蔣介石日記之後的寫作心得。這些文章以蔣介石為視角，重點探討了兩個問題：(1)中日全面戰爭是如何打起來的？(2)中國是如何取得抗戰勝利的？對於第一個問題，阮先生對中日之間由小規模衝突演進到全面戰爭的過程、原因進行了論述，對蔣介石的應對方略和決策進行了層層分析，提出了許多獨創性的見解。例如，對於七七事變，阮先生認為蔣介石最初採取一二八淞滬抗戰的模式，即企圖「以戰求和」。然而，由於《何梅協定》的原因，導致英美等國中止調停，結果「弄巧成拙」，不得不在淞滬開闢第二戰場。又如，他將中日戰爭放在第二次世界大戰中進行考察，認為中國的全面抗戰「打得太早了」，因為「無論在七七或八一三之中，日本都沒有與中國展開大戰的準備」。對於第二個問題，阮先生重點探討和分析了中國抗戰的三個指導原則：(1)持久戰；(2)誘使日軍自東向西，沿著長江去仰攻武漢，而不是由北向南，從北平沿著平漢鐵路去攻取武漢；(3)以西北及西南的山區作為基地，以四川省的重慶為陪都去和日本作戰，即放棄平原地區，用山區為退無可退之最後防線。他認為早在一九三六年十月，中國就確立了這三個指導原則，自七七事變至武漢會戰，中國始終堅持這三個原則，從而為中國抗戰獲得了「先為不可勝而後勝」的優勢。

作為後輩，本人對阮先生的為人學識和治學精神極為欽佩。正如阮先生本人所述，其為「史觀派」，而非「史料派」，故在研究抗戰史時，常常不囿於史料本身，而是從大處著眼，小處著手，在觀點上力求創新，又由於是私家之作，故採取「有所為有所不為」之策略。可以說，本書既有廣闊的胸懷，大歷史的視野，又有明銳的洞察力和富有邏輯的分析能力，讀後使人受益匪淺。

蕭如平

放聲集總序

壹、前言

把文章印成作品發表，我是從十多歲在讀師大附中時開始的。那時大多數是在校內刊物——《附中青年》上刊載的，偶而也有在校外的報章雜誌上，例如在唸初三時用我的名字代替父親所寫的「杭州一師毒案」一文，刊載於台北的《法令月刊》上。

二〇〇三年我重新拾筆時，當時的《法令月刊》發行人虞彪兄邀我寫作專欄，便是拿出那篇舊文作為再續香火緣的理由。五六十年前的《法令月刊》則是虞兄的尊翁，也是先父的好友虞舜先生所創辦的。

不過大量發表拙文，應當是從我在台大唸一年級時，寫作武俠小說開始的。即從一九六一年起，至今大約五十年，總數已超過了兩三百萬字以上了。

貳、五十年寫作生涯可分三個階段

我的寫作生涯可分三個階段，以時間次序排列如下：

一、一九六一至一九六三年（即十九歲至二十一歲）

(一)一九六一年我唸台大數學系一年級時，與劉兆藜、劉兆玄兩兄弟合作，共同使用「上官鼎」的筆名寫作武俠小說，到一九六二年暑假完，要升二年級時停止。

(二)在一九六三年唸三年級時，又重新拾筆，再以「上官鼎」的筆名寫了一套書。以字數計，此大約在一、兩百萬字之間。

二、一九七二年至一九八二年（即三十歲至四十歲）

當時我住在美國，用本名或不同的筆名，分別在紐約、舊金山、香港、台北等地的中文報章雜誌上發表政論文章，以字數計，大約在一百萬字以上。

三、二〇〇三年至今（即在六十一歲以後）

我在一九八二年因為參加了台北的慶豐集團工作，乃擱筆不寫政論，一直到二〇〇三年，我已從台北搬回美國，自商界退休之後，才又重新拾筆。不過我也不再寫作政論，作品的題材以研究書法、論史談文、近代典故等為主體。前三年是替《法令月刊》用夏宗漢的筆名寫「如是我聞」之專欄，每月一篇。後來則改為向《傳記文學月刊》投稿。以字數計，此大約已有四五十萬字。

參、小談「上官鼎」

因為劉兆玄兄曾經擔任行政院長，所以「上官鼎」這個名號受到了大家的注意。

其實在一九六〇年代，曾經有六個人先後使用過這個筆名去合作寫作武俠小說，此六人都是從台北師大附中的高中畢業的，都唸了台大，專科分別是電機（二人）、地質（一人）、化學（一人）、植物（一人）與數學（一人）。此後大家都去了北美洲留學，其中五位去了美國，一位去了加拿大。後來四位拿了博士，兩位只唸了碩士後即經商創業，其中的一位現在卻是台灣可說的上為富可敵國的大企業主，也就是說此君最為聰明，不去浪費時間唸個博士也。

這六個人寫作的階段，如果以我在一九六一年參加的時間作劃分，可分為：

一、在我之前，是劉兆藜、劉兆玄及許元正。

當時兆藜唸台大地質系，兆玄與元正是附中高中三年級的同班同學。元正因為要考大學，課業忙，有時請張虔生代筆，虔生則比他低一屆，唸高二。

二、一九六一年，我重考入台大數學系，兆玄則入化學系，元正要重考，我乃應邀參加而代之。在大一升大二時，我的微積分課被沈璿教授「當」掉了，父親乃令我擱筆。

三、我停筆後，兆凱參加。

今製表說明我們六人在台北師大附中的班級與畢業時間，以及在台大的系別如下：

姓名	班級	高中畢業時間	在台大的系別
劉兆藜	實驗六班	一九五八年	地質系
阮大仁	實驗十班	一九六〇年	數學系
劉兆玄	實驗十二班	一九六一年	化學系
許元正	實驗十二班	一九六一年	植物系
張虔生	高六十八班	一九六二年	電機系
劉兆凱	實驗十六班	一九六三年	電機系

不論以時間之長短及作品之數量去計算，劉家三兄弟合起來都居冠軍，因此「上官鼎」這塊招牌的「智慧財產權」應當屬於他們三位，至於元正、虔生及我這三個人可以說是小包（subcontractor）

吧。

當時大家都是二十歲左右的毛頭小夥子，各自分別在唸中學或大學，而且都是不久就要出國留學的人，可以說沒有一個是打算久於此業的了。因此也沒人注意這塊註冊商標的「智慧財產權」是屬於那一個人的，反正大家同工同酬，分工合作，有稿費拿便可以了。

原則上，在同一時段裏，是只有三個人同時使用「上官鼎」這個名字的，此即鼎三足也。

肆、感謝

在《放聲集》這套書中，包括這本第一輯在內，大多數收集在內的拙作，是在三十多年前就已經發表了的，本來早已束之高閣，並沒有出書的打算。

大約是在三年前沈克勤大使見到了一些我的舊作，乃鼓勵我將之再版出書，並承大使向台北的學生書局推介，又蒙前後兩位總經理，即鮑邦瑞先生與楊雲龍先生之青睞，並邀請淡江大學之陳仕華教授代為主編，以及書局的陳蕙文小姐負責編務，經過兩年多之努力，才能出版此套書，令我實為深深感謝。

此外，在這數十年的寫作生涯中，拙作承蒙下列報刊當時主事者之看重而得刊出，其中或猶在世，或已仙去，不論存歿，容我在此一並致謝：

台北及美國之中國時報：余紀忠先生及各位同仁。

台北自立報系：吳豐山先生。

台北八十年代及亞洲人雜誌：康寧祥先生、江春男先生。

香港明報月刊：查良鏞先生、胡菊人先生、孫淡寧女士。

香港中報月刊：傅朝樞先生、胡菊人先生。
美國野草雜誌：張系國先生及各位同仁。
美國星島日報及北美時報：蘇國坤先生、嚴昭先生及張顯鍾先生。
美國遠東時報：吳基福先生、許世兆先生、俞國基先生及吳嘉昭先生。
台北法令月刊：虞彪先生及各位同仁。
台北傳記文學月刊：成露茜女士、成嘉玲女士、簡金生先生及各位同仁。

最後在此也向為本書作序的胡菊人兄與康寧祥兄致謝。

以上的名單如有遺漏之處，請相關的人士賜諒，因為事隔幾十年，有些事實在記不太清楚的了。

伍、這套書的書名之由來

我的本行是數學、電腦及商科，本書中所收集的文章中卻沒有一篇談的是這些項目，只能說是一個事事關心的讀書人之管見罷了。

宋朝的王安石有二首〈車載板〉詩，收在《王臨川全集》卷三。車載板是一種鳥，其啼叫的聲音似此三字，故楚人（湖南人）以此名之，王詩中有句云：

> 憐汝好毛羽，言音亦清麗，
> 胡為太多知，不默而見忌。

我在一九六五年評批《王荊公詩集》時，曾作一詩評之如下：

非是不知默，而是太放聲，
放聲猶不足，書生誤蒼生。
我讀賈誼事，哀其志未伸，
再讀臨川傳，方知漢文仁，
長沙雖博學，終是讀書人。

陳仕華兄在主編這套書時，選用我這首舊作的詩句以為命名，實在是深獲我心。少年時我作此詩時是反對書生論政的，出國後因為釣魚台運動，受了張系國兄之感召而始作政論文章，到了一九七九年底因為高雄事件而決定棄筆從商。我雖然在一九八二年才擱筆，然而在八一與八二年間以替舊金山的遠東時報與在紐約的中國時報撰寫社論為主，比較少用個人的身分寫文章了。

在三十年後的今天，出版本書時，重讀舊作，有感於今日台灣政局雖見百花齊放，但卻未能果實豐碩，不禁暗思，讀書人如我，當年是不是太多知了呢？

二〇一〇年十月於北美

自　序

一、緣起

二〇一二年，我參加了一個計劃去重新寫作一部抗戰史，當初是由郭岱君女士及本人為主編，並且與幾位同仁合作組成了一個非營利的協會去著手進行。

在此後的嘗試與合作過程中，我乃逐漸淡出，至少已不再擔任該套書籍的主編工作，而另行由個人去寫作本書，其主因有三，即：

1.在研究歷史與寫作方面，我是屬於史觀學派，而其他的同仁則是屬於史料學派。如果拿中國歷史名著作個模型或典範，我是學習司馬遷寫《史記》，或司馬光寫《資治通鑑》的手法。至於其他的同仁們則是學習孔子著《春秋》，採用了「述而不作」，只予以記事性質的敘述歷史事實，不加評論、分析或檢討。

2.在這十多位參預計劃的同仁中，包括本人在內，只有三位不是專業研究歷史的學者，可是其他兩位業餘的同仁仍然採用了西方治學的方法，在寫作時對資料的出處每每詳加記載。而我則秉持多年來的寫作習慣，除了在引用蔣中正日記的文章之外，通常自己是不作註釋的。在我看來，這些註釋都是「書牘史」的工夫。我認為讀者如果不信任一個作者，就不要去讀他的書。中國人兩千多年來寫書時，作者都是從來不作自註的，中國古書的註釋，例如朱熹之註解《論語》，都不是著書者自己寫的，而是後人去做的。千百年來，浩如瀚海的中文書本與文章都是如此，並非偶然。因為一個作者的聲望與信譽是建立在長期的寫作生涯之中，而且是由此人的言行所造成的，並不是只看這個人的某一篇文章之正誤，或某一個資料有無出處去作判定的。我的作品是非常可能有錯誤的，可是這都是誠實的錯誤（Honest Mistake），而且我一定知錯必改，亦請大家指正。

3.對抗戰史的研究，我認為以寫私家著作如我輩去做，不宜作一部全史，只可以挑選重點來做突破。這是因為受了人力、物力及財力之限制，加上資料取得之不易，我們是無法與中、日、台三地的官方寫作團隊去競爭的。

本書便是以我個人這幾年來所發表的多篇文章為基礎，加以整補與修編而得的，主旨有二，即在研究：

1.八年抗戰是怎樣開打的？

2.中勝日敗的原因何在？

根據本書的論述、分析及推論，我的結論是：

1.在一九三一年的九一八事變，日本侵佔了中國的東三省及熱河地區之後，中國人一致要求與日本展開決戰，因此中日這場大戰已為必然發生的了。可是在一九三七年因為七七與八一三而展開八年抗戰，則是在蔣中正先生領導之下，由中方主動求戰而展開的。也就是說，在一九三七年開戰，並非是必然的了。

2.中勝日敗的必要條件（而不是充分條件），是因為中方在全盤大戰略上取勝，此即是一九三六年十月（即七七之前八個多月），在洛陽的軍事會議中，中方所決定的三個作戰指導原則所造成的。這三個原則是：

(1)打持久戰。

(2)改變日軍進攻武漢之軸線，使之不從北平沿著平漢鐵路南下，而是改由上海沿著長江，由東向西去仰攻。

(3)以西北及西南之山區為退無可退之國防線，以四川重慶為基地。

此由國史館刊行之《陳誠回憶錄——抗日戰爭》（上）之第二十三頁，下述之記載可知也。陳上將說：

二十五年（一九三六）十月，因西北風雲日緊，我奉委員長電召，由廬山隨節進駐洛陽，策劃抗日大計。持久戰、消耗戰，以空間換取時間等基本決策，即均於此時策定。至於如何制敵而不為敵所制問題，亦曾初步議及。即敵軍入寇，利於由北向南打，而我方為保持西北、西南基地，利在上海作戰，誘敵自東而西仰攻。關於戰鬥序列，應依戰事發展不斷調整部署，以期適合機宜；關於最後國防線，應北自秦嶺經豫西、鄂西、湘西以達黔、滇，以為退無可退之界限，亦均於此時作大體之決定。總之，我們作戰的最高原則，是要以犧牲爭取空間，以空間爭取時間，以時間爭取勝利。

二、我已發表過有關本書之十二篇文章

在二〇一一年到二〇一四年之間，我在台北的《傳記文學》月刊上一共發表了十二篇有關中日戰爭的文章，此即：

1. 〈一九三七年秋冬的世界局勢——兼述其所造成中日八年大戰之原因〉
2. 〈七七事變為什麼不能和平解決？由軍事及外交觀點去看〉
3. 〈太原會戰的另一種看法——日軍暗助共軍進入華北〉
4. 〈解析八一三戰役的開場與收場（上）〉
5. 〈解析八一三戰役的開場與收場（下）〉
6. 〈漫談抗戰史的幾個看法〉
7. 〈七七事變為什麼會造成八年抗戰的原因？〉
8. 〈由軍事及外交去看蔣中正在一二八事變中的角色——兼評馮玉祥之誣控（上）〉
9. 〈由軍事及外交去看蔣中正在一二八事變中的角色——兼評馮玉祥之誣控（下）〉
10. 〈由外交及軍事去看八年抗戰是怎樣開打的？——蔣中正如何走上主動求戰的道路（上）〉
11. 〈由外交及軍事去看八年抗戰是怎樣開打的？——蔣中正如何走上主動求戰的道路（中）〉
12. 〈由外交及軍事去看八年抗戰是怎樣開打的？——蔣中正如何走主主動求戰的道路（下）〉

本書是根據上述各篇文章，將之修整與編排而得者，是拙著《放聲集》的第三本書，仍是由台北的學生書局編輯出版，這套書到目前為止，已經出版了三本，此即：

1. 《台灣民權與人權》
2. 《蔣中正日記中的當代人物》
3. 《蔣中正日記中的抗戰初始》，即為本書。

細心的讀者應當會發現，這第三本與前兩本有所不同，即前兩本都只是蒐集了我許多篇成文，將之分門別類，組合而成書本，是各篇舊作的混合物，而不是化合物，只是在做聚沙成塔的功夫。本書則不然，是把各篇文章的內容予以拆散，再重新組合，刪去重複之處，另添新的材料，做出上述兩個命題的比較詳細之敘述，以說明我的主張，即八年抗戰是由中方主動求戰所開打的，以及中國之所以取勝是因為中方在開戰之前制定的大戰略比日本好。如果把八年抗戰比作一盤圍棋，中勝日敗是因為中方在下定石棋已為取得優勢，至於世人所認為的是在一九四五年八月裏，日方投降前夕，美國擲了兩顆原子彈去轟炸日本，或是蘇俄之突然對日宣戰，這些都是棋局勝負已定之後的收官棋，並不是中勝日敗之決定性因素也。

有關這兩個命題之詳細論述，請見本書之各篇章，在此前言之中，我要作說明的是，為什麼在《放聲集》的第一本及第二本之中，是採用混合物方式之聚沙成塔，而在本書之中，卻首度變成了釀花成蜜的化合物了。

在編輯前兩本時，學生書局聘請了淡江大學的陳仕華博士為主編，書局的專責人員陳蕙文女士為責任編輯。至於在出版這第三本書時，則增添了一位專案的外聘助理，就是周雪伶女士。周雪伶女士非常認真地把我那十幾篇文章閱讀了之後，指出來在結構上有一個大問題，就是彼此之間頗多重複論述之處。我在她提醒之後去重讀前文，不但同意了她的指教，而且自我分析，也找出了之所以如此的兩個原因，簡述如下：

1.這些文章發表在月刊之上，讀者在閱讀時未必可以查閱已過期的刊物，為了行文之完整，所以在寫每一篇文章時，我只有假設讀者只看到此篇文章，有時必須重複前已論述之處。可是在集之成書時，讀者是可以翻閱同一本書之中的其他篇章，因之就不必予以重複的了。

2.在我初入手去研究抗戰史，研究「八年抗戰是怎樣開打的」這個命題的時候，我和大家一樣，認為七七與八一三都是由日方挑起來的。在台灣成長的國人長期被灌輸一個說法，即八年抗戰之所以在一九三七年開打，是因為日方目睹在一九三六年十二月的西安事變，中國人舉國一致擁護蔣中正先生，因之乃加緊侵略中國的腳步，在此事七個月後就發動了侵華戰爭，製造了七七事變。然而愈是深入研究從一九三二年到一九三七年的中日間之史料，尤其在查研了蔣中正先生的相關日記之後，對上述的說法我就愈為懷疑，乃像閱讀一部推理小說一樣，是倒過去追本溯源，一步一步地逆向推論，才把真相給找來的。例如，在尋找七七事變為何不能和平解決，為什麼如此一件小規模的地方性衝突會是造成中日大戰的一個間接原因的時候，我注意到了下列逆向推理的步驟：

⑴英國在一九三七年七月三十日「態度突變」，是使得蔣中正先生在七月三十一日「下決心」去與俄國簽訂互不侵犯條約之原因。即在明知此舉會激怒日方，使之攻佔華北，可是蔣先生預估日方頂多只能佔有華北之一部分，而非全部。反過來，如果中方屈從日方之要求：

①將中方在七月九日北上進入河北之四師中央軍先行撤回。

②聯日抗俄。

則在日軍在此之後，所增派的一個師團加兩個旅團已入山海關進駐天津附近，而且在中央撤軍時日方尚未撤軍之狀況下，在蔣先生心目中，「華北特殊化」——即第二個滿洲國必將出現。因之「兩害相權」，寧取其輕，蔣乃聯俄抗日的了。

⑵英國之所以「態度突變」，是因為在七月二十一日英大使與蔣先生面談，為《何梅協定》事起了口角，在七月二十二日經過中方「抄交何梅諒解事項」給英使後，英方乃認定中方派中央軍北上河北是違約在先，所以英方乃失去干涉日方增兵進入河北是違背了《辛丑和約》規定之立場，乃中止調停盧（盧溝橋事變）案。此是因為《何梅協定》是在一九三五年達成的，而《辛丑和約》是在一九〇一年達成的，在國際之間言之，後約之效力大於前約也。

(3)蔣先生在七月二十二日向何應欽將軍索取《何梅協定》之稿件，方才得知何將軍在一九三五年七月的《何梅協定》中所附但書內容，因而答允日方，在一九三五年兩師中央軍自北平「撤至豫境」之後，中央軍不得重新進入河北。蔣因之大怒，在日記中痛罵何將軍為「誤國」之「賤種」。

(4)難道何將軍在一九三五年寫此「私函」給日本之梅津美治郎少將時，沒有向蔣先生報告此事嗎？不是的，我乃去找出當時雙方之間的電報文字，才知道當時人在南京的何將軍，與人在四川成都督師追「剿」兩萬五千里長征中的共軍之蔣先生有了通訊上的誤知（Communication GAP），因之在一九三五年何將軍在處理「華北事變」時乃犯了兩個嚴重的錯誤，才會造成了一九三七年的七七事變不能和平解決，此即：

①在日方的壓力下，何將軍未奉中央批准，在一九三五年六月九日當天就「不能負責」，「任意」把駐守北平的兩師中央軍「撤至豫境」。

②未及遵照蔣先生之指示，把他那封「私函」中的「不妥字句」予以修正，在一九三五年七月六日就發出去了，而且事後也沒有告知蔣先生此事。

(5)因此在一九三七年七月的七七事變一發生之時，七月八日蔣先生就下令六師中央軍北上河北，後來其中四個師開入保定，兩個師到達河南後待命北上。

(6)日方乃相對應派遣一個師團及兩個旅團自東北南下，進入河北之天津附近。

(7)盧溝橋事變乃予擴大。

(8)在英方出面調停時，日方要求根據《何梅協定》，中方先行撤兵。此即在中方遵守《何梅協定》之後，日方才願意英方根據《辛丑和約》之規定，去要求日方把增兵撤離河北，使得在平津地區之日軍維持《辛丑和約》所規定的一個旅（即五千人左右）。

(9)可是蔣先生堅決拒絕中方先行撤兵，反要求中日同時撤兵。中日和談因之破裂，日方乃大舉進攻平、津，華北戰事擴大。

(10)蔣先生乃在七月三十一日決定聯俄抗日。

(11)蔣先生在八月十三日進攻上海日本虹口租界，一方面撕毀了一九三二年的《一二八淞滬停戰協定》，另一方面則在八月二十一日於南京與蘇俄簽訂互不侵犯協定，俄國正式援華抗日。

以上是七七之所以造成八一三的原因，而八一三乃是中日展開八年大戰的直接原因。

在二〇一一到二〇一四年，即三年之間，當作者先後在撰寫上述十二篇文章時，是採取逆向思考，發現了疑問才追本溯源去找出原因，如此一環接著一環去解題，才能找出史實之真相，因而才能解析出本書宗旨之兩個命題的答案，去提出了拙見以請大家指正的了。因此在寫作這些文章時，乃有了重複之處。在重編本文集之成書時，筆者遂將此等重複之片斷予以刪減，並且改為自始至終，順著時序去寫的了。

在出版本書之時，謹在此向學生書局編輯部的各位同仁，以及為本書作序的吳景平教授、傅應川將軍及蕭如平教授致謝。

放聲集　第三輯：蔣中正日記中的抗戰初始

目次

第二章　兩次中日戰爭史著作的述評

第壹編
八年抗戰是怎樣開打的

引言

在一九三一年的九一八事變及其後，日本攻佔中國的東三省及熱河地區，中國人一致要與日本決戰，以雪國恥。因此中日之全面大戰已不可免，只是在何時？何地？如何？以及由中日哪一方去主動求戰的問題。如果用英文來解釋，即中日必將一戰，已經不是要不要打（wheter），而是 **when, where, how** 以及 who（或 which side）的問題。本編之宗旨即在解析這場大戰為什麼會在一九三七年的秋冬（when），在平津及上海（where）展開，更為要緊的是在研究，是由中方還是日方（which side）主動求戰，在怎麼樣的情形下（how）導致開打？

根據本書分析，一九三七年中日大戰之展開，是有其外交及軍事上的原因，而且是中方主動求戰所造成的，並且本人認為蔣先生此舉對中國來說，是打得太早了，讓蘇俄坐收漁人之利。凡此等等，請由本編之詳細評析及舉證可見之也。

我們在研究中日大戰之成因時有三條思考的軸線，即為人、時、地三方面：

1. 時間——可分遠、近與即時三個時段。
2. 空間——可分世局、東北亞與中國之華北的局勢。
3. 人事——可分成五國六方，即日、俄、英、德、中（分成國共兩方）。

由時間的因素去考慮，是有了遠因、近因及即時因素之不同。如果用一九三七年的七七事變作為大戰的起點，遠因則是從甲午戰爭（一八九四年）到九一八（一九三一年），近因則是從九一八（一九三一年）到七七（一九三七年），即時因素則為一九三七年的七七及八一三。

由空間的因素去分析則可分三個圈圈，其中外層最大的圈圈是世局，中層則是東北亞的局勢，包括了中、日、俄三國，最裏層則是中國的華北。

由人事去看，在一九三七年秋冬中日開戰時，在外交方面之參預者有五國五方，即為中、日、英、俄、德。由軍事的方面去看，則為兩國三方，即日、中（華軍中可分為國軍及共軍）。更進一步去分析，則在國軍中又有了中央軍與華北的兩個地方軍系（西北軍與晉綏軍）之分別。

在本編各章中間，筆者先是以時間為主軸，分成遠、近與即時三個時段去討論及分析中日這場大戰的成因。在同一時段裏則以空間為次要軸線，從外到裏，即先討論世局，再討論東北亞，再次則討論中日之間，尤其是聚焦於華北。最後是在每一個時空的圈圈裏，擇其人事方面對中日大戰開打相關的重要項目去作討論。

也就是說在第壹編討論「八年抗戰是怎樣開打的」這個命題時，筆者分析的方式是採用了一個三度的矩陣去作思考方式，而在每一個度（即軸線）上又各自再去作了分割，此為一個3×3×5的矩陣。

在每一個主軸上，即由遠到即時，或由世局，由外國到中國內部的華北，筆者在討論與分析時都是以時空愈為聚焦在一九三七年的華北者愈為詳盡，愈遠者愈是提綱挈領的泛泛之談。這是因為在這個矩陣式的思維之中，如果要言無不盡，仔細去作爬梳，其中每一個項目都可以自成一本專著，遠非本書之篇幅可以涵蓋的了。因此筆者只有在討論與主題愈為相關，在時空與人事方面愈與之相近的項目，才能愈為聚焦地去作詳細的分析與評論。所以在有些項目，筆者往往一筆帶過，甚至未予提及，也請讀者原諒的了。

世界及東北亞之局勢

一、中日大戰的遠因

(一)英國與日本敵友關係之變化

從一八九四年到一九二二年，即從甲午戰爭到英日三次祕密同盟廢止之時，英國一直是暗助日本與俄、德對抗的盟友。這是因為在歐洲，作為海權國家的英國，先後與陸權國家之俄、德爭霸。

帝俄在一次大戰之中的一九一七年解體，為蘇俄所取代之前，為了要尋找不凍港以便其伸足於海洋，一直與英國爭鋒。

一八五三年的克里米亞戰爭，英、法直接參戰，與土耳其的奧圖曼帝國聯手，在黑海邊上的克里米亞半島與帝俄作戰，並將之擊敗，因此阻止了俄海軍進入地中海。

一九〇四年的日俄戰爭，英國名似中立卻暗助日軍，使之擊敗了帝俄的海軍。

從一九〇二年到一九二二年，英日三次祕密同盟。一九一八年第一次世界大戰結束，歐洲的三個陸權大帝國皆為解體，其中奧匈帝國及德國敗降，帝俄則為蘇俄所取代，因此英國一時不再需要倚賴日本去平衡俄德，反過來，應美方之要求而與美國聯手去壓制日本的崛起。在一九二二年的華盛頓裁軍會議中，英美合作去強迫日本達成下面三點，即：

一九二二年華盛頓會議，討論海軍軍力，影響了太平洋局勢。

1.硬性把英、美、日三國海軍之總噸位定為五、五、三之比。表面理由是英、美兩國在大西洋及太平洋皆需擁有海軍，而日本則僅需在太平洋，所以英、美各需擁有比日本總噸位要多些的海軍。其實英美兩國是牢不可分的盟友，則兩個陣營的海軍總噸位比例是十比三，而非表面上的五、五、三。

2.在外交上，此會造成了：

(1)《九國公約》會議，包括中國在內，加上另外八國（英、美、俄、日等皆在內）共同簽約保證中國之主權完整。

(2)另行召開一個小會，迫使日本交還由一戰中所獲取的德國在青島及其他在中國山東半島之權益，由中國贖回。

從此之後到一九四一年的太平洋戰爭爆發，既然已經與英國中止了合作關係，日本乃改採大東亞共榮圈之理論，主張由亞洲人來主控亞洲，要把白種帝國主義者趕出去。

一九四一年十二月，日本偷襲美國珍珠港，以及進攻香港及東南亞的英、美、荷等國之殖民地

——馬來西亞、新加坡、緬甸、印尼及菲律賓，因之掀起了西南太平洋戰爭，便是日本在實行其「大東亞共榮圈」之主張。

也就是說，從甲午戰爭開始，英國幫助日本崛起，到了一次大戰結束，英日反目，到了一九四一年十二月，日本乃進攻英、美等國，此即英、日之間友敵關係之變化，也就是說東亞局勢是對應著歐洲列強局勢變化而迎風起舞的了。

㈡東北亞中日俄三國四方的矛盾局勢

俄國是一個領土橫跨歐亞兩洲的大國，因為俄國位處於北方，本國的海岸線在冬季結冰，因此從帝俄經過蘇俄到二十一世紀的俄羅斯，俄人一以貫之，在歐亞各地尋找不凍港。

以東北亞言之，俄國的海參崴港雖然是一個不凍港，可是一出海便是冬季結冰的海洋，俄國的船艦只能躲在海參崴港內過冬。

與西伯利亞在地理上鄰近的是朝鮮半島及遼東半島，因之朝鮮半島的釜山港與遼東半島的旅順港便是俄方注目的目標。從一八九四年的甲午戰爭之後，朝鮮半島就已經被日本所佔領，在一九〇四年的日俄戰爭之後，日本又取得了旅順港的控制權。

東北亞的三個大國，即中、日、俄因為地理位置之緣故，成為三虎同籠之局面。在一九三七年以前，中國最弱，俄日兩強並峙。在一九三一年的九一八之前，東北在中國手中，俄日之間有了緩衝區。可是九一八之後，日本控制了東北及熱河，與俄國的西伯利亞、俄國的附庸外蒙古都成為接壤的鄰近地區。

此時日本可以在北進（西進）或南進作個選擇。此即日本下一步可以與德國（其軸心國之盟邦）東西夾攻蘇俄（即北進或西進），也可以由東北南下去進攻中國的華北或內蒙地區。

在東北亞的三個大國，即中日俄之間，其中任何一國都會希望或設法去促成另外兩國的交惡，以便自己坐收漁翁之利，此乃人之常情。只是中國內部此時有國共之爭，中共作為第三國際之一分子，在民族與國家方面是屬於中國的，可是在外交及軍事，以及意識型態方面卻是與蘇俄的利益是一致的，此時共產第三國際公開的中心主張便是「全世界無產階級共同保護工人祖國——蘇俄」。也就是說，名義上有中日俄三國，實際上卻有四方，即中國內部分成兩個陣營，而中共卻是站在蘇俄那一方的。

(三)西安事變的影響

在中俄日三國四方之間的合縱連橫方面，在一九三六年十二月發生的西安事變是造成蔣中正先生聯俄抗日的重要因素，對八年抗戰實為近因，是三國間三角關係的一個重大轉折點，在此先予提出來，加以分析。

在一九二八年北伐之後，到一九三七年抗戰開始之時，中國的執政黨是國民黨，在中央長期間，其實際上的領導人為蔣中正先生。國民黨在北伐前是「聯俄容共」，與蘇俄是盟友。在北伐途中，國共分家，蔣先生在一九二七年清共，與蘇俄反目。此後一直到一九三六年十二月的西安事變，國共內戰了八年之久。

在西安事變中，東北軍的張學良上將發動兵變，扣押了蔣先生，此時蘇俄的史達林乃通過第三國際下令中共救人，使得蔣先生能平安脫險。

蔣先生在西安事變之後，在內政上採取了國共第二次合作，在外交上重新與蘇俄多所往來。

(四)「一二八模式」對八一三在外交及軍事上的影響

從九一八到七七的六年之間，華北及上海各有中日之間的重大紛爭。

一九三二年的一二八淞滬戰役是由日方挑起來的，不過這並非是出自日方東京之中央政府的決策，而是由其上海日本海軍艦隊司令鹽澤少將個人冒進求功而引起的。

蔣先生在處理一二八事變時採用了「以戰求和」的手法，藉著擴大戰事，引起在上海有政經利益之列強（英、美、法、義四國）聯手出面干涉，達成了《一二八淞滬停戰協定》，日方把所佔領的上海華界交還給中國，承認中國對上海享有主權，中方則答允在上海華界不駐兵，只派遣保安隊入駐，四國公使在此協定上簽字，共同保證中日雙方之履約。

這是在中日兩國單獨作戰的情形下，歷史上唯一的一次由第三國全程參預談判並予簽字保證的例子，在本書中筆者稱之曰「一二八模式」。

蔣中正先生在一九三七年裏處理七七與八一三時，都堅決主張採用一二八模式來達成中日之和議，此即蔣日記中所說的和談「方式」。可是此時日方卻堅持中日採用雙邊談判的方式，列強只是扮演雙方之間的傳話使者，中日一旦坐上談判桌，列強就不得參預其間的了。

因為這個和談「方式」方面的差異，使得中日和談根本無從展開。更且在一九三七年，列強中無人願意採用「一二八模式」去調停中日之戰。此為「一二八模式」在外交上處理八一三事變之影響。

至於軍事方面，因為一二八及八一三都是以上海為戰場，中日雙方都是各有借鏡於前事之處，詳見本書之第貳編第二章〈八一三淞滬戰役的開場與收場〉。

本書中有關「一二八事變」之討論，收有三篇拙作，以及蕭如平教授的一篇大作，此即：

1. 第貳編第二章第二節〈由軍事及外交去看蔣中正在一二八事變中的角色——兼評馮玉祥之誣控〉。
2. 第貳編第二章引錄浙江大學蕭如平教授之大作〈以戰求和在一二八抗戰中的運用〉。
3. 有關第五軍參加一二八戰役的討論，答陳齡生君之批評。

至於另一篇附文，即蕭教授的〈以戰求和在一二八抗戰中的運用〉，承蕭兄同意轉載於本書中，特此誌謝。

二、世界局勢

在一次世界大戰以後，歐洲、北美洲與亞洲的世局比起一次大戰以前，都有了重大的變化。先從歐洲說起，一次大戰造成三個大帝國的崩潰，即為帝俄、奧匈帝國與普魯士帝國，其中，俄國雖然是戰勝國，但是在共產革命之後，成為眾矢之的，為世界其他強國所杯葛，至於奧匈帝國及德國則因為屬於戰敗國，乃告解體。在一次大戰之前，英國作為海權國家，分別與前述的三個陸權大國先後作過長期競爭。在一次大戰後，英國既然一時不再需要與俄國及德國競爭，乃在太平洋區域改變長期扶植日本的立場。於一九二二年的華盛頓會議中，與美國聯手壓制日本的發展，並且在一九二二年終止了為時長達二十年的英日同盟。

日本從一八九四的甲午戰爭之後，便一直是與英國結合，以對抗俄國與德國在東亞的勢力，在英國終止英日同盟之後，日本乃改採大東亞共榮圈的理論，主張由黃種的亞洲人來主導東洋之局勢。可是日本卻效法白種帝國主義來侵略中國、韓國以及其他東亞國家，所以日本的大東亞共榮圈乃成為日本獨榮的局面。

到了一九三〇年代，中日戰爭的前夕，歐洲因為法西斯義大利及納粹德國的興起，已為戰雲密布，再加上經濟大恐慌，使得歐美各國都採取了姑息的和平主義，避免戰爭的發生。這使得日本在東亞成為唯我獨尊的軍事強權，此終於造成了一九三一年的九一八事變。更且因為在一九三六年十二月的西安事變後，蔣中正先生領導的國民政府在內政上與中共第二度合作去抗日，在外交上增加了與蘇俄往來，這使得英美等國家中的右派保守人士心生懷疑。在七七發生後，中國被迫在日俄之間擇一為友時，此輩未必樂見中方聯俄也。

㈠德中關係複雜

德國在歐洲的主要敵人是採取共產主義的蘇聯，德義日三國聯盟即是三國共同反共的協定，因此在中日開戰之前，德國努力於把中日都拉進反共的集團。在一九三六年十一月，日本與德國簽署《反共產國際協定》，次年十一月義大利也加入，德、義與中國的關係乃大受影響，在政府官方層面的往來乃大為疏遠，也就是德、義兩國在中、日之間已經作了選擇，站在日本那一邊。然而不但在經貿工商方面，中德之往來猶多，即使在軍事方面，雙方仍有非官方的合作關係，一直到一九三七年抗戰開始時，仍有為數頗多的德國將校以私人名義留在中國軍隊中服務。

德國內部本來就有親華與親日兩派的分別，面對中日開戰，德方不但希望中日停戰，而且也希望中國參加軸心國，與之聯手反共抗俄。至於日本則希望德國出面調停，因此乃有當時德國駐華大使陶德曼承德國希特勒政府之命令，奔走於中日之間，史稱「陶德曼調停」。

按之，蔣中正日記有云，一九三七年十一月五日：「注意：四、敵托德國傳達媾和條件，試探防共協定，余嚴詞拒絕。」即指此事。請注意，就在那一天，日軍登陸金山衛，淞滬戰事乃急轉直下，四天後，我方數十萬大軍潰敗，退出上海地區。

為什麼一向堅決反共的蔣先生會嚴詞拒絕此事呢？此因中、俄已在同年八月二十一日簽訂了互不侵犯條約，俄國成為唯一用實質行動支持中國對日作戰的國家。

㈡蘇俄坐看虎鬥

俄國是一個疆域橫跨歐亞的國家，因此在西線面對德國，在東線面對日本。

雖然德、義、日三國直到一九四〇年九月才正式簽署《德義日三國同盟條約》，然而三國軸心的態勢在一九三七年已經形成，俄國乃有受到日、德東西夾攻的威脅。可是在一九三七年中日開戰時，俄國的兩面威脅暫時都告解除，乃成為坐山看虎鬥，作壁上觀的旁觀者，為什麼呢？

我們先來談一下俄國在東面如何設謀去解除其所受到之日本的威脅，此即利用中國抗日戰爭去拖住日本人。

一九三一年的九一八事變，使得日本全面掌握了中國的東北三省。此後，日本可以向北去進攻俄國，也可以向南去進攻中國的華北地區，其意向一時難為世所知也。

此時俄國為了迫使日本南進，乃通過第三國際去指導中共倡言抗日。而中國人既有九一八之國仇家恨，站在民族主義的立場，本來就會熱血抗日，因之中共乃深獲民心的了。蔣中正委員長領導的國府此時卻力主「先安內，後攘外」，仍在大打剿共內戰，當然會大失民心。一九三六年十二月的西安事變，因為蘇俄在暗中的協助方得以和平解決。蔣先生在安全脫險後，乃與中共合作抗日。

在此事七個月後就發生了七七事變，在七七事變三十七天後，國軍主動進攻上海之日本駐軍，挑起了八一三戰事。又七天後，即七七事變的四十四天後，中蘇在南京簽訂了互不侵犯條約。也就是說，俄國的表態支持，是蔣先生決心在華北與上海對日作戰的一個重要因素。

因為七七與八一三之戰事，中日乃全面開戰，日本被迫南進，俄國在亞洲的東線因而獲得安全，此即中國替俄國擋住了日軍的炮火。

在西線，俄國也有另外一張護身符，即是波蘭。

在二次大戰前夕，德國有兩個選擇，即是先向東去打俄國，還是先向西去打英法。希特勒曾向英國建議，英德聯手攻俄，事成後共主世界，英主海洋，德主歐亞非之大陸。此即實行資本主義的兩個集團聯手去消滅共產主義集團。當時英國國內也有主張聯德攻俄的右派力量存在，不過英國最後仍然拒絕了納粹德國的這個建議，其原因很多，在此只是要指出一點，即是波蘭的安全問題。

在一九一九年的巴黎和會中，戰勝的協約國為了預防戰敗的德國再度崛起，乃在其東西兩線分別奪取其領土以削弱之。在德國的西線，法國取得德國在萊茵河區的阿爾薩斯與洛林兩省。在德國的東線，則讓波蘭取得了德國的東普魯士之一部分與上西里西亞工業區。更有進者，英法為了保護波蘭，使德國不能收復失土，乃與波蘭簽訂條約，公開保證波蘭領土的完整。可是德國如果要進攻俄國，必須借道通過波蘭，英國受到條約的限制，無法予以同意，所以俄國乃可以高枕無憂。

希特勒聯英攻俄之計因此不能實現，乃在一九三九年八月與俄國簽訂《德蘇互不侵犯條約》，反過來與俄國協議共同瓜分波蘭。一九三九年九月一日，德國進攻波蘭，英、法立即向之宣戰，第二次世界大戰遂告爆發。

此後的發展是：

1. 德國迅速向東打敗波蘭。

2. 德國乃掉轉頭又迅速向西去打敗英法聯軍，英軍狼狽逃回英國，法國向德國投降，英國乃與德國隔著英法海峽對峙，並且拒絕德國的誘和。

3. 於是德國在一九四一年六月二十二日又掉轉槍頭向東去打俄國，此乃大出俄方意料之外也。這些雖然在一九三七年秋冬時都尚未發生，可是俄國在一九三七年時，早已明瞭因波蘭問題的存在，德國無法與英、法結盟去攻打俄國。只是俄國沒有估算到的是，德國只費了三個星期就把英法聯軍打敗了。

至於在東線方面，後來在一九四一年四月十三日，俄日簽署了中立協定，此為德國攻俄的兩個月前，其影響是：

1. 俄國中止援華抗日，此上距一九三七年八月的《中蘇互不侵犯條約》，為期三年半。此即俄國在解除了日本的威脅之後，不再需要利用中國去牽制日本了。

2.在德國攻俄之後，日方內部大起爭辯，是要撕毀墨跡未乾的《日俄中立協定》，北進與德國聯手東西夾攻俄國呢？還是信守此約，南進東南亞與英、美、荷等白種殖民國家交戰呢？最後日本決定南進，乃在一九四一年十二月裹掀起了太平洋戰爭。

3.因日俄簽約而使中國陷於孤立狀態，但只維持了短暫的八個月，中國又獲得了英、美等盟友。

對中國內部來說，俄日簽約曾使中共的立場大為尷尬，中國的民心也甚為憤慨也。這些發展雖然在一九三七年時尚未出現，在此稍予記述，只是點出在一九三七年時俄國援華抗日之真相，即是要中國替他們去擋住日本可能北進攻俄也。

至於英美等西方國家對中日之戰的態度請看本書第壹編第二章第四節〈由外交及軍事去看八年抗戰是怎樣開打的？——蔣中正如何走上主動求戰的道路〉。

三、九一八之後的東北亞局勢

遠從清末，中國的領導層便有了塞防與海防的爭論，這是因為中國的潛在敵人在北方有俄國，在東方有日本。當時清朝的兩大軍系即為由左宗棠領導的楚軍與李鴻章所領導的淮軍，分別各自佔有了西北及華北的地盤。左宗棠自從率軍平定了新疆的回亂之後，便激烈主張中國的國防應該是對應塞外的俄國為假想敵，可是李鴻章卻極力主張建設北洋海軍，充實華北及東北的國防，以日本為假想敵，這個形勢到了二十一世紀的今天，仍然如此。這是因為地理環境所造成的東北亞中國、日本、俄國的競爭狀態，並不因為國號、朝代、政府之更替而有所改變。此由滿清北洋政府、國民政府到今天的人民政府一貫如此。

在一九三一年九一八之後，日本佔領了東三省，使東北亞中日俄三國之間的軍事平衡被打破。俄國在外交及軍事上，在東北亞注目於朝鮮半島的釜山港與遼東半島的旅順港，這兩個港口都是不結冰的深水港，俄國的本土位於酷寒的北方，所以由帝俄經過蘇俄到今天，俄國人在世界上都是努力在找不凍港。由歷史去看，在一八九四年的甲午戰爭之後，日本已盡佔朝鮮半島，並且在《馬關條約》中奪取了遼東半島，一時擁有了釜山港與旅順港的控制權，此使俄國不安，乃聯合德國與法國共同干涉，強迫日本將遼東半島還給中國，史稱三國還遼（一八九五年）。請注意，當時英國並沒有參加這個行動。此外，在《馬關條約》中，日本對中國的許多要求，例如內河航行權、長江沿岸的租借權等，由日後長期的史實去看，對日本來說，都不是有重大意義的舉動，反而是使得英國援用《江寧條約》（一八四二年）的最惠國待遇而獲取了重大的實利，此即《英日同盟》雖然在一九〇二年才正式簽訂，可是早在一八九一年，英日已有默契。在一九〇四年的日俄戰爭，英國名義上保持中立，卻暗助日本，一方面拒絕俄國的黑海艦隊通過英國所控制的土耳其海峽，以強迫俄軍遠從波羅的海調派艦隊赴日本參戰，並且拒絕此艦隊通過蘇伊士運河，而必須繞道好望角，長途遠征。孫子兵法說：「千里趨利蹶上將」，此是日俄海戰中，日勝俄敗的重要原因之一。在日俄戰爭之後，日本取得南滿之控制權，在九一八之後，日本取得整個東北的控制權。雖然在名義成立了滿洲國，可是在實際上，日俄勢力已正式接觸，此時日本可以北上和西進去攻俄，或南下攻擊華北。

在一九三七年中日開戰之前夕，中國內部有國共之分，中共作為第三國際的成員，是採取了與俄國利害一致的立場，並不是站在中國的民族主義的立場，當時第三國際的口號是「全世界無產階級一起站起來共同保衛工人祖國——蘇聯」，所以東北亞明為中日俄三國，實際上有四方，其中國共兩方在民族與國家上是同一陣營，可是中共卻是站在蘇聯的利益上採取行動。蘇聯為了避免受到德國與日本的夾擊，因此主使中共大力鼓吹抗日，使中國與日本發生全面戰爭，中共為了減輕國府對之的壓力，加上九一八之後，中國人民普遍的反日情緒，也就順勢鼓吹抗日，這是一九三七年，中國與日本開戰的一個重要的內在因素就是，民間輿論強烈迫使國府對日作戰。

華北及華東之局勢

自從一九一一年的辛亥革命以來，國民黨的勢力是以長江流域與珠江流域為主體，至於黃河流域及東北都是以北洋軍為主體的北洋政府所控制。一九二七年的北伐，國民革命軍在實質上是消滅了長江流域的吳佩孚及孫傳芳所領導的兩個北洋軍集團，至於華北及東北則在實質上是用政治手段去取得，如果用現代的商業觀點去看，長江及珠江流域各省是國民軍的直營店，其他地區包括東北、黃河流域及西北、西南各省都是加盟店，蔣中正所領導的派系在實質上長期控制了七個省（湖北、湖南、江西、安徽、江蘇、浙江與福建），也就是清朝三個總督，即湖廣、兩江與閩浙的轄區。至於其他地區除了短時也曾被納入其控制區的，例如陝西、甘肅及貴州等地之外，長期都是由各地軍頭所控制的。

對黃河流域的華北來說，在北伐後，長期被三個集團所輪流控制，即閻錫山的晉綏軍、馮玉祥的西北軍與張學良的東北軍，他們各自與蔣先生的敵我關係並不固定。在北伐時，國民軍有四個集團軍，分別由蔣中正、閻錫山、馮玉祥與李宗仁領導。當時，張作霖所領導的東北軍是國民軍的敵人，張作霖死後由張學良帶領其軍，並在一九二八年易幟歸順中央，造成中國統一。一九二八年北伐成功後到一九三〇年，因為蔣先生主導的編遣行動，使得國民軍的三個集團軍先後對蔣作戰。最大規模的一次是在一九三〇年的中原會戰，當時閻錫山與馮玉祥聯手率領了八十萬大軍與蔣中正的中央軍大戰，打成了平手。在一九三〇年九月十八日，張學良率東北軍進入華北去支持蔣中正，使得中央軍獲勝，閻錫山及馮玉祥下野。

一年後的一九三一年九月十八日，日本發動了九一八事變，佔領了東北。一九三二年，日軍進攻熱河，中央軍乃北上長城，與本來駐在察哈爾的西北軍聯手抗戰。一九三三年，中日簽訂《塘沽協定》，日方把進入長城以南的軍隊撤回東北，中方以部分塘沽地區不駐兵為交換條件，而兩師中央軍仍留守北平，這是蔣先生的嫡系部隊長駐河北省之始。從一九三三年到一九三五年六月九日才行南撤至河南省。

在九一八之後，日本取得東北，乃與俄國為鄰，雙方之間原先隔著中國作為緩衝，可是在此後卻是俄日直接交壤。此時日本駐在東北的關東軍是以俄國為假想敵，想要北上攻俄，中國的河北及察哈爾地區位於東北地區的南方，是日軍陣線之側背。為了保護其北上大軍的安全，在一九三五年九月之後，關東軍乃希望這兩個地區之主政者，即中國的冀察委員會委員長，二十九軍的軍長宋哲元上將與日本人去合作搞「華北特殊化」。

日軍在華北地區原來已有駐軍，此是根據《辛丑和約》，日軍在天津、北京與其間之鐵路沿線城鎮得派駐軍隊，以保護其在北京之使館。不過這些駐軍限為一個旅，因此日本在天津的駐屯軍為一個旅團，大約五千人。此時關東軍則有四個師團，為十萬人。兩相比較，兩者在日軍內部之比重與分量高低立見。

日本華北軍基於本位主義，當然主張進取華北，予以全面佔領，而不是搞特殊化與中國人合作管理，不過其聲勢不及主張北上的關東軍強大。因此在九一八到七七之間，日方於華北是在鼓吹「華北特殊化」，而且是由關東軍的特務機關長土肥原賢二少將出面主持此活動，其實華北並非關東軍之駐防區，土肥原此舉是越俎代庖了。

對中國來說，關東軍北上攻俄的主張與華北日軍南下進攻華北的主張相比較，自然較為有利。俄國的史達林也看出這一點，即在九一八之後，日軍可能北上攻俄，也可能南下攻華。俄國此時東有日本，西有德國兩個法西斯反共強敵。為了避免受到夾攻，蘇俄乃通過第三共產國際，指揮中共大力鼓吹抗日，要把中日推向戰爭，讓中國替俄國擋住日本人。中共當時正與國府苦戰，先是有國府在江西之「剿共」，而後中共有「兩萬五千里長征」。因之中共為了自身的生存與發展，也會主張國府去抗日，與日本作戰。

至於華北行政主權的完整是蔣中正先生心中對日讓步的「最後關頭一事」，其相關之分析及論述請見第壹編第二章第二節〈《何梅協定》及其由來——兼述何應欽所犯下的兩個大錯〉。

此後到一九三七年的七七事變為止，華北局勢的發展可見於本編之後文。

日本是在東北亞的島國，因為地理位置，它與中國的交通可分陸路與海路，從陸路來說，中國是經過朝鮮半島與日本來往，日本古史紀載，漢文之傳入日本是在西元二八五年，朝鮮王派遣中國學者王仁到日本去傳授漢文，當時日本本身並沒有文字，所以現在日本傳世的最古老五本歷史書，全是用漢文寫作的，此即古代中日之間經由陸路往來的一個歷史證明。不過以目前的史料可以知道，從唐宋以來，中日之間的往來是經由海路為主，當時是用風力的帆船，所以是依靠洋流與季候風，因此中日之間的交通線是以江浙的海港為主，以寧波為最重要的據點，所以唐朝及宋朝在寧波都設有官署以承辦此等業務。

在一九三二年九一八事變之後，日本海軍在上海掀起了一二八事件，此時中日雙方的中央政府都沒有準備全面作戰，因此在英美法義四國調停之下，乃告和平結束，此事對一九三七年發生的八一三事變，在外交及軍事上所產生的影響請見後文。

對中國來說，在政治上，上海是蔣中正先生的地盤，華北不是；在軍事上，當中國決定以四川為長期抗戰的根據地，為了要改變日本進攻武漢的軸線，延後日本進攻武漢的時間，乃在上海發動了八一三戰役。這是為什麼一九三七年抗戰會先有日本在華北挑起的七七事變，繼而在三十七天後，由中方在上海挑起了八一三事變的原因。

一九三一年的一二八事變與一九三七年的八一三事變前後相差六年，在此期間，歐洲局勢有重大變化。在一九三七年，希特勒的納粹德國已經在張弓拔劍地去準備挑起歐戰，所以英法已經無力去關注東亞的局勢，請看一九三八年希特勒進軍捷克、一九三九年希特勒進攻波蘭，掀起了二次大戰。由此可知，在一九三七的秋天，歐洲的西方列強已經自顧不暇。此所以同樣是發生在上海的一二八事變與八一三事變，這六年的差別造成了英美干涉一二八，而不干涉八一三的前後態度不同之主要原因。

第二章

七七事變為什麼不能和平解決

- 引　言
- 《何梅協定》及其由來
  ——兼述何應欽所犯下的兩個大錯
- 西安事變是造成抗戰提早開打的原因之一
- 由外交及軍事去看八年抗戰是怎樣開打的？
  ——蔣中正如何走上主動求戰的道路

引　言

一九三七年的七七事變本來是一個地方性的小型衝突，當時是日方華北派遣軍的一個連（大約一百人）與我二十九軍駐守廊房的一個團（團長為吉星文，其實是一個加強營，大約七百人）的衝突，是日軍先開槍而挑起的。當時雙方都明瞭這是一個偶發性的衝突，可是卻造成了中日八年的全面戰爭，本章的宗旨便是在解釋與分析為什麼這樣一個小型的事件會間接造成中日全面的戰爭。

對研究近代史的人來說，有關七七事件心中多少都有下面的疑問：

1. 比起七七，一九三一年的九一八事件更要嚴重得多，為什麼在蔣中正先生領導下的國民政府可以容忍九一八不起而抗戰，但是卻為了一個如此小型的衝突——七七事件而發動了全面的抗戰？

2. 蔣先生在被動處理七七與主動挑起八一三時，心中有沒有把握打勝這場戰爭？

3. 一向反共的蔣先生為什麼會改變政策，在內部國共合作，在外交上聯俄抗日。是什麼原因促成了蔣先生的改弦易轍？

本章所收的三篇文章主旨即在解答上面三個問題，筆者認為是下列的原因造成了七七事變不能和平解決，並且因此使得蔣先生走上主動求戰的道路，此即：

1. 在九一八之後，日本已經佔領了中國的東三省及熱河，並且扶助成立了偽滿洲國，日軍在一九三一年到一九三七年之間，即在九一八及七七之間，大力拉攏華北的晉綏軍（閻錫山）及西北軍（二十九軍，宋哲元）與之合作去完成華北特殊化，日軍的目的是當關東軍北上攻俄時，希望華北的地方政權不致於攻擊其側背。

2.晉綏軍及西北軍聯手在一九三〇年曾發動了中原大戰，與蔣中正先生所領導的中央軍血戰，後來在一九三〇年九月十八日，東北軍在張學良的領導下入關支持中央軍，蔣中正先生才獲取勝利。因此在一九三一年到一九三七年之間，蔣先生對主政華北的閻錫山及宋哲元都不放心，深恐他們與日本合作去搞華北特殊化。

3.一九三六年七月，代表國府鎮守北平的何應欽上將寫了一封「私信」給時任日本華北駐屯軍司令官梅津美治郎少將，此即世稱之《何梅協定》。在其間眾多條款中，對七七事變最有關鍵性的一條是中方在把駐守北平的兩師中央軍撤出之後，答應日方中央軍不再重新進入河北。

4.何應欽將軍並沒有把《何梅協定》的正式內容向蔣先生報告，因此在七七事變發生後的第二天，蔣先生就派四師中央軍北上河北保定，日軍乃相對應派遣一個師團加兩個旅團進入長城以南到天津附近，此乃違背《辛丑和約》之事，英國遂出面干涉，日方乃向英方出示《何梅協定》以證明是中方違約在先。七月二十一日，英使面詰蔣先生求證此事，雙方起了言語衝突，第二天，中方把何梅諒解事項抄交英使，並且蔣先生向何應欽將軍索取此函之原稿，一讀之後，大為憤激，乃在日記中咒罵何將軍為「誤國」之「賤種」。

5.七月九日，宋哲元自山東趕回天津開始與日方談判。七月十二日，雙方達成和平協議。七月十九日完成此和議之實行細則，其間應日方之要求，規定中方先撤出北上之中央軍，日方再撤出增兵入關之日軍。七月二十二日，宋哲元向蔣中正報告十二日達成之和議，卻沒有報告十九日達成之實行細則，蔣先生雖然在七月二十四日批准了此和議，但是要求中日雙方同時撤兵，和議因此破裂，日軍乃在七月二十六日開始進攻北平，平津戰事爆發。

6. 七月三十日，英方態度突變，中止調停。

7. 七月三十一日，蔣先生決定聯俄抗日，與俄簽訂互不侵犯條約。

8. 蔣中正先生對日的最後關頭是「華北行政主權之完整」，在七七之前，日軍在華北只有五千人，實力不足以造成華北特殊化，到七月二十二日，日方要求中方先行撤出北上之中央軍時，日軍在華北已有四萬人，其實力足以造成華北特殊化，這是蔣先生堅決拒絕先行撤兵的原因，就是蔣對宋哲元及閻錫山不放心，在入關的日軍已經到達四萬人的時候，蔣先生深恐第二個滿洲國在華北出現。在一九三一年九一八事變的時候，日本在東北的關東軍也只有兩個師團，此即四萬餘人，在一九三七年七七事變時，中日兩方的戰力為一比三，此即四萬日軍相當十二萬中國軍隊的戰力，已遠遠超過宋哲元的二十九軍之作戰能力，也就是說當中央軍南撤以後，華北的四萬日軍足以威懾宋哲元的二十九軍去脫離中央之控制也。

9. 因此蔣先生不但對外聯俄抗日，同時在華北的平綏鐵路上令中央軍之湯恩伯軍團在南口主動進攻日軍，使戰事擴大。

10. 同時蔣先生在一九三七年八月十三日下令中央軍兩個師進入上海華界去攻擊日本虹口租界的六千日本海軍陸戰隊，挑起了八一三之役，中日遂走上全面作戰的道路。

本章中所收錄的三篇拙作，其宗旨在說明七七事變為什麼不能和平解決，以及為什麼會成為八年抗戰之第一步經過。

《何梅協定》及其由來

——兼述何應欽所犯下的兩個大錯

一、前言

七七與八一三兩個事變是造成中日展開八年大戰的原因。

七七本來是一個小型的軍事衝突，是日本天津駐屯軍的中下級軍官所挑起來的，當時日方在華北只有五千名駐軍，為一個旅團，可證當時日方在事先並無準備展開大戰的了。

七七發生時，是日方一個連（大約一百人）去進攻我方一個團（其實是一個加強營，大約七百人）。之所以會因之演變而成中日全面戰爭，是經過雙方一連串的互動，而七七之所以不能和平解決是因為英國「態度突變」，中止調停，其關鍵是在日方向英方出示了《何梅協定》。

英方中止調停之後，蔣先生又不願先行撤回北上之中央軍，以免日方在華北遂行其特殊化之陰謀，才決心聯俄抗日，並且挑起了八一三事變。

此詳情可見於本書之第壹編第二章第四節，即〈由外交及軍事去看八年抗戰是怎樣開打的？——蔣中正如何走上主動求戰的道路〉。在本節中，筆者則聚焦於一九三五年的華北風雲，以說明《何梅協定》之由來，並且說明何應欽將軍所犯下的兩個重大錯誤，以及在一九三七年的七七事變發生後，此等錯誤為什麼會使得七七事變無法和平解決的原因的了。

㈠何應欽在一九三五年所犯下的兩個大錯

蔣中正先生在一九三七年七月二十二日之日記中所說的：

> 應欽愚劣私陋，毋使預聞政治，否則害國、誤國必此人也。……閱何致梅函稿而更憤激，何愚劣至此，誠賤種也。

在蔣日記中稱呼其人為逆為奸者多有之，可是稱之為「賤種」者，以我所讀過的，僅此一例。這是辱及何將軍先人之文句，是蔣先生罵人罵得最凶的一次，蔣先生對何將軍為什麼會如此生氣呢？難道何將軍事先沒有向蔣先生報備此信的內容嗎？他不但瞞住了蔣先生，而且一直瞞了兩年多，真是令人難以相信。為了解此心中大惑，我去細讀了蔣先生在一九三五年春夏，即有關《何梅協定》那段時間的日記，並參照了相關人士彼此間的電報、函件，以及坊間可見的一些公私著作而草成此節之文章。

本節之主旨在說明何將軍在交涉《何梅協定》時，犯了兩個影響實為深遠的大錯，因此使得兩年後的七七事變乃演變而成中日大戰，誠如蔣先生所說的「誤國實深」的了。我也試著去解釋蔣先生為什麼會痛罵何將軍為「賤種」的理由，在此容我先點出何將軍的兩個大錯，至於細節則在後文中詳予評析可也。

何將軍的兩個錯誤是：

1. 於一九三五年六月九日，在未奉中央命令之前，何將軍「任意」把駐守北平的兩師中央軍「撤至豫境」，即撤出河北省，因此使得當時蔣先生要中央軍堅守北平，不惜與日軍一戰之意願，不能實現。

2. 在一九三五年七月六日何將軍打電報給蔣先生，「知注謹聞」，通知蔣先生他將要寫一封「普通信」給梅津時，並沒有說清楚他將要答允日方所要求的全部條件之明細內容，因之造成了蔣先生對《何梅協定》中我方的承諾有了錯誤的認知，更使得在一九三七年七月八日，即於七七事變之後的第二天，蔣先生派中央軍六師北上，成為中方違約，使得英方「態度突變」，因而「誤國」，華北戰事乃為擴大。有關此事之評細，即為本節之重點。

這是為什麼蔣先生在一九三七年七月二十二日，向何將軍索取此信之存稿時，並且在同一天把「何梅諒解事項抄交英使」之後，才會勃然大怒，痛罵何將軍為「誤國」之「賤種」的了。

以本書此節之文句與拙作〈阮大仁：七七事變為什麼會造成八年抗戰的原因？——蔣中正何以怒責何應欽「誤國」之理由〉（《傳記文學》第一〇一卷第六期）相比較，細心的讀者應當會發現與之不同。在前文中，我誤以為「在寫給梅津的私信之中，何將軍違背了蔣先生的明令，沒有改正日方代為草擬之文句，原文照抄，並且也把此舉隱瞞，沒有向蔣先生報告」，並且刊之為何將軍所犯的兩個大錯之第二項，我之所以在本節中予以修正，是出於吳景平教授之指正。在吳教授仔細閱讀了多篇拙作，以便替本書撰寫序文時，承其用電話賜告，在本書所引的一九三五年七月九日何將軍致蔣之電報中，何將軍已明白告知蔣先生，在接到其七月八日的電報之前，在七月六日（魚日），此信已發出去了。亦即蔣先生應當在一九三五年七月九日便知道何致梅「私函」之內容，是有他所指出來的「不妥文句」，何將軍並未予以隱瞞。因此，在此容我先向吳教授致謝，至於蔣先生為何仍然對《何梅協定》有誤知，容我留待在本節之後文中加以研析討論的了。

㈡本節資料之來源

本節資料取材於：

1. 蔣中正日記，在本文中未予註明年分者，皆為其一九三五年之日記。

2.《中華民國重要史料初編——對日抗戰期，緒論㈠》，此書是由國民黨黨史會所編印，所收集者多為當時人士相互之間的電報及函件，在本文中簡稱此書為《史料初編》。

3. 坊間有關《何梅協定》之成文或專著，例如：

(1) 梁敬錞先生之大作〈所謂何梅協定〉。（《傳記文學》第十一卷第五期）

(2) 梁敬錞先生所撰〈岡田芳政致何信〉。（《傳記文學》第十二卷第一期）

(3) 李則棻中將著作《中日關係史》。

二、一九三五年的華北大局

㈠華北是蔣中正心中對日讓步的「最後關頭」

梁啟超先生在其名著《國史研究六篇》中即指出來，以漢民族為主體的中國，各朝各代在北方都是以長城為國界，習以為常。至於長城以北的地區之新疆、蒙古與東北，即俗稱塞外或關外者，則時得時失，多為不能長期擁有。例如東北地區，在秦漢時已入中國版圖，可是在西晉八王之亂後即為失去。此後隋煬帝、唐太宗、唐高宗都曾先後出兵攻擊之，在唐高宗時侯君集滅高句麗，東北乃又重入版圖。可是在數十年之後的唐玄宗安史之亂時，復又失去。此後一直到明太祖驅逐元順帝出關，漢人才又收回東北，其間自西晉至明初長達一千餘年，東北都是被少數民族如朝鮮、女真、蒙古等建立之國家，即高句麗、遼、金、元等所統治。

在明朝時，東北地區屬於滿洲三衛，雖然臣服於明政府，卻多是由女真人的滿族明朝官員所治理。等到滿清入關，在清朝兩百數十年中間，東北乃成為中國之核心部分。那是因為中國此時是由滿人所統治，而東北則是滿清皇朝的龍興之地。等到一九一一年的辛亥革命，清室退位，中華民國成立，東北地區仍在其版圖內。如果拿男婚女嫁作個譬喻，此時之東北就是入侵的征服者滿人同化而成為中國人後所帶進門來的嫁妝。到了一九三一年的九一八事變，日本人扶植成立了一個傀儡政權滿洲國，東北又脫離了中國。

日軍在佔領了東北之後，其陸軍可以向北向西去攻俄，或向南去進攻中國之華北。此時日本陸軍的假想敵是蘇俄，在他們心目中，中國太弱，不足以成為其主要敵人。如果世局是盤棋，他們的對手是蘇俄，而中國只是他們心目中的一顆死子，等他們打敗了俄國，回過頭來再收拾中國也不遲。此即下圍棋時的「死子不提」，以免浪費一步棋而失去了先手。

可是日本陸軍在以東北為基地北上攻俄時，他們需要把中國的華北作為其後方的腹地，以免華軍援助俄軍去進攻日軍之背部。也就是說對日本來講，如果日軍能進佔華北，自為上策，否則也要確使華北的執政者是與日本友好的勢力。此即日方要造成「華北特殊化」，使華北脫離中國的中央政府之控制，去成立一個與日本親善友好的半獨立政權。

在一九三〇年的中原大戰之後，一九三五年五月，華北的政局權力分配如下：

1. 何應欽上將以軍委會北平分會主任之身分，率領中央軍兩個師（黃杰師與關麟徵師）鎮守北平。
2. 東北軍第五十一軍軍長于學忠中將擔任了河北省主席。東北軍之首領張學良上將則以海陸空三軍副總司令之身分坐鎮武漢。
3. 西北軍之宋哲元上將以第二十九軍軍長身分擔任了察哈爾省主席。當時西北軍之締造者馮玉祥上將雖然擔任了軍事委員會副委員長，實際上已脫離了西北軍。
4. 西北軍之韓復榘上將擔任了山東省主席。
5. 山西軍首領閻錫山上將主政山西省。

這時共軍正在「兩萬五千里長征」途中，蔣中正先生以國府軍委會委員長身分坐鎮西南各省，在滇、黔、川三省親自督戰，一心以「剿匪」為重。在華北方面，他委派何應欽（敬之）上將以軍政部長兼任北平軍分會主任，負責與日本陸軍週旋。至於外交方面則由黃郛（膺白）先生負責與日方交涉。

當時對蔣先生來說，真可以說是「內外交逼」，此大致可分三點：

1. 西南各省之剿共。

2. 華北日軍之步步進逼。

3. 兩廣，尤其是廣西在暗中與日方往來，醞釀反蔣。

在華北方面，蔣先生的認知是此乃「黨國存亡」之所在。一九三五年六月二十日，在被迫撤換了河北省主席于學忠與察哈爾省主席宋哲元之後，其日記有文曰：

> 注意：
>
> 一、冀于、察宋相繼撤換，黨部取消，中央軍隊撤退，華北實已等於滅亡，此後最多不過製造華北偽政權而已。莫須有之冤獄，宋亡只及岳武穆一人，而今則要株連無故（辜），為此「頗」為。嗚呼，寇亂至此，國既不國，人亦非人，不再決戰，復待何時？應毅然決斷，不容徘徊猶豫於其間也。

在這段文字裏面，「株連無故（辜），為此頗為」八字不易解，其他則為意思明白。即蔣先生認為如果失去華北，則宋亡之史實可以引為殷鑑。此即在後晉之兒皇帝石敬塘割讓燕雲十六州給遼國以後，終必造成北宋亡國之靖康恥也。

因為在蔣先生心目中有此認知，所以在《何梅協定》之後的兩年，即一九三七年發生的七七事變時，他才會立刻派兵北上，想撕毀此協定，以安定華北之局勢，因而使得七七事變不能和平解決也。

㈡一九三五年中日兩軍在華北的風雲人物們

在一九三五年春夏，華北的中國駐軍分屬四個軍系，而且在五年前的一九三〇年，分成兩方，展開了中原大戰。當時西北軍及山西軍合作和中央軍對抗，最後因為東北軍入關支持中央軍，乃使蔣中正先生領導的中央軍獲勝。那麼在一九三五年，這些檯面上各據一省的中國將軍們會不會、能不能相互合作呢？即使是同出於西北軍的察哈爾省主席宋哲元及山東省主席韓復榘兩位上將，也是會有心結的。此因在中原大戰中，韓將軍「起義」而向中央軍「投誠」，乃能在戰後取得山東的地盤，可是宋將軍則是代替了敗退時下野的西北軍締造者馮玉祥上將，代領了二十九軍。

在此四個軍系對日本的態度也有不同；其中東北軍因為一九三一年的九一八事變之國仇家恨，一定反日。而中央軍則絕對不會與日本合作去搞「華北特殊化」，以反對中央政府。因此在一九三五年的「華北事變」中，日方乃步步進逼，要求中國把這兩支軍隊調離河北省。當時中方的談判代表是何應欽上將，他以軍政部長兼北平軍分會主任的身分主持其事。日方代表則是天津駐屯軍司令官梅津美治郎少將及其參謀長酒井隆大佐，駐華使館武官磯谷廉介少將及其助手高橋坦中佐。

十年後，在一九四五年日本戰敗投降時，這些中日雙方的將校們分別之下場為：

1. 何應欽上將以中華民國陸軍總司令之身分在南京代表中國接受日軍之投降。

2. 梅津美治郎大將以日陸軍參謀總長之身分在東京簽署了日本之降書，後以甲級戰犯身分被盟軍處以無期徒刑，而病死獄中。

3. 酒井隆中將因為以師團長身分參預了南京大屠殺，以及率領日軍攻下廣州及香港時所犯下之戰爭罪行，在南京被中國軍事法庭以乙級戰犯定罪而被槍決。

4.磯谷廉介中將因為在一九三八年的台兒莊之役，以師團長之身分被國軍擊敗，後來又在一九三九年的諾門罕之役，以關東軍中將參謀長的身分，與司令官植田謙吉大將共同負擔被俄軍擊敗的責任。而被編入預備役，因此沒有參加太平洋戰爭。可是他在一九四一至一九四五年擔任了日本佔領香港之總督（文人身分），在戰後被盟國處以五年徒刑。

5.高橋坦已升任中將師團長。

㈢日本並無全盤進攻中國之計劃，只想取得華北。

我們中國人一直以為，

日本敗降，東京戰犯審判庭開庭之實景。

自從甲午戰爭以來，日本久有亡華之心，因此在一九三一年的九一八之後，日方一定有全盤進攻中國的作戰計劃，日方對華北之染指，只是這個計劃中的第一步。可是同盟國在戰後去查看日方之史料，發現至少到一九三七年的七七事變以及八一三淞滬戰役之時，日本並沒有制定對華的全盤作戰計劃，只有對華北的局部作戰之計劃，反而是中方有了全盤對日作戰的計劃。這真是一個令人吃驚的事實，關於此點對抗戰初期在雙方擬定大戰略上之影響，本書第貳編第二章〈兩次淞滬戰役的開場與收場〉將予說明。

因之，中方在制定抗戰的大戰略時，要誘導日軍自東向西，沿著長江去仰攻武漢之設計之所以能夠奏效，就是因為日方在一九三七年開戰之前根本沒有進攻武漢的預定計劃。換句話說，日方在之前更早的一九三五年春夏在華北逼迫我方時，並沒有打算立刻進佔華北，只是：

1. 對應河北軍民之排日活動作出反制。
2. 迫使中央軍及國民黨退出河北，以利其促成「華北特殊化」之計謀。
3. 迫使東北軍之于學忠河北省主席及張廷諤天津市長等抗日人士之去職。

在東北軍及中央軍退出河北以後，河北省政可能的接班人只有來自兩個軍系的將領，即出身於山西軍及西北軍者。

以一九三五年秋天至一九三七年七七事變為止，河北省主席前後只有兩位，即：

1. 山西軍的商震（啟予）上將（一九三五年七月至一九三五年八月）
2. 西北軍的宋哲元上將（接商震之職，以冀察政務委員長之身分兼任）

在此兩年期間，日方一直分別在努力遊說閻錫山（山西軍之首領）與宋哲元與之合作去搞「華北特殊化」，可是終未成功，因此非本文主題，暫此不贅。也就是說，在九一八到一九三五年六月之間，因為華北官民之仇日，使得日方加緊腳步去步步進逼，蔣中正日記於一九三五年六月四日有文曰：

本日決調于孝侯（學忠）離冀（河北省），平、津市長、警備司令易人，心甚憂鬱。天下事皆壞於自作聰明而不顧大體者。

此當是有感而發之三嘆者也。

㈣宋哲元察省主席去職之風波

在本書第參編第一章第二節〈太原會戰的另一個看法——日軍暗助共軍進入華北〉中，我將記述閻錫山上將與日本陸軍的關係良好，淵源甚深，在此不贅。

至於日方與宋哲元上將之間的複雜關係，真是有點令人難明真相。今以一九三五年六月十八日國府免去宋上將察哈爾省主席職務時，日本關東軍出面支持宋將軍留任的故事為例子。當日方在河北步步進逼之時，日本之關東軍亦在察北挑釁。察省主席宋哲元上將所率領的二十九軍曾與中央軍並肩參加一九三三年的長城戰役，戰績優良，其大刀隊奮勇殺敵之故事，真可說得上是家喻戶曉的了。

六月十八日蔣日記：

注意：

二、宋哲元部之安置與其名義。

倭以間接要求撤換察哈爾宋哲元主席，政府乃即自動撤換。嗚呼，倭寇蠻橫，人心陷溺至此，豈天果然亡我中華乎？

仁按：此示：

1. 蔣先生並無意願要撤換宋之省主席職務。

2. 蔣先生接到情資，以日方將向我方提出撤換宋之省主席職務之要求，為了避免一如日方迫使我方撤換河北省主席于學忠職務一事之重演，我方乃先行自動將宋撤換，以免難堪。

不料在六月十八日下午，日本關東軍之土肥原賢二少將赴北平，向何應欽及黃郛兩人當面抗議撤換宋之省主席職務。（此可見《史料初編》第六八七頁，六月十八日行政院長汪兆銘（精衛）致蔣中正電。）這真是大出我方意料之發展，此示我方事先所獲之情資為錯誤者也。可是免宋職一事已經在中央政府會議中通過，已無法改變。

蔣先生在六月十九日的日記中原打算將宋部調駐甘（肅）涼（州），因土肥原來訪一事，乃說：

本日接免宋哲元令，對其所部移防之地點，頗費踟躕，決暫緩，以觀倭態度。

六月二十二日日記：

注意：

一、倭寇得寸進尺，又要求擴充停戰區至昌平、延慶與北長城線以北地區，則察省全亡。嗚呼！政府精神全為倭寇所脅制。對于（於）宋哲元撤換，只得有此要求之消息而不加思索，即令免職，致成今日之大錯。魯韓乃要求辭職，此乃必然之勢。長此以往，必至崩潰。

二、北平軍分會應即撤銷乎？

仁按：此示：

1. 在六月十八日下令免除宋之察省主席一事上，蔣先生認為自己犯了大錯，誤信謠言，以為日方將要提出撤換宋之省主席職務之要求。

2.在土肥原賢二跑到北平去抗議此事後，蔣乃決定：

(1)宋部仍留守察省。

(2)宋之軍長職務不變。

(3)省主席由其副軍長秦德純中將代理。

宋哲元也接受了這種安排，置日軍之代為抗議於不顧。

由以上之故事可知，在閻錫山與宋哲元二人之間，閻與日本陸軍之淵源雖深，當為日方爭取合作去搞「華北特殊化」之首選，但是宋哲元亦為日方所能接受者也。此即在《何梅協定》即將登場之時，當時在華北的國軍四個軍系中間，日方極力要在河北去排除中央軍及東北軍，至於剩下來的兩個軍系，即山西軍及西北軍之第二十九軍，都是日方可以接受者。

至於我方，在一九三五年五六月間，蔣先生的首選之新任河北省主席為何應欽上將，因為何「不肯負責」、「不肯北上」，在六七月間乃選定由山西軍之商震上將出任，詳見後文。

三、一九三五年河北的軍政局勢

(一)蔣中正日記中有關河北省軍政人事安排之記載

在一九三五年五六月間，何應欽上將以北平軍分會主任身分，代表國府與日方之天津駐軍將校們週旋，其交涉之對象雖為駐屯軍司令官梅津美治郎少將，可是真正與何將軍交涉者則為：

1.駐屯軍之參謀長酒井隆大佐。

2.日本駐華武官磯谷廉介少將，以及其助手高橋坦中佐。

在日方所提出的九項要求之中，最令蔣委員長心急的是下列各條，可以分別見諸其日記之中，今抄錄如下：

1. 一九三五年五月底之本月反省錄：

八、月終，華北倭患緊急，內部多人又不明大體，誠所謂內憂外患相逼而來。最痛心乃在繼起無人，所有者乃不負責任，不明理，亦可謂不知恥之人為多也。

仁按：當時蔣先生在川、滇、黔各省督戰以追擊長征中之紅軍。兩廣則與日人往來而反抗中央。蔣先生在五、六月的日記中往往把「倭桂」寫在一起，而且稱之為「桂白」，並非「桂李」，即在他心目中桂系內部之反蔣勢力是由白崇禧（健生）上將所領導，而非由李宗仁（德鄰）上將也。在此段日記中，蔣先生曾二次明言白將軍派刺客要暗殺他，並明言「白逆」二字。

2. 六月二日：

注意：

一、倭寇對於華北之要求，豈僅免于（學忠）、蔣（孝先）、曾（擴情）、張（廷諤）職了事乎？其將以平、津及其以東之地區為中立，而要求，我不駐兵乎？為華北倭寇作難，深思苦慮，但天「君」（？）泰然，內心不懼也。

仁按：此段文字中之四人，即

(1)于學忠中將為河北省主席，屬東北軍。

(2)張廷諤為天津市長，屬東北系。

(3)蔣孝先為憲兵團長，屬中央軍，是蔣先生的親人晚輩。

(4)曾擴情為特工高幹，屬中央軍黃埔系之「藍衣社」。

此四人皆是日方認定之抗日分子，要求我方予以免職者也。

3. 因為河北省主席于學忠中將是東北軍系之一位軍長，其職務之任免與調動理應先與張學良（漢卿）上將打個商量。當時張學良上將以陸海空三軍副總司令（即蔣總司令之副手）之身分駐節武漢，因之蔣先生在六月三日的日記說：

> 注意：
> 一、于（學忠）調川、陝、甘邊區總司令。
> 二、倭寇情勢猶未定也。漢卿由漢「？」電來，商華北倭事，彼甚幼稚，不能識環境矣。

仁按：我查了《史料初編》，其中並沒有記載六月三日張學良打給蔣中正先生的電報，可能是因其所言「幼稚」之故，所以未予著錄。可是卻記載了另一封蔣先生在六月三日打給張學良的電報，此為錄自「總統府機要檔案」者，茲抄錄如下，再予評析：

> 武昌張主任勛鑒：
> 天津警備司令人選以啟予（商震）較宜，如兄為然，請即由兄保薦提出為何？中正。

此可供評析如下：

(1)商震將軍是屬於閻錫山所領導的山西軍，在中原會戰之後，閻錫山為國府通緝而隱居於大連時，即由商將軍出任山西省主席。也就是在此五年之前，他的官位已遠高於天津市之警備司令了，因之他的此項任命只是大局的一個布線而已，當有後命也。

(2)此時河北省是屬於東北軍之地盤，現任省主席于學忠是張學良的部下，因此蔣先生要派任一位山西軍的將領到張學良的地盤中去任職，為了顧全張學良的面子，乃先請他認可，並請他出面保薦。

(3)這是「投石問路」之計，以測試張對商的態度。並且為不久之後用商去出任河北省主席以取代于一事鋪路。

(4)由此事可見蔣先生政治手腕之高明也。

4. 六月四日：

本日決調于孝侯（學忠）離冀（河北省），平、津市長、警備司令易人，心甚憂鬱。天下事皆壞於自作聰明而不顧大體者。

5. 六月五日：

注意：

六、白逆（白崇禧）又為倭寇利誘，而以華北事且悔禍之心，而長其悔亂之謀乎？

仁按：在此段時期內，蔣先生日記中一再把桂系（以白崇禧上將為首）與日本在華北之陰謀相連接，我在此處照抄其文句，只是用以說明與分析蔣先生的思路與心態。我認為此事非同小可，再需查證，不能只以蔣先生的日記片面之詞作為指控白崇禧上將通日之證明也，謹此聲明。

(二)何應欽擅自把中央軍撤出河北省

到六月五日為止，蔣先生在日記中對華北軍政局勢之重新規劃，都是以如何更替日方所要求撤換者為主體。並且由其欲任命商震（啟予）上將為天津警備司令之腹稿去看，蔣先生已在考慮用山西軍去取代東北軍以入主河北省政。到了六月八日，蔣先生乃提出他對日方另外一個要求，即中央軍退出河北省之看法。

我先抄錄蔣日記中有關中央軍撤出河北省之記載，再評析何應欽上將此時所犯下的第一個大錯。

1. 六月八日：

注意：

一、倭對中央軍南移之要求猶未定止，彼倭一面在內蒙布置發動，一面在兩廣煽惑其獨立。我北平軍隊南移，仍不能滿足其欲望，乃更乘釁侵略。使我政府對內、對外皆失威信，乘機推到（倒），以達其目的。故與其南移後再與（於）易地抵抗，不如死守平、津，使之同歸於盡，以期死中求生也。

仁按：此時（即一九三五年六月）在七七事變發生前兩年，蔣先生竟然已決心為了平、津而以中央軍與日本決戰。而且是在不論有無勝算的情形下，仍然下定決心開戰，這真是一條令人意外的記載。可是因為在六月九日（即第二天），何應欽將軍「任意」把中央軍撤出北平，蔣先生這番決心沒有實現，請見下文。

2. 六月八日是星期六，在下一頁的本週反省錄中說：

一、倭寇進逼益急，而此心泰然，乃決心至最後時與之一戰。非此不能圖存，戰則尚有一線之希望。但萬一之轉機與萬分之忍耐，則仍須慎重也。

三、華北動搖，兩廣逆謀，亟應注意，唯匪情日趨末路，或易為力。

3.在一九三五年的日記中，自一月一日起便因為受潮而損毀之處頗多。此因蔣先生是用毛筆沾了黑墨寫日記的，所以在潮濕的情形下，墨跡乃不能辨識。因此在這幾個月中，即自一月到六月裏，常有旁人以小楷在另一紙上補抄蔣日記以彌補受損原跡之情形出現。而且這許多張以工筆蠅頭小楷所補抄的日記，筆跡完全相同，都是由同一個人抄寫。可是在下述這一條六月九日的日記中，原跡並未受潮，而是因為蔣先生一邊寫一邊刪改，塗抹之處太多，字跡遂難以辨認，所以才由此同一人以小楷抄錄一遍，此為一個比較少見的例子。由此可見蔣先生在寫這一段日記時，一再斟酌其用字造句，一改再改也。

六月九日：

倭寇緊逼，平電連續告急，敬之（何應欽）不能負責，北平駐軍任意撤至豫境，可嘆！可痛！唯既經撤退，另定華北之處置。此項決心之重要，實關黨國之存亡，當深思之。

仁按：此即何應欽上將未得蔣先生之認可，「任意」把駐在北平之中央軍南撤至河南省境。此與前一天蔣先生之要中央軍死守北平，不惜與日本一戰之決心，恰好相反。不過因為只差一天，我判斷蔣先生並沒有來得及把他要死守北平之意念告訴何將軍。

我認為此是何將軍犯下的第一個大錯，再加上後述的第二個大錯，即在蔣先生明白下令他修改（日方交來的）文書字句後才能寫信給梅津之時，何將軍一方面沒有加以修正，另一方面沒有報告蔣先生他在此短函所附的但書中，我方所允諾日方的各項要求之明細名單，其中有答應日方，我方之中央軍在此次撤出河北省之後，不得重新進入河北省。此使得蔣先生在不知情的狀況下，於一九三七年的七七事變發生後第二天，即派遣六師中央軍北上保定，重新回到河北。因為此舉違背了《何梅協定》，英國乃中止調停，以致七七事變不能和平解決的了。

㈢蔣先生含淚屈服於日本之無理要求

在六月十日的日記中，蔣先生非常罕見地沒有使用他平時在這一段時間裏所常用的一貫手法，即在日記中分別先用「預定」，後用「注意」去逐條記載各項重點，而是一下筆便直接寫了下面一段話，這是我所讀到過的，在這一段年月的日記之中的蔣日記中，甚為少見的沒有照著慣例去寫的例子。

> 為河北軍隊之撤換與黨部之撤銷，悲憤欲絕。實無力舉筆覆電，妻乃下淚，澈（徹）夜未寐。如上天有靈，其將使此惡貫滿盈之倭寇不致久存於世乎？

仁按：當天蔣先生在四川成都，何應欽軍政部長在北平，汪兆銘行政院長在南京。在六月八日、九日汪及何分別致電蔣，轉述日方要求：

1. 汪在八日轉告日方要求中央軍南撤，而蔣在九日回電拒絕。
2. 何在九日報告日軍提出：
(1)取消河北黨部。
(2)撤退五十一軍及中央軍。
3. 何在九日另電致蔣說：

> 日方甚願與中央軍立刻發生衝突，則京滬長江流域均可同時發動，我方軍事、經濟與外交一切

均無準備，萬一戰事發動，頃刻之間，即將平、津斷送。……目前之計，唯有照汪先生迭電共同負責之主張，即下令將中央軍自動調駐豫省，期能保全平津及國家元氣。……

以上各電文取自《史料初編》六七九頁至六八二頁，均為錄自「總統府機要檔案」者。至於蔣先生親擬之覆電，在《史料初編》中雖未著錄，但是以何應欽在六月十日給蔣先生的一封電報可知，他所遵照與執行的中央四點決議，當為蔣氏所授意者也，此即：

1. 河北省黨部之撤退，已於今日下午即日起開始結束。
2. 五十一軍（于學忠軍）已開始移動，預定自十一日起用火車向河南輸送，大約本月二十五日輸送完畢，但如因車輛缺乏，或需延長數日。
3. 第二十五師、第二師已決定他調，預定一個月運畢。（此即黃杰與關麟徵為師長的兩個中央軍部隊。）
4. 關於全國排外排日之禁止，已由國民政府重申明令禁止。

也就是說，蔣先生含淚接受了日方的要求，把中央軍及黨部都撤出了河北省也。由前引之蔣日記及各項電報之日期可知，蔣先生是在六月十日致電中央，以答允日方之四項要求，可是在六月九日的日記中已說：「敬之不能負責，北平駐軍任意撤至豫境。」此即何應欽將軍在北平撤出中央軍是在得到蔣先生及中央之批准之前一天，是他先斬後奏的了。

由前引之蔣先生六月八日與九日，以及本週反省錄之日記可知，何將軍此撤兵之行動是與蔣之初意是相反的。中央軍之撤出河北與否，事關重大，所以何將軍之「任意」與「不能負責」，蔣先生才會寫下：「可嘆！可痛！唯既經撤退，另定華北之處置。此項決心之重要，實關黨國之存亡，當深思之。」

這段日記，誠如前述，蔣先生塗抹修改之處甚多，甚至到了難以辨認其字跡的程度，因此在沒有受潮受損的情形下，竟然需要由旁人以小楷重新抄錄一遍。由此可見蔣先生下筆時情緒之激動也。

這就是為什麼我說何將軍擅自撤兵是一個大錯，此舉使得蔣先生處心積慮要重新派遣中央軍進入河北，以謀威懾駐防華北之西北軍或山西軍不敢與日本合作去搞「華北特殊化」。因此在一九三七年的七七事變後，一如前述，才會造成了我方先行派中央軍六師北上，其中四師入駐保定，而日方亦相對應派一個師團加兩個旅團至天津附近，因而使得一個偶發的小衝突之七七事變成為中日大戰的第一槍也。

比照日期，日方酒井隆大佐是在六月九日當面向何將軍提出覺書，以書面要求我中央軍撤出河北省。何將軍在沒有得到中央批准之前，於當天即「任意」把駐守北平的中央軍撤出豫境。而蔣先生及中央是在六月十日補予批准。無怪乎蔣先生在六月九日的日記中會說：「敬之不能負責……，可嘆！可痛！」的了。

四、談談《何梅協定》

(一)何應欽寫給梅津的那封「私信」的內容

一九三七年七月二十二日，蔣日記中有關何應欽與梅津之間的往來之記載為：

1. 閱何致梅函稿而更憤激，何愚劣至此，誠賤種也。
2. 何梅諒解事項抄英使。

此示何將軍曾寫了一封「私信」給梅津美治郎將軍，以及他們兩人曾經有達成諒解事項。問題是：

1. 此信能否可以被視為《何梅協定》？

2. 這些諒解事項是否含意明確，在一九三七年七七事變發生後，關於我方派遣四師中央軍北上保定，是否違背了其中的規定？

3. 蔣先生在「閱何致梅函稿後」，為什麼如此氣憤？竟然罵何將軍「愚劣至此，誠賤種也」？

本節宗旨即在解此等疑惑，至於在一九三五年裏，何梅雙方交涉經過則只是略談一二，此因坊間有關之專著已多，例如梁敬錞先生的大作〈所謂何梅協定〉即是，可供讀者查閱，我在此不多贅言。

何將軍這封「私信」甚短，原文如下：

梅津司令官閣下

敬啟者，六月九日酒井參謀長所提各事項均承諾之，並自主的期其遂行，特此通知，此致

何應欽　中華民國二十四年七月六日

(二)「酒井覺書」之提出

《史料初編》第六八三頁，記載了六月十日何將軍致蔣先生電報，報告已照中央決議指示之四點，用口頭答覆高橋。此四點即前文所引蔣先生六月十日日記中所說的「為河北軍隊之撤換與黨部之取消，悲憤欲絕。實無力舉筆覆電，妻乃下淚，澈（徹）夜未寐」所指者也。此為：

1. 河北省各級黨部之撤退。

2. 五十一軍撤至河南。

3.中央軍第二十五師、第二師決定他調。

4.全國排外排日之禁止。

日方在接到何將軍之口頭通知後，乃於次日（六月十一日）由高橋出面交來覺書一件，要求何將軍蓋章送去，而被何將軍當場拒絕。事後當天何將軍用電報向蔣先生報告，此電文可見《史料初編》之六八二頁，列為第二十項。

在此電文中，何將軍列舉了此覺書中，日方所提出的二大類總共十二項要求，前述我方中央決議之四項則列為第一大類之第六至第九項，另有五項皆為先前雙方在口頭交涉時，中方已經承認實行者。因為這就是何將軍寫給梅津那封私信中所說的六月九日之「酒井覺書」，以及該信所附頁之但書所列出之各項，因此我把何將軍之電文抄錄於後，以供讀者參考，其文曰：

代理軍事委員會北平分會委員長何應欽為日本軍官高橋交來覺書稿一件要求蓋章送去當加以拒絕情形呈蔣委員長電——民國二十四年六月十一日

特急，成都委員長蔣、南京鐵道部一號官舍長汪：渙密。極祕。頃由高橋交來覺書稿一件，文曰（覺書）1.在中國方面對於日本軍曾經承認實行之事項如左：(1)于學忠及張廷諤一派之罷免。(2)蔣孝先、丁昌、曾擴情、何一飛之罷免。(3)憲兵第三團之撤去。(4)軍分會政治訓練處及北平軍事雜誌社之解散。(5)日本方面所謂藍衣社、復興社等有害於中日兩國國交之祕密機關之取消，決不容許其存在。(6)河北省內一切黨部之撤退，勵志社北平支部之撤退。(7)第五十一軍撤退河北省外。(8)第二師第二十五師撤退河北省外，及第二十五師學生訓練班之解化（散）。(9)中國內一般排外排日之禁止。2.關於以上諸項之實行，並承認左記附帶事項：(1)與日本方面約定之事項，完全須在約定之期限內實行，更有使中日關係不良之人員及機關勿使重新進入。(2)任命省市等職員時，希望容納日本方面之希望選用，不使中日關係成為中日不良之人物。(3)關於約定事項之實施，日本方面採取監視及糾察之手段，以上為備忘起見，特以筆記送達等語。囑職照繕一份蓋章送去，職當加拒絕，並謂以前係兩方口頭約定，由我自動實行，不能以書面答覆等語，如何應付乞迅賜示。職應欽。真酉行祕印。（錄自總統府機要檔案）

在這份電報中，第一大類的九項雖然林林總總，卻都是中方已予接受之事項，此時已非緊要。反而是第二大類中「更有使中日關係不良之人員及機關勿使重新進入」，這短短一句話，極為緊要。這在一九三七年的七七事變後，中央軍北上時，成為日方指控我方違約之藉口，詳見後文。在此處我要指出來的是，這個版本的「酒井覺書」是高橋坦中佐在一九三五年六月十一日向何將軍提出來的，此與前兩天，即在六月九日何將軍與酒井會面時，日本方面所提出的口頭要求不同。當時酒井大佐曾手寫一些便條式的文句，雖然並非正式文件，可是其中只有這個版本的第一大類之九項要求。因之在《何梅協定》中，何將軍所說的「六月九日酒井參謀長所提各事項，均承諾之」，中方所承諾的，只是高橋版本的第一大類的九項，還是包括了在六月十一日此版本另增的第二大類之三項，此乃六月九日酒井版本所無的？這個疑問的解決，是要去核查《何梅協定》那封短信有沒有「但書」，即附文，何將軍是不是曾經明白列述中方所承諾的各個項目之明細？此請見後文。在此我只是要提出來的，是在下文中一九三五年七月六日及七月九日，何將軍向蔣先生「知注謹聞」的兩份有關那封「普通信」的兩份電報中，何將軍並沒有告訴蔣先生他那封信有沒有「但書」，也沒有列出他所答應日方的各項諒解事項。只在信中說了「六月九日酒井參謀長所指各事項，均承諾之」。因此可能使得蔣先生有了錯誤的認知，即六月十一日「酒井覺書」版本的第二大類的三項並不包括在內也。

現在各相關當事人，即中方的蔣、何兩位，及日方的梅津、酒井、磯谷、高橋等人均已去世，這個文句上的疑義，只有從文書上去作分析的了。蔣先生為什麼會對《何梅協定》有了誤認，一如後文之論述，蔣先生在日記及其他公私文件中也沒有自我說明，因之在本文中，作者也只能按照合情合理的方法去作推論的了。

此處先要說明的，是在六月十一日這封電文之結尾，何將軍向蔣先生請示，「如何應付乞迅賜示」，並在六月十二日，即高橋提出酒井覺書之第二天，為了避免日方之節節進逼，何將軍即離開北平南下赴南京。六月十三日，蔣先生以電報告知何應欽說：

高橋交下覺書，切不可以書面答覆，應拒絕之。

到此時為止，蔣先生及何將軍對日方所提出的「酒井覺書」的態度是一致的，即可以口頭答應，絕不簽字。

六月十六日是星期六，蔣日記在那天之後的本週反省錄裏面，對何將軍之拒簽覺書大為嘉獎，可見蔣先生對於何簽不簽字一事甚為關切也，其文曰：

一、倭日於進逼華北，中央第二、第二十五師被逼撤退，移駐河南，乃為我軍之奇恥。何部長忍辱含羞，與之折衝週旋，殊為難得。最後「仍被」（此二字用毛筆刪除，但是筆跡仍可讀）彼寇仍逼答覺書，堅決拒絕，離平回京。凡吾中華同胞應毋忘此次之國恥，此誠為民族唯一之羞辱。然未簽字，可能度此一關，又為國家之幸事也。

仁按：在此段日記中，蔣先生把「仍被」二字塗去，今試將未改及改後之文句寫下，讀者當可了解其間文意之不同處，此即：

1. 最後仍被彼寇逼答覺書。

2. 最後彼寇仍逼答覺書。

即第一句有已簽字答覆之意，而第二句則無也。

又此時蔣先生之命令何將軍拒簽此覺書，只是為了不要讓此「國恥」、「羞辱」留下書面紀錄，成為歷史上之明證，還沒有考慮到所簽文件的內容文字是否妥當的問題。

㈢**何應欽「私信」的文句問題**

在何將軍回到南京以後，日方仍然繼續施壓，要求何將軍以書面答覆其所提出來的「酒井覺書」。當時蔣先生在西南各省坐鎮「剿共」，指揮國軍追擊共軍之兩萬五千里長征。南京的中央政府則由汪精衛（兆銘）以行政院長之身分，及何應欽上將以軍政部長之身分，分別主持政、軍事務。由《史料初編》一書之記載可知，他們兩人各自與蔣之間之電報可以說是無日無之。

關於《何梅協定》者，因為此為關鍵性的文件，謹在此將相關的三封電報全文抄錄如下：

1. 何應欽部長自南京呈蔣委員長為河北糾紛事件經斟酌考慮決以一普通信送達天津日駐屯軍司令梅津電

——民國二十四年七月六日

特急，成都委員長蔣：哂密極祕。關於河北糾紛事件，日方必欲我作正式書面答覆，經與汪院長再三斟酌考慮，歷時三星期，一再與日方磋商，近始決定由職備一普通信，送達天津駐屯軍司梅津：其文曰：「敬啟者：六月九日酒井參謀長所提各事項，均承諾之，並自主的期其遂行，特此通知，此致梅津司令官，何應欽二四年七月六日」等語，原件於今日寄平軍分會，派人送高橋轉交梅津，此事即算告一段落，知注謹聞，職應欽。魚未祕印。（錄自總統府機要檔案）

2. 蔣委員長致何應欽部長指示致梅津函請從緩發出電

限即到南京何部長：魚未祕電悉，此信如未發出，務請從緩，即使要發，亦應有字句之改正，發否盼立覆。中正。齊申機蓉。（錄自總統府機要檔案）

——民國二十四年七月八日

3. 附：何應欽自南京呈覆蔣委員長電

限即刻到成都委員長蔣：齊申機蓉電奉悉。密。近以上海《新生週刊》事件，日方情勢果為嚴重，高橋對於河北問題通知書，復一再向分會催詢，經就近與汪院長籌商，因恐夜長夢多，又生其他枝節，故於魚日將致梅津函寄平，由鮑文樾派員送交高橋，昨接鮑文樾庚十九時電稱，已派軍分會周副組長永業將通知書送交高橋，高橋已照收，謂河北事件，告一段落等語。謹併聞，職應欽。青辰祕印。（錄自總統府機要檔案）

——民國二十四年七月九日

仁按：在這三封電報往來的時段內，蔣日記有關此事的記載只有一條，如下：

七月八日，星期一（在四川）：

注意：

二、倭寇急求交涉，京（南京）方不察，一意順從，人才缺乏，精神被劉，思之痛心，無論如何屈服到底，倭寇逼迫，永無止境也。

由上述三封電報可見：

1. 何將軍在寫「普通信」給梅津之前，曾將函稿向蔣先生提出報告。

2. 蔣先生指示「此信如未發出，務請從緩，即使要發，亦應有字句之改正，發否盼立覆。」此即：

(1)此信發或不發由何將軍自己決定。

(2)可是此信原擬之內容不妥，應有字句之改正，再予發出。

3. 在此情形下，即使何將軍要發信，也應當把修正後的文句先行上報給蔣先生批准之後再發信。

4. 何將軍在接到蔣先生此電報後，向蔣先生說明，他在七月六日（即魚日）已把此函「寄平」，並且在七月八日晚上七時得北平方面之報告，已送出給日方之高橋坦中佐。亦即在七月八日何將軍收到蔣先生回電時，此信已然送出。

5. 何應欽並未告訴蔣先生他在此信中所附的「但書」之內容，亦即他究竟答應了日方的明細項目是什麼。是前述在六月九日酒井當面口頭提出的九項？還是在六月十一日高橋書面提出的十二項？蔣先生一直到一九三七年七月二十二日，也就是兩年之後，因為英使來查證日方所提供之資料，才向何將軍索閱此信之存稿。一讀之下，才發覺何梅諒解事項，竟然包括了中央軍不得再度進入河北，不由大怒，竟痛罵何將軍為「賤種」的了。

6. 參照何將軍在一九三五年（民國二十四年）七月六日與七月九日從南京打給蔣先生的電報文字，在七月六日的電文結尾「知注謹聞，職應欽」，在七月九日則是「謹併聞，職應欽」，此示何先生兩次的呈文都是在通知蔣先生此事，並未要求蔣先生予以批准。也就是說在何先生心目中，蔣先生在七月八日回電，即「此信如未發出，務請從緩，即使要發，亦應有字句之改正」之指示，只是蔣先生的勸告，並非是一個他必須服從的命令。為什麼呢？我的分析與判斷如下，提出來供大家參考：

(1)首先，在何將軍心目中，此信只是他個人寫給梅津少將的「普通信」、一封私函。

(2)他對蔣先生自稱為職，是因為蔣是軍事委員會委員長，何則是他的下屬，即軍政部長兼軍委會北平分會主任。可是在何先生心目中，此事並非與此二職務有關之公事，所以他的行動不需向蔣先生呈准，只是讓蔣先生知聞而已。

(3)可是在收到蔣先生七月八日的覆電後，何將軍卻表示在七月六日之前他已經與時任行政院長汪兆銘（精衛）商量過後，因此在七月六日已經將此信發出去了，所以來不及去遵照蔣先生之指示去修正其中不妥之字句也。此示，即使何先生認為此是私信，他先去找汪去商量並且不向蔣報告請示，只是通知蔣，即在何先生心目中，這是一個外交方面的事務，而非軍事上的事務。此因外交是由外交部主管，而外交部是屬於行政院主管，並不屬於軍委會。

7. 在一九三七年七月二十二日，即此事之後兩年多，蔣在看到何寫給梅津此信之「稿」本時大怒，竟痛罵何將軍為「誤國」之賤種，「愚劣至此」，為什麼呢？讓我們來分析一下。

(1)在此信所附之酒井覺書中所列出林林總總之項目，屬於軍事與外交者都有，例如將兩師中央軍從北平撤出河北省，將東北軍的于學忠軍撤出河北省，這當然是軍事行動，不過在寫此信時，這些都是已經南京政府批准了，而且已付諸實行了的，所以何將軍並不須要再次向蔣先生請求予以批准。

(2)可是在第二大項中卻有一條極為重要之文句，即為：「更有使中日關係不良之人員及機關勿使重新進入。」此語句之涵意不明確，因之在一九三七年蔣先生派中央軍北上，重新進入河北時，日本及英國都認為是中方違約的了。當時日本駐華大使館武官川喜多少將到我方軍政部與何部長會面時，即指出此舉為違約，而何將軍即答之以我方並無此了解。可是關鍵點是在英美等列強的看法，而英美在此事上是站在日本那一邊的，因之英方乃中止調停的了。

(3)那句「不良人員及機關勿使重新進入」所指者，是否包括了「軍事機關」？固然意不明確，可是如果酒井覺書的確與軍事無關，只是外交文件，試問，為什麼日方會派天津駐屯軍參謀長酒井隆出面寫此覺書，並且向軍委會北平軍分會主任何上將提出，而不是由日本大使館人員向我外交部提出？即使因為外交部在南京，而此覺書是針對華北（平津兩地）之事務而提出來的，此時在北平仍有前任外交部長黃郛先生以外交部華北特派員身分負責華北對日外交的呀。日本之由軍方人員向我軍方人員提出覺書，此示此覺書是與軍事有關的外交文件也。

(4)在後文中我將說明何梅之間無私函可言，這封信當然是雙方代表自己政府所作之協定。在此我則要說明的，此協定當然含有軍事意義，何將軍竟然另找汪精衛去商量，在獲得其同意後，逕自發出，以致在兩年後，使得我方在採取軍事行動以應付七七事變時，造成了日方有了增兵進入河北的藉口，更且使英方中止調停，遂使華北展開了大戰，何將軍真是如蔣先生所說的「愚劣」與「誤國」的了。

在此附帶討論汪兆銘（精衛）在此事中所扮演的角色，梁敬錞先生在其大作〈所謂何梅協定〉中，曾說：

「汪精衛自言，《何梅協定》係伊一手經理，應改稱《汪梅協定》」，此是根據汪氏出組南京偽政府後所寫的《和平建國文獻》。以前引何應欽七月九日之電文，可知當時汪氏曾參預其事，不過我認為此信既是由何將軍署名，則文責自應由其自負，包括汪氏在內的任何一個其他人，都只能說是配角而已。

㈣梁敬錞關於《何梅協定》的論點

一九三五年的《何梅協定》是造成七七事變難以和平解決的主要原因。即在一九三七年時，蔣先生主導的國府，為了防止「華北特殊化」的出現，乃力圖打破《何梅協定》所造成的「中央軍不得進入河北」之頹勢，不願意中央軍先行撤出河北。也就是說宋哲元及日方都想恢復七七之前的局面，而蔣先生則堅拒之，和談因之破裂，八年抗戰乃告爆發。

何將軍晚年在台北堅稱他只是寫了一封私信給梅津將軍，並沒有所謂的《何梅協定》之存在。史家中也不乏人贊同此說，例如梁敬錞先生，及我研讀戰史時的「導師」李則棻將軍在其大著《中日關係史》中即持此說。

梁敬錞在一篇文章，即〈日人岡田有關何梅協定的一封信〉中曾有一段文字，今引用如下：

何梅之間，雖無協定，河北交涉，卻有口約，而口約內容，則中日雙方了解不同。日本認為中國對於五十一軍（及）第二師、第二十五師調出後，中央軍不許再進河北，業有了解。中國則謂河北交涉中，並無此種了解。一九三七年盧溝橋戰火初起時，日本駐華武官喜多誠一曾為此事於七月十九日，在軍政部內，與何敬之先生有過辯論，其記載如次：

喜多：二十四年了解事項（按此指《何梅協定》）中日兩方解釋不同，日本以為五十一軍（及）第二師及第二十五師調離河北後，中央軍不得進入河北省。

何部長：我方對於二十四年並無此項了解，我方當時對於五十一軍、第二師、第二十五師，亦未有不得再開入平津之言。（以上見《中日外交史料叢編》（四），二一七頁。）

雙方了解之參差，說者或謂由於何應欽寫給梅津函件中辭句含糊所致，然何氏寫給梅津之信，係由高橋坦起草，我方雖略有修改，而發出之後，日方並無異辭，則該函辭句，如有含糊，使日方不能達其原來目的，亦非我方所應負咎。高橋當時為急於完成其交涉之任務起見，不得不接受此辭句不甚明晰之便函，是何函發出之日，已種中日了解參差之根苗，不過等到盧溝橋戰火發動，我方調兵北上守土，才予指出而已，日人一面卜告出《何梅協定》之名詞以惑世論，一面又依據其片面之了解，坐我以違反協定之責任，三十年中，國際間之著述頗有為其所蔽者，故特於此，更予明闡之。

梁先生在此文中亦引用了日人岡田芳政在一九六七年寫給何將軍的一封信，茲抄錄如下：

何將軍閣下：

本人係陸軍士官學校第三十六期畢業生，昭和十年（一九三五年）曾在北京陸軍武官室拜會過閣下，未悉尚有印象否？同年三月本人奉調在南京陸軍武官爾富中校指導之下，從事中國研究，例如當時所稱的《何梅協定》等事件。數日前磯谷閣下在千葉一宮地方患病，本人前往探視，當時病況適值小康，乃談及中國的往事和追憶，在談話中磯谷親口對我說：《何梅協定》完全是日本單獨強迫中國而為的，何將軍根本沒有簽字或蓋印，而日本方面故意宣傳，使人發生誤會，似真有其事的印象。

目前日本防衛廳戰史室正在編纂《大東亞戰史》，有關此點，應該特別注意，必須明確的證實一下，當面對本人如此說，並再三催促本人迅速與何將軍連絡，且強調戰史必須要正確的編纂，方可流傳後世。

適因陳杏村女士返回台灣之便，託其將此信代為呈閱。為中日兩國著想，希望中國方面將當時的《何梅協定》的觀點，並將披露真相於世，以明史實。如有失禮之處，敬請諒恕，伏頌

閣下康健勝常。

綜合上述梁敬錞先生的論點，我的分析如下：

1. 磯谷廉介在一九六七年，即在一九三五年之後的三十二年，也就是日本投降後的二十二年之後，回憶當時《何梅協定》之由來為：

(1) 係出於日軍所逼迫。

(2) 何將軍根本沒有簽字或蓋章。

(3) 日軍故意宣傳，使人發生誤會，似真有其事的印象。

2. 何將軍及梁先生都強調此只是一封私信，並非協定。

3. 「何氏寫給梅津之信，係由高橋起草，我方雖略有修改，而發出之後，日方並無異辭，則該函辭句，如有含糊，使日方不能達其原來目的，亦非我方所應負咎。」

對此三點，我的批評如下：

1. 何梅函件並不僅僅是一個法律性的文件，也是一個政治性的文件。何將軍有否在此函件上簽字蓋章並非關鍵，而是交涉雙方，即中日兩方對此文件內容之認知為何，才是重要之處。此事最初是否為出於日方之逼迫也並非關鍵，只要何氏發出此文件給梅津，即表示此為中方之承諾。

2. 何應欽與梅津當時分別為中日兩國在華北的最高軍事長官，南明兵部尚書史可法答清攝政王多

爾衮書中有句名言：「大夫無私交，春秋之義。」也就是說何梅之間不論是書信或口頭之往來，都是代表兩國政府，並無私交可言。何將軍居然把這封信當作普通信或私人函件，真是像一九三七年七月二十二日蔣日記中對他所作的批評：「應欽愚劣私陋，毋使預聞政治，否則害國、誤國必此人也。」

3. 何氏信件居然採用了對方與之談判交涉之高橋坦中佐所代為起草之文句，「我方雖略有修改」，此真是駭人聽聞之事，無怪乎蔣先生見到何將軍出示的稿本時，要責罵何將軍為「愚劣至此」的了。至於梁先生把此函及附件覺書中文句含意不清楚之事怪罪日方，則更不合理。不論函件或覺書之文句為何人所起草，只要何將軍在致梅津函件中予以認可及採用，則文責自在發信者之何將軍也。

綜合以上三點，我認為何將軍及為他說話的梁敬錞先生之說辭是不成立的，此即這封「私函」就是何梅之間的「協定」。當時不但日方認為如此，在一九三七年的七月，即兩年之後，英使與蔣中正先生也認為如此，所以才會有了「英態度突變」，以及蔣先生為之暴怒也。

五、小結

(一)何應欽一九三五年的兩個錯誤使得七七事變擴大

在研究八年抗戰時，許多人會問一個問題，為什麼七七事變會造成中日大戰的呢？

以今已可知之史料去看，在一九三七年七月，日本並無全盤進攻中國的作戰計劃，只有進攻華北之計劃。即使如此，日方在當時也沒有將此計劃立刻付諸實現的打算。七七事變初起之時，日方在華北駐軍只有天津駐屯軍轄下的一個旅團，大約五千人，遠不敷其進攻平、津之用，由此可證七七並非日方軍政高層所蓄謀挑起的。

誠如我在本書第壹編第二章〈七七事變為什麼不能和平解決？〉中所指出來的，我方亦迅即明瞭此為一個偶發性的小型地方衝突。那麼為什麼如此一個小衝突，會造成中日全面開戰呢？反過來看，一九三一年的九一八事變，日本有計劃地佔領了中國的東北三省，此遠比七七要來的嚴重得多，可是由蔣中正先生所領導的中國政府卻忍住了，沒有起而全面抗戰。兩相比較，真是令人百思不得其解。

在研讀了蔣先生有關的日記之後，我的分析如下：

1.這是因為在蔣先生心目中，華北絕不可失。華北是他犧牲已到最後關頭，與其「坐而待亡」，不如奮起抗戰。

2.在一九三五年中央軍被迫退出河北省之後，他就決心要派中央軍重新進入河北。

3.因此在七七事變發生之後，他迅即派六師中央軍北上，其中四個師進駐河北省之保定，即蔣先生存心要去打破《何梅協定》。

4.可是他當時並不知道何應欽在一九三五年的《何梅協定》中曾明文答允日方，中央軍不得再度進入河北。

5.蔣先生此舉之用意是要以戰求和，把華北之戰事擴大，以迫使在華北有經濟利益之列強，尤其是英美來出面干涉中日之戰。這是他想重演一九三二年英美法調停一二八淞滬作戰之故事。

6.但是在七月二十二日英使向中方求證核實《何梅協定》後，在三十日「英態度突變」，中止調停一事。

到此為止，此即我所指出來的，在一九三五年何將軍處理「華北事變」時所犯下的兩個錯誤，使得蔣先生在處理七七事變時成為弄巧成拙的結果，這兩個錯誤是：

1.在一九三五年六月九日，他擅自把駐守北平的中央軍撤出河北省，使得蔣先生在中央軍既然已經撤出之情形下，必須放棄其寧可一戰也要把中央軍留守北平的原擬計劃，而「另作處理」。此舉使得蔣先生在一九三七年七月九日即派兵北上，再度進軍河北。

2.從一九三五年七月發出此信起到七七事變止，何將軍沒有把《何梅協定》——或其「私函」所附之但書的內容明白告知蔣先生，使得蔣先生在七七事變的第二天就派兵北上，以戰求和去謀求英美干涉之努力，因而失敗。

(二)蔣先生發動八一三戰役還是為了要「以戰求和」。

在蔣先生的認知中，在一九三五年六月裏，中央軍及國民黨撤出河北之後，日本一定會在華北成立偽政府，此亦為關東軍特務機關長土肥原賢二少將所主持的「華北特殊化」工作之目標。

在《何梅協定》之後，從一九三五年七月到一九三七年的七七事變，河北及平津之軍政權先後落在山西軍及西北軍之手中。這兩個軍系與蔣先生所領導的中央軍都是宿敵，在一九三〇年的中原大戰中，兩軍聯手與蔣先生大打出手。一九三七年的七七事變發生時，與中原會戰相距不過七年，為時不久，蔣先生對此生死血鬥之記憶猶新。

為了威懾宋哲元將軍，使之不敢與日軍聯手成立偽政權，以謀脫出南京中央政府之控制，蔣先生乃乘七七事變之機會以進軍河北。在此之前，日軍在華北只有一個旅團（五千人），其實力不足以扶植宋哲元軍脫離中央。日軍駐在平、津是根據《辛丑和約》，其中規定外國駐軍各國不得超過一旅。可是在四師中央軍（四萬四千人）進駐保定之後，日軍亦增兵一個師團另兩個旅團至天津附近，此時華北日軍已增加到四萬人以上。

在雙方增兵之後，華北即將爆發大戰，英國乃出面調停，此即為蔣先生的原意——派兵北上，以戰求和也。在本書另文中，我已分析列強在一九三七年為什麼不予出面干涉中日之戰，在此不贅。

可是不論英國之本意為何，在一九三七年七月二十二日向我方查證《何梅協定》之後，英方找到了不予調停華北戰事的藉口，此即中央軍北上是違約在先，因此在七月三十日「英態度突變」。這就使得原本要以戰求和的蔣先生變成弄巧成拙，進退失據的了。

在七月十九日宋哲元與日方達成和平解決七七事變之實行細則，其間日方要求中央軍先行撤出，而蔣先生乃堅決拒絕，反而要求雙方同時撤軍。日方之要求是根據《何梅協定》而來，可是蔣先生一心要打破此協定。至於宋哲元則並不反對《何梅協定》，只要能恢復七七事變以前之局勢，中日雙方皆為撤兵，無論誰先誰後，對他皆為有利。

對蔣先生來說，先行撤出中央軍，有下列的考慮：

1.此不啻承認了《何梅協定》中有關中央軍以後不得再度進入河北之規定，此例一開，將使日方此後在推動「華北特殊化」時更為有力。

2.如果在中央軍先撤出後，日軍延遲撤出之時間，則將使華北日軍由原有之五千人增至四萬人以上，其實力足以威逼二十九軍脫離中央。此因當時中日兩軍之戰力為一比三，四萬日軍相當於十二萬華軍之戰力，此使日方在平津地區之兵力遠超過華軍的了。若以一九三一年的九一八事變為例，當時日軍之關東軍在東三省之總兵力即為兩個師團，大約四萬餘人，日方憑藉此而造成了九一八。

也就是說，蔣先生原本派兵北上去威懾宋哲元的計劃，如果按照宋日之和平協定的實行細則，此時中央軍先行撤出，則為適得其反，變成弄巧成拙的了。這時蔣先生乃被迫加碼去豪賭一場，此即：

1.在華北拒絕接受先行撤兵之和議，堅持中日雙方同時撤兵之要求，以致和談破裂，日軍乃在七月二十六日進攻北平，華北大戰全面爆發。

2.在華北之戰場，蔣先生所選擇之戰線為石、滄、保一線。即在平漢鐵路北段之河北境內，南自石家莊，經由滄州，北到保定。此即把由北平撤退到保定之二十九軍，與該區域駐守之中央軍衛立煌集團軍，以及防守娘子關至石家莊的山西軍都給捲入了此戰爭。也就是因之徹底消除了日本「華北特殊化」的陰謀也。

3.在華北戰場之平綏鐵路線上，蔣先生命令中央軍之湯恩伯軍團於南口主動進攻日軍，企圖把日軍主力吸引向西方進攻，而減輕平漢鐵路與日軍南攻之壓力。

4.蔣先生乃在上海派兵兩師（兩萬兩千人）進入虹口日租界去主動攻擊日本駐軍（約六千名海軍陸戰隊），挑起了八一三淞滬戰役，此舉在外交方面，中方在開戰時仍然是要以戰求和，希望重演一二八停戰協定之故事，並且要把華北及華東之戰事一併解決。

5.決心與蘇俄簽訂互不侵犯協定，中國乃聯俄抗日。

關於八一三戰役之討論，請見本書第貳編第二章〈八一三淞滬戰役的開場與收場〉。

此即在英國抽手不理華北戰事之後，蔣先生仍然秉持其原有的「以戰求和」之計謀，把戰事擴大到華東，以謀求英國之調停中日戰事。

不料英美法這次並未調停八一三之戰，而中日雙方不斷相互增兵，從八月十三日打到十一月八日，我軍共投入九十多個師，總兵力高達七十五萬人，傷亡二十五萬餘人。而日方則投入三十餘萬人，傷亡五萬餘人。也就是說，雙方各自投入了當時其常備軍二分之一不到些的兵力，因之造成了中日的全面開戰。

此即因為在華北戰場上不能達到以戰求和之目的，蔣先生乃開闢第二戰場，在上海與日軍大打出手，再度希望以戰求和。不料前後兩次都是弄巧成拙，不但和議未成，反而造成了中國的全面抗戰。此即在華北戰事擴大之後，中日猶可言和，可是在八一三雙方大戰之後，就難以的了。

至於我方在華北戰場上不能達到以戰求和之原因雖然很多，一九三五年的《何梅協定》，以及當時前述何將軍所犯下的兩個錯誤，也應當是一個甚為重要的原因的了。

走筆至此，我用蔣先生對何將軍的一個評語——「誤國」，作為本節之結語也。

六、感言

㈠罵他不一定不用他

凡是讀過了蔣中正日記的人，不免有一個疑問，就是蔣先生對在他日記中被他痛罵過的人，罵歸罵，用歸用，罵完了仍然繼續重用之，為什麼呢？這種例子極多，我所讀到過的便有何應欽、陳誠、嚴家淦、陳立夫、周至柔、白崇禧、張治中、桂永清、黃杰、葉公超等等，真是文武百官皆為有之，多到不勝枚舉的程度，這真是一個奇特而且有趣的現象。我對此點並沒有答案，恐怕要請心理學者或醫師去作專題研究，才能找出其中的原因的了。

幾年前有一天我與歷史學家呂芳上兄同在胡佛研讀蔣日記，我找到一條記載，是在一九六七年十一月裏，蔣先生痛罵時任副總統兼行政院長嚴家淦先生的文句，不由大驚，乃拿給呂兄去看。呂兄卻笑笑說：「罵他，不一定不用他。」此言真是可以入木三分也，順記於此。

㈡對兩位歷史學家的致謝

1.《何梅協定》這封短短的「普通信」，其後有沒有「但書」，即何將軍當時曾否列出明細的「何梅諒解事項」？這個論題首先是在一九七〇年代，前一代的史學家吳相湘先生在其大作《第二次中日戰爭史》中提出來。因為當時蔣日記還沒有公佈於世，所以吳先生也不曾知道此協定對蔣先生在處理七七事變時的影響之大，先生在那本大作中也只是予以指出此「但書」乃是關鍵性之文件，而並不是那封文句含糊的短信而已。

在吳景平教授指出我前作之錯誤時，我乃面臨一個論題，就是蔣先生在明知《何梅協定》有了不妥文句之後，為什麼還會犯了派遣中央軍北上，再度進入河北的錯誤？需知道蔣先生的本意乃是倣效一二八事變之處理過程，是要因此引起日本增兵平津地區，因之使日方違背了《辛丑和約》，所以英美乃有理由干涉平津（華北）之戰事。

從酒井所提之各項要求去看，一如前文所指出來的，在一九三五年六月九日，日方只口頭要求中央軍（兩師）退出河北，在六月十一日的高橋坦所提出的「酒井覺書」版本中，日方才增添了中央軍不得回到河北之要求。何應欽的那封「普通信」原文中只說了中方所答應的是「六月九日酒井參謀長所提各項目」，並沒有說「六月十一日」所提者，因此只要中方在此信之「但書」中未予承諾那多出來的三項，中方當然有權派任何軍隊進入其本土的任何一個地區。

因此何將軍的錯誤是在一九三五年七月裏，在寫那封「普通信」給梅津時，他沒有告訴蔣先生此信附有一份「但書」，更沒有把但書的內容，即「何梅諒解事項」告訴蔣先生，因之「誤國」的了。

此處要感謝吳相湘教授遠在一九七〇年代即已明瞭及指出那份「但書」之重要性的了。

2.在出版本書之前夕，即二〇一五年二月初，吳景平教授為了替本書寫序，乃細讀拙文，承其指出本節之一個重大錯誤。即在一九三五年七月，何應欽將軍之沒有遵照蔣先生的指示，去修改那封「普通信」中的不妥文句，是因為此信已為發出，已經來不及了，並非他抗命或予故意隱瞞。可是蔣先生在明知於此的情況下，為什麼在處理七七時會對此《何梅協定》還是會有了錯誤之認知的呢？

有關中央軍駐守河北的問題，在一九三五年六月九日酒井所提出的口頭要求，只是要中方將之撤出河北。到了六月十一日高橋坦的書面版本，即「酒井覺書」之中，才提出了中央軍不得再予進入河北之要求。

如果蔣先生明知《何梅協定》是採用了高橋版本，那麼他在七七之後的第二天即派中央軍進駐河北之保定，乃是明知故犯，如此，他又怎麼能夠冀望英美出面干涉日方之增兵進入河北的呢？因此一個合理的判斷是，他誤認了何將軍對日方的承諾，只是限於「六月九日」酒井所提出的九項要求，並不包括在六月十一日另增加的三項要求。也就是說他要打破的《何梅協定》，只限於中央軍被要求撤出北平，而不是要打破中央軍「不得再進入河北」之規定也。

總之，多謝吳景平兄對拙作有關《何梅協定》一事之指正，並在此申謝他以史學名家之身分替我這一個外行人的史學著作寫序的了。

㈢中共漁翁得利

許多人問我，蔣先生在一九三七年秋冬決心展開抗戰時，心中有沒有勝算？他準備如何收場？到目前為止，以我所看到的蔣日記為限，我覺得在挑起八一三淞滬戰役時，他是把國運當作一場豪賭，心中並無勝算。

俗語說「外行人看熱鬧，內行人看門道」。當時許多內行人，包括文人如行政院長汪精衛、曾任外交部長之張羣、大學者如胡適，軍人如何應欽軍政部長、徐永昌軍令部長、江西省主席熊式輝、中央軍校教育長張治中等四位上將，這些內行人都力主和議。那麼對中國來說，蔣先生的豪賭是有利還是有害的呢？這得看是由國民黨還是共產黨的角度去看的了。

中、日、俄是東北亞的三個大國，在一九三五年華北風雲日起之時，蔣先生在七月六日星期六之後的本週反省錄中有言曰：

> 三、中華立國外交之方鍼，絕不能聯日或聯俄，欲「自」立為基礎，否則無論聯日或聯俄，必

致亡國滅種也。

仁按，此處有下列四點可供參考，即：

1.原文中「自」字上的「　」號，是蔣先生自己用毛筆寫上去的，並非作者後來加上去的，此示先生要加重此自字的語氣與分量。

2.歷史的事實是在一九三七年八一三淞滬戰爭開打之後，中俄隨即在南京簽訂互不侵犯條約，俄國正式援華抗日。此後大約長達三年多，一直到一九四一年四月，因為日俄簽訂中立協定，俄國乃停止援華。也就是說在一九四一年十二月的珍珠港事變之前，俄國曾經有三年多是唯一幫助中國抗日的列強。

3.此即在抗戰之初，中國是聯俄抗日的。

4.那麼以前述蔣先生之日記可知，蔣先生明知聯俄有「亡國滅種」的可能，為什麼還要去飲鴆止渴的呢？我認為這是出於內外形勢所逼，中國既然要與日本全面開戰，在英美法等袖手旁觀，而德義又與日本結盟時，不得不求俄國之援助。而俄國為了要中國不被日本擊敗，要把日本陷在中國戰場之泥淖中，以避免日軍北進攻俄，使俄國東受日本、西為德國之軸心陣線所夾擊，此時也樂意助華。

八年抗戰的結果是蔣先生這場豪賭，使得日本及中華民國（國府）都成了輸家，俄國及其第三國際成員中共（中華人民共和國）在一九四九年成了贏家。

也就是說，在這場豪賭中，中華民族贏了，大和民族輸了，可是在中華民族內部，則是中共贏了，國民黨輸了。

西安事變是造成抗戰提早開打的原因之一

一、前言

發生在一九三六年十二月的西安事變，是造成八年抗戰在一九三七年秋冬開打的一個重要原因，但是並非唯一的原因。這個事變從時序上去看可分成四個階段，即：

1.事變之前的策劃階段：主要的參預者為中共及張、楊集團。其中國軍方面為張學良上將領導的東北軍，與楊虎城將軍所領導的「舊西北軍」。

請注意，這個舊西北軍與馮玉祥上將所創造的西北軍系無關，這個「舊西北軍」是從清末民初國民革命時代所延續下來的一支軍隊。楊虎城將軍是清末同盟會會員，其革命的歷史比蔣中正及馮玉祥兩位上將的資格還要老。

當時以總兵力來說，東北軍有五個步兵軍及一個騎兵軍（實際上為一個師），實力比楊虎城的部隊要大得多了。可是在西安城及鄰近地區，則東北軍只有一個師（實際為一個旅），因之兵力不及楊部，這是西安事變發展的一個重要因素，也是一般人沒有注意之處。因為此非本文之重點，在此不予深究。此處要指出來的，是在事變結束階段，中共改變態度主張和平解決去釋放蔣中正先生時，張學良主和而楊虎城主戰。因此在一九四九年大陸易手時，楊虎城全家在監牢中為國府特工所殺害，而張學良個人則被蔣先生帶往台灣予以長期監禁，我判斷蔣對張、楊兩位態度之不同，即種因於此也。

2.在事變進行之中的階段，參預者除了張、楊、中共之外，亦有蔣系之國府人士，此又可分為身陷牢籠中包括蔣本人在內的在西安被囚禁者，以及在南京及各地的黨政軍要人們。此外也有非蔣嫡系的各地軍頭如山西之閻錫山、廣西之李宗仁等等。

3.事變結束時，中共因史達林之電報指示而改變原先與張學良達成之協議，反過來力主釋蔣之經過。

4.事變結束之後，國府在蔣中正先生領導下，在內部實行第二次國共合作，對外則與蘇俄接近，最後終於在一九三七年八月二十一日，中蘇簽訂互不侵犯協定，中國正式聯俄抗日。

本書之重點是在討論第四階段，即於一九三七年七月下旬，在七七事變發生之後，到七月三十一日，蔣中正先生如何下決心去聯俄抗日的心路歷程，因此對西安事變來說，聚焦於其影響所在，即為第四階段。不過在此前言之中，容我先暫時討論一下在二〇一四年中新發現的一批資料。

在上述四個階段之中，中共參預了前三個時段，即事前策劃、事變之經過及事變如何結束。因為截至目前為止，中共黨史中有關西安事變之資料迄未解密公開，因此這段史實真相猶待未來的史家去作補充，以及詳實之查核。至於國軍方面，楊虎城將軍那一部分，因為楊將軍全家遇害之後所遺下的資料不多，目前大家只是倚靠張學良將軍那方面東北軍系的文獻之記述，作為與楊部有關的參考資料。在張將軍晚年重獲自由，移居美國，無拘無礙，而且在蔣中正先生已去世將近三四十年之後，張將軍發表了口述回憶錄，使得世人多以為至少在東北軍系這一塊的史料應該是搞得大致清楚的了。不料在二〇〇六年之後，因為美國的史丹福大學胡佛研究所公布了蔣中正日記，消息見報之後，卻引發了一連串的事件，終於造成了在二〇一四年內，由一位美國白人女士所保管的一批張學良先生及趙夫人（趙四小姐）之私人資料，在紐約予以公開拍賣。我雖然稍知這些事件之經過，可是只是耳聞者，目前不宜書於此文之中。我在本文中只能說，據我所知，在此批資料中尚未公布於世的部分，有些文件足以證明目前傳世的一些說法並非事實。尤其是有關第一階段，即事變前策劃階段，張、楊與中共之間的祕密協議部分，有些驚人而尚未公開之文件。總之，此部分之史實猶待考。也就是說，在一九三六年十二月發生的西安事變，即使在張學良上將之部分，有些真相到了二〇一四年筆者寫作本文時，尚未查明也。

二、史達林爲什麼要援救蔣中正，使之脫險？

在一九三一年的九一八事變之後，日本進佔中國的東北地區，此後日本可以北進或西進攻俄以實現其《田中奏摺》之國策，或南進華北以消滅中國。

蘇俄的史達林看出了這個關鍵，他採取下述措施以造成中日大戰，使得中國替俄國擋住了日本的進攻，此即：

首先他在一九三六年十二月的西安事變中，指使中共加壓力給張學良將軍，以謀釋放蔣中正先生，使得國共聯手抗日。如果西安事變不能和平解決，以致蔣中正先生死亡，那麼中國內部會產生怎麼樣的情況呢？我有以下幾種判斷：

1. 民心憤怒，必對張學良之東北軍、楊虎城之舊國民軍及中共三方之聯合陣線大為不利。

2. 國府的權力重新分配，其主事者如下：

(1) 政權：汪精衛，親德、日。

(2) 軍權：何應欽，親日。

(3) 特工：賀衷寒，親德。

也就是說此時在民心因蔣中正先生被害而仇共，與國府主政者親德日之狀況下，中國可能聯日反共。西安事變之和平解決使國共再度合作，中國乃聯俄抗日。

其次，在九一八到七七之間的六年中，蘇俄經由第三國際去指揮中共，要中共大力主張中國抗日，以造成中日早早展開全面戰爭，因而迫使日本自東北三省南進，俄國也就解決了其在東線國防上的心腹之患了。

由上述可知，我們就可以看出史達林的高明之處了。

三、西安事變使中日大戰提早爆發

在九一八之後，中國舉國上下皆欲煎雪國恥，誓與日本決戰。只是當時中國之國力遠為不及日本，在內部不但國共之間還在江西纏戰，更有各地方軍閥多不服從中央之調度與指揮，因之主持國府中央之蔣中正先生乃有「先安內後攘外」之措施，以致在一九三二年一二八之役時，中日雙方並未展開全面作戰而言和。

此即在九一八之後，全國上下莫不主張與日本打一仗，這把抗日的怒火早已燒了起來，因之中共及左派力主抗日正好符合民心，而蔣中正先生的「先安內後攘外」主張乃成眾矢之的。在九一八之後，中日勢必一戰，可是在何時何地開打則為未定之數，以後見之明去看，發生於一九三六年十二月的西安事變，是使得中日大戰在一九三七年爆發的原因之一。西安事變之前，國府在蔣中正先生主持下是反共的，可是在西安事變時，蘇俄指使中共去援救身在虎口的蔣先生，使之脫險。事變和平解決之後，國共乃第二次合作去抗日。

在台灣成長及接受教育的國人如我，從小便聽到一個說法，即西安事變之後，因為國共第二次合作，以及蔣先生聲望日隆，日方乃加快腳步，在第二年即掀起七七及八一三，造成了八年抗戰。今已可知這個說法是錯的。因為在日本投降後，盟國檢查日方的檔案，竟然發現在七七事變時，亦即一九三七年七月，日方根本沒有制定與中國全面作戰的計劃，只有進攻華北的計劃，而且當時也沒有將之實施的準備。

七七時，日本在華北的駐軍只有五千人。在八一三開戰時，日本在上海虹口租界的駐軍只有六千名海軍陸戰隊。而且原本只有三千人，其餘的三千人是因為得到中國將要封鎖長江的消息，日方乃把長江沿岸各租界中的陸戰隊（加起來共三千人）臨時撤到上海去。

由此可見，在一九三七年秋天，不論在華北（平津）及華東（上海），日本根本沒有全面進攻中國去展開大戰的準備。也就是說，上述的說法，即發生在一九三六年十二月的西安事變，使得日本加快腳步侵略中國，因而造成八年抗戰的理論是錯的。那麼西安事變之和平解決，是不是使抗戰提早爆發了呢？我認為是有影響的，不過並非是使日本加緊進攻中國，而是使中國提早主動與日本開戰之行動。

在七七之前，蔣中正先生已指派陳立夫負責與蘇俄接洽中俄聯手抗日事宜。七七一發生，蔣日記即記載他命令陳去找俄國大使。一九三七年八月十三日淞滬抗戰爆發，八月二十一日，中俄在南京簽訂互不侵犯協定，俄國正式援華抗日。此即因為內部已為國共合作抗日，外則有俄國之援助，蔣先生主持的國府才敢全面與日本作戰。

蔣日記在一九三七年七月三十一日之後的「本月反省錄」有一段與之相關的文字如下。在此日記之後二十一天，即八月二十一日，中俄簽訂互不侵犯條約。

倭要求我共同防俄，承認偽滿與華北特殊化，若與俄先訂互不侵犯（條）約，則可以先打破其第一迷夢，不再要求。蓋允其共同防俄以後，不僅華北為其統治，即令全國亦成為偽滿第二矣。故聯俄雖或促成倭怒，最多華北為其侵佔，而無損於國格，況且亦未必全佔也。兩害相權，寧取其輕，吾於此決之矣。

綜合上述，我認為西安事變使得中日戰爭加快爆發是事實，可是原因並非如坊間所言，是使日方加快腳步去進攻華北（平津）及華東（上海），反而是此使中方採取了內部國共合作，外部則是聯俄抗日之策略，因而乃敢主動奮起求戰。

這兩個說法的不同之處，在於八年抗戰究竟是怎樣開打的？是由日方挑起的，還由中方挑起的呢？第一個說法，即此使日方加快腳步去掀起戰爭，基本假設是認為一九三七年開戰是出於日方的主動進攻，此非事實。第二個說法，即是指中方主動求戰，在一九三七年的八一三之戰則為事實了。

四、小結

在東北亞的三個大國，即中、日、俄之間，每一個為了本身的利益，都會希望另外兩個成為敵人，以便自己坐收漁翁之利。

對蘇俄或日本來說，在一九三七年以前，中國太弱，不是強敵。對中共來說，反共的蔣中正先生所領導的國府是第一號敵人，可是對蘇俄來說此只是次要的敵人，蘇俄的強敵是其西線在歐洲的納粹德國以及在東線的日本。當此東西兩大強敵已經形將相互結合之際，蘇俄在國防上最大的考慮是如何避免受到德、日之夾擊。因之蘇俄需要中國有一位能夠領導抗日的領袖，而史達林認為當時此非蔣中正先生莫屬。因之在西安事變中，他才出手去援救蔣先生。

事後回顧，史達林此計之所以得逞，中國在蔣先生領導下與日本抗戰八年，不但替蘇俄擋住了日本之進攻，而且因為一九三七年發生的中日之戰比德俄之戰早打了四年，以致中國多打了四年而國力大損，蘇俄才能在一九四五年利用《雅爾達密約》而坐收中日相爭的漁翁之利。

不過，史家忽略了一個使得史達林得逞的重要的因素，即是蔣中正先生個人的個性與看法。

在個性方面，蔣是一個重然諾的儒家信徒。今已知在張學良釋放蔣先生時，蔣並未對張作出任何書面承諾去聯共抗日。可是在脫險回到南京之後，蔣對張當時所提出的各項要求，基本上都做到了。至於蔣之長期幽禁張學良，我認為是張自動陪伴蔣回南京，使得蔣不能不對他做出處分。如果張在事後一直留在東北軍中，以他手握數十萬重兵，蔣也只得「任之」，而不予嚴處的了。

在蔣日記中，他屢次提到如不幽囚張學良，就無法使東北軍成為國家之軍隊。本文之重點不在討論蔣與張二人之間的是非與恩怨，而是在分析西安事變之所以會造成抗戰在一九三七秋冬爆發的原因，因此在蔣張之間的討論就到此為止的了。

至於在蔣個人的看法方面，誠如本書已指出來的，即蔣日記在一九三七年十月底的一段文字，此即「十年來對倭之決心與初意」中的戊條：

> 倭寇非先擊敗我革命軍，確實處置中國後，決（絕）不敢對俄開戰，故我國雖欲與倭謀妥協以得機，決（絕）不可能。

蔣先生有關此點在認識上的錯誤，詳見下文，即本書之第壹編第二章第四節〈由外交及軍事去看八年抗戰是怎樣開打的？——蔣中正如何走上主動求戰的道路〉，在此不贅也。

如果蔣不是有此錯覺，而是一味容忍，等待日俄先開戰，中國再去助俄攻日，那麼中、日、俄之間的三角局面，在二次大戰及其後都會發生重大的變化的了。

由外交及軍事去看八年抗戰是怎樣開打的？

——蔣中正如何走上主動求戰的道路

一、前言

在一九三一年的九一八事變及其後，日本攻佔中國的東三省及熱河地區，中國人一致要與日本決戰，以雪國恥。因此中日之全面大戰已不可免，只是在何時？何地？如何？以及由中日哪一方去主動求戰的問題。如果用英文來解釋，即中日必將一戰，已經不是要不要打（wheter），而是 when, where, how 以及 who（或 which side）的問題。本節之宗旨即在解析這場大戰為什麼會在一九三七年的秋冬（when），在平津及上海（where）展開，更為要緊的是在研究，是由中方還是日方（which side）主動求戰，在怎麼樣的情形下（how）導致開打？

根據本節分析，一九三七年中日大戰之展開，是有其外交及軍事上的原因，而且是中方主動求戰所造成的，並且本人認為蔣先生此舉對中國來說，是打得太早了，讓蘇俄坐收漁人之利。凡此等等，請由本節之詳細評析及舉證可見之也。

㈠**抗戰是在什麼時候開打的**？

在一九三〇及四〇年代，中國與日本展開了全面的戰爭，在一九四五年九月，日本向中國及其同盟國無條件投降，戰爭結束。這場戰爭初起時，只是中國與日本兩國之間的交戰，到了一九四一年十二月五日，因為日本偷襲美國的珍珠港，以及南下進攻香港及東南亞，與英、美、荷、澳、紐等國家作戰，中日之戰乃成為第二次世界大戰的一部分。

在珍珠港事變之前，中日之間的戰爭究竟應該從哪一天起算，中方的史學界有兩種說法，此即：

1. 從一九三七年的七七事變算起，這是大多數人的說法，因為從一九三七年到一九四五年為時八年，因此稱之為「八年抗戰」。

2. 另外也有一種說法，有人認為此戰應該從一九三一年的九一八事變算起，則為時十四年。採取這種主張的著作，據我所知，有一九七三年在台灣出版，吳相湘先生的《第二次中日戰爭史》。吳先生是台大歷史系教授，先生指此戰為第二次，意即一八九四年清朝與日本之甲午戰爭為第一次中日戰爭；另一著作目前還在編寫中，是我參加的一個重寫抗戰史之計劃，亦採取這個說法。

史學界之所以會產生上述的爭論，是因為在一九四一年珍珠港事變之後，中國才對日宣戰。而日方一直到戰爭結束，始終都沒有對中國宣戰。甚至在七七與八一三之時，雙方大戰之中，中國駐日的外交使節還是留在東京。因之用國際法的觀點去看，中日之間是在什麼時候進入交戰狀態，確實是個令人難以認定與解釋的疑問。

㈡八年抗戰起因於中方主動求戰

綜合有關七七與八一三的研究，我乃寫作本節，以說明我所認為的八年抗戰在一九三七年秋冬開打的原因，是因為中方在蔣中正先生主導下去主動求戰的。此可分為下列幾個重點，即為：

1. 蔣先生先後在被動處理七七與主動挑起八一三之時，都是想要仿傚一九三二年一二八事變之處理過程，即為「以戰求和，藉著擴大戰事去爭取英、美等列強干預中日戰事。」其原因則在於：蔣先生不信任日本人，乃拒絕中日雙邊談判，而要邀請列強參預，成為多邊談判；以及參預談判的列強必須在和談協定上簽字，作為雙方履約之保證人。此即一二八淞滬停戰之模式，在本文中簡稱之為「一二八模式」。

2.可是在一九三七年秋冬，列強無人願意出面，以「一二八模式」去調停華北（平津）或華東（上海）之中日戰爭。蔣先生前後兩次的擴大戰事，都弄巧成拙，因而爆發了中日全面戰爭。

3.西安事變使得國府由反共改為在內部國共合作抗日，在外交則採取聯俄抗日。而且俄國在一九三七年八月二十一日，即八一三開戰後八天，就與中國簽訂互不侵犯協定，助華抗日。此時蔣先生內受國內輿論之壓力，外又被英美拒之門外，袖手不理，拒絕調停中日之戰，再加上俄援之倚靠，乃下定決心與日本作戰。

其實在九一八之後，中日大戰已不可避免，可是在一九三七年秋冬因為七七與八一三而開始抗戰，則並非必然。七七事變之擴大與八一三事變之產生都是由蔣先生主動造成的，也才促使中日在一九三七年秋冬全面作戰。也就是說「八年抗戰」是中方主動求戰而引起，如果從九一八算起的「十四年抗戰」，才能說是純由日方所挑起。

二、蔣中正對日政策之決心與初意

㈠蔣中正一人有權決定對日和戰之原因

在研究一九三七年秋冬中日展開全面作戰之起因時，我們必須研究當時領導華軍作戰的蔣中正先生之想法。因為在一九三一年的九一八後，絕大多數的中國人皆欲立刻奮起抗戰，與日本一決雌雄，以雪國恥。只有甚為少數的中國人力加反對，認為此非其時，中國的國力不足，必須等待。在這些主張懸岸勒馬的人士中，蔣先生是最具有黨政軍實力的關鍵人物。因此在一九三七年秋冬，當他被動地在處理華北的七七事變，以及主動地繼而挑起華東的八一三淞滬抗戰之時，他既然採取了主動求戰的決策，雖然其初意只是在「以戰求和」，並不是要與日本去全面作戰，可是蓄勢待發已久的中國人抗日之心乃大受鼓舞，一時成為脫韁之馬，勢不可禦了。

並且在七七事變發生後，國民黨中央政治會議立刻在南京開會，議決授權蔣先生一人具有對日和戰之決定權。當時中國尚在訓政時期，是由國民黨以黨領政，而中央政治會議相當於今日的中常會（中央常務委員會），是國民黨的最高權力機構。汪精衛先生時任該會主席，丁惟汾先生則為秘書長，據丁先生之嫡孫丁元博士賜告，他手上存有該次會議紀錄之正本及決議文也。

我們在研究蔣先生之決心對日作戰時，有一段蔣日記最具有參考價值，此即一九三七年十月底的蔣日記之「本月反省錄」中的一段話，題目叫做「十年來對倭之決心與初意」。在下文予以評析之以前，容我先解釋其重要性所在。

首先，這是蔣先生第一次自述其在當時主動求戰之原因。寫此段話時，中日雙方在華北的太原會戰，以及華東上海的八一三淞滬會戰都還沒有結束。刑事學重視初供，考證學重視最早的證據，這篇文字是蔣先生對自己之所以展開抗戰的理由，所作出來最早的夫子自道，其重要性即在於此耳。

其次，由一九三七年倒算回去十年，即是一九二八年。當時蔣先生率軍北伐，此時佔領了青島，以及在山東駐軍的日本政府乃派遣一個師團的陸軍進佔濟南，阻擾北伐軍北上，以保護已呈現敗勢的北洋政府，阻止國民政府統一中國。日軍在濟南虐殺了北伐軍外交特派員蔡公時先生及其隨員們，世稱「五三濟南慘案」。

蔣先生對此事一直耿耿於懷，從一九二八年五月三日起，到一九四五年九月日本投降為止，在蔣寫日記時，於每天每篇之起首處必定寫上「恥」或「雪恥」，十八年如一日，從無一日間斷。更且在此事發生後的三百五十六天內，每天會加注日數，例如從一九二八年五月三日算起，第三十五天的日記會寫上恥三十五，一直寫到「五三慘案」一週年為止。由此可見他心中對日本人此舉痛恨之深。

由一九三七年十月底的本月反省錄中寫了「十年來」這三個字，可見這段文字為蔣先生之真心話。

(二)蔣中正自述「十年來對倭之決心與初意」之評析

蔣先生這段文字頗長，共分八點，我在下文中先行抄錄原文，並在各點之後即予評析。其文曰：

> 十年來對倭之決心與初意
>
> 甲、如我與之妥協，無論至何種程度，彼少壯侵略之宗旨必得寸進尺，漫無止境，一有機會彼必不顧一切信義，繼續侵略不止也。

此為正確的觀點，即當時日本少壯軍人侵華之心，絕不會因中方之任何讓步而稍息。

> 乙、即使解決東北問題，甚至承認，彼以後亦必繼續侵華，毫無保障。一時妥協，不惟（唯）不能奏效，徒自破壞人格與國格而已。

此點甚為有深意，即蔣先生之所以不承認「滿洲國」，是因為「彼亦必繼續侵華，毫無保障」，「不能奏效」。此示如果有保障——如國際列強之保證，日方不得也不再侵華，中方是可以考慮承認「滿洲國」。並且，不論是否承認滿洲國，失去東北在蔣中正先生心目中並非「犧牲已到最後關頭」，中方不會為了保有東北而與日方即刻全盤作戰。

因為此非本文之重點，我在此只是要指出，即在蔣先生的史觀裏，一如漢民族的傳統觀點，東北在長城以外，並非中國立足於世的根本所在，至於這個看法是對是錯，在本文中暫不討論。此即梁啟超先生在《國史研究六篇》之中所指出來的，關外的東北地區在西晉八王之亂以後，即被少數民族所統治，漢人所建立的朝代一直不能長期佔據，此須下待明太祖時才能予以收復，為時長達一千多年。

即使以孫中山先生的史觀去看，在民國成立之前，他提出的口號是「驅除韃虜，恢復中華」。他是要把滿洲人趕出「中華」，趕回滿洲去。此示關外的東北，當時在他心目中，是不包括在「中華」之內者也。

丙、倭之望我與之妥協者，其惟（唯）一目的為破壞我人格，使中國無領導中心也。

這大體上是正確的。但蔣先生有一點自我膨風之心態，即他自認為中國抗日是非由他本人領導不可。不過與下文之戊條合併討論，我們才能了解日方為什麼在戰爭初起時會有人提出「三月亡華論」。

丁、此次抗戰，無論結果與成效如何，但如不抗戰而與倭妥協，則今日國亂，形勢決（絕）非想像所能及也。

此亦可能是事實，不過既然沒有發生，只能算是假設性之論點。以後文所述蔣先生在一九三七年七月底之日記，他自認之所以起而抗戰是因為受了輿論之壓力，亦可用之與此條相互印證。本書重點之一，即在指出蘇俄通過第三國際指揮中共大力主張抗日，迫使國府與日作戰，並坐收中日大戰後的漁翁之利。

戌、倭寇非先擊敗我革命軍，確實處置中國後，決（絕）不敢對俄開戰，故我國雖欲與倭謀妥協以待機，決（絕）不可能。

此條甚值得研究，可分四點，此即：

1.蔣認為日方必先攻華，再敢攻俄。此非事實。在七七之前，日本陸軍中主張下一步北進攻俄或南進攻華者皆為有之。而且一直到七七為止，日方並未制定對華作戰的全盤計劃，只有進攻華北的計劃。這個錯誤的認知，使得蔣先生中了蘇俄挑撥中日大戰之計謀，影響極大。

2.蔣在此處以「革命軍」為日方必先擊敗之對手，而不是全體華軍（包括共軍及其他地方軍系在內）。是不是蔣先生把中央軍（即革命軍之制稱或其主力）在日軍作戰計劃中的分量看得太重了？是不是蔣先生對並非屬於革命軍之華軍之抗日意願評估的太低，在他心目中，是「非我同類，其心必異」？

我們先不去評估前面這兩個問題之正誤，在此要指出的是在華北，如果閻錫山的晉綏軍與宋哲元的西北軍在蔣心目中都不是「革命軍」的話，那麼蔣先生之急急要派中央軍（革命軍）重返華北（河北），以威懾這兩個軍系，使之不敢與日方去合作搞「華北特殊化」，使華北脫離中央，搞第二個「滿洲國」之舉動，由此條文句可以找到原因了。

3.日方在開戰之初，曾放出三個月滅亡中國的狂言，這是令人大為不解之事。試想以中國之大，人口之多，日軍從東到西，從北到南，即使沒有遭到抵抗，如入無人之境，也不能在三個月以內走遍大江南北，更何況是要戰勝華軍，征服全中國的呢？

如果以此戌條與前述丙條相併討論，我認為蔣先生的論述是正確的，就是日方預估費時三個月便可以打敗蔣先生所領導的中央軍。日方事先認為，只要蔣先生的兵力被消滅，中國各軍系的軍頭便會群起而攻之，以求取而代之也。所以日本之「三月亡華論」是在三月以內滅蔣之後，日方預期此時中國必然陷入內亂而各軍頭會爭著去向日本交好，一如北伐前之各北洋軍閥。

史實證明，在八一三淞滬戰役中（即從八月十三日打到十一月九日），中央軍的打擊兵團（二十個德式裝備與德國顧問代訓之整編師，及德式裝備之稅警總團與教導總隊）可以說是損失殆盡，日本人在三個月內是把蔣系的主力打擊兵團給消滅了，可是蔣先生以及日本人都沒有估算到的是，全體華軍的抗日意志反而因此被激發出來。試看，在八一三之中，我國各軍系都是全力參加，遠從四川、兩廣、湖北、湖南等地區都出了兵，加上原來便在東南地區的軍隊，一共投入了七十五萬兵力，九十多個師，這是舉國一致的抗日，其兵員總數是遠遠超過蔣的中央軍。

全國各軍系在八年中一直擁護蔣中正先生為領袖，而且俄援在京滬失陷後也才開始運華，這都是因為蔣先生在八一三之中展現了抗戰到底的決心。用俗話說，便是因為蔣先生把他自己壓箱底的看家老本都給掏出來用掉了，其他軍系的軍頭們也無話可說，只得大家一起陪著他去打拚。

我認為在開戰之前，日本人及蔣先生都輕估了全體中國人的民族精神，低估了中國人之抗日意願及決心。

4.本文之結論有一重點，即蔣先生為什麼要早在一九三七年即主動求戰？如果中方能等到一九四一年德國進攻俄國之後，日方可能北進與德東西夾擊俄國，中國才對日作戰，那麼在戰後，中國不會因為多打了四年仗而國力如此衰落，俄國在重創後也不會成為戰後的超級強國，整個二次大戰後的世局就會改寫了。此示蔣先生之早早發動抗戰，不等待日俄之戰爆發，即是因為在他主觀認知中，日必先攻華，勝之，才會攻俄。這真是一個極為嚴重的錯誤觀念。

己、總之，倭寇對我，一得國際動搖機會，必先向我進攻，此無可挽回，亦不能用任何策略能轉移也。

此條是承接戊條之文句而來，因為蔣先生有此誤判，不知道在一九三七年日方尚在北進攻俄與南下攻華之間舉棋不定。因之蔣先生中了蘇俄史達林之計謀，主動向日本求戰，使得中日展開全面戰爭。當時中共作為第三國際之成員，與蘇俄之利害是一致的，並且為了減輕國府對中共的壓力，也在中國內部大力鼓吹抗日，逼迫國府與日本作戰。此不但讓中國替俄國擋住了日本進攻，使俄國在一九四一年免於受到德日夾擊，也使中日戰爭在一九三七年秋冬就告爆發，打早了幾年。

庚、此次抗戰，實逼處此無可倖免者也，與其坐以待亡，致辱召侮，何如死中求生，保全國格，留待後人起而復興，況國際形勢非由我自身犧牲，決（絕）不能喚起同情與干涉耶。

辛、解決中倭問題，惟（唯）有引起國際注意與各國干涉，今九國公約會議已有召集確期，國聯監（盟）約亦有較好之決議，此乃抗戰犧牲之效果也。

將庚、辛兩條併在一起看，此即於一九三七年十月底在寫這段文句時，蔣先生不論在華北之應付因七七事變所產生的太原會戰，與在上海之挑起八一三戰役，其宗旨都是在「引起國際注意」，以「自我犧牲」喚起「國際情勢」之「同情與干涉」。也就是說，他都是在「以戰求和」，要重演《一二八淞滬停戰協定》之故事。這也是本文的另一個重點也。

㈢是中方發動了八年抗戰

在處理七七事變時，蔣先生的決策有三條主軸線，此即：

1.華北絕不可失，他絕不允許日本與華北的軍頭們（宋哲元或閻錫山）合作去搞「華北特殊化」，以免造成「第二個滿洲國」在華北出現。因此在七七一發生時，蔣即派遣六師中央軍北上，其中四個師到達河北保定。用蔣先生告訴陶德曼大使的話，此即是「華北行政之主權須維持到底。」

2.希望英美出面調停。

3.與蘇俄接洽以探討俄國援華抗日的可能性。

在這三個方針之中，第一條是蔣的核心主張，絕不讓步。至於第二及第三條則是主和與主戰之分別，在兩者之中只能取其一。在七月三十日英國「態度突變」並且中止調停之前，主和為蔣先生的正選，聯俄抗日為其備胎。依據後文所引之蔣日記，蔣之決心與俄簽訂互不侵犯協定去對日作戰，是在前述英國中止調停後之第二天。也就是說在七七到七月三十一日的二十四天之內，蔣對日之和乎戰乎，是經過三個階段的思維，即是從「以戰求和」，經過「和戰未決」，到「聯俄抗日」。

蔣先生之所以冀望英美出面調停，是基於下述幾點：

1.在一九三二年的一二八淞滬戰役，英美法義四國即曾聯手出面調停，使中日簽訂了《淞滬停戰協定》。各國在上海固然有租界，有其政商利益，可是在七七事變之中，所牽涉到中日交戰地區即北平與天津兩個都市，一如上海，各國不但在天津有租界，而且在華北及平津地區也多有其政商利益。因此蔣在處理七七時，亦比照在一二八中之手法，希望英美再度出面干涉。

2.在本章第二節中，我已說明在一九三五年六月何應欽將軍犯了兩個大錯：未奉中央批准，即「任意」把駐守北平的兩師中央軍「撤至豫境」；沒有把那封信的附文，即在但書中允諾日方的項目明白告訴蔣先生。

3.蔣在七七一發生時即派六師中央軍北上，其中四個師到達河北之保定，兩個師留在河南待命，可是事先他並不知道此為違背《何梅協定》之舉。

4.日方在相對應增兵進入河北之後，此舉已違背《辛丑和約》，因此使蔣冀望於此和約其他簽字國者如英美之出面干涉。英國果然一如其所希望者，不過當日方向英方出示《何梅協定》，以及英方向中方查證為實之後，英方乃「態度突變」，中止調停。此因中央軍北上河北保定為中方違約在先。

其實七七事變在軍事上只是造成八年抗戰的間接原因，直接因素是八一三戰役，比七七晚發生了三十七天。由七七到全面抗戰是經過下述的十個環節：

1.蔣先生在處理七七時所使用的「以戰求和」手法，把戰事擴大了之後，英國卻「態度突變」，使得他「弄巧成拙」。

2.在七七之前，日本華北駐軍只有一個旅團（五千人），其實力不足以製造華北特殊化。蔣出兵北上之原意是要威懾宋哲元或閻錫山，使之不得與日方配合搞華北特殊化。

3.日方增兵入河北後，日本華北駐軍成為四萬餘人，就有實力去支持華北特殊化。按：在一九三一年日方發動九一八事變時，日本在東北的駐軍也只有兩個師團，即為四萬餘人。在一九三七年七七時，我國駐軍河北及察哈爾的二十九軍為四個步兵師與一個騎兵師，實力不足以抗衡四萬日軍。

4.因為日本增兵河北是違背《辛丑和約》，所以蔣乃冀望英美出面干涉。

5.宋哲元與日方在七月十一日達成三項原則性的和議，並且在七月十九日達成此協議之實行細則，宋在七月二十二日向蔣報告了十一日的協議，而未報告實行細則，蔣即予批准。

6.可是在實行細則中卻規定中方撤出主戰之二十九軍馮治安師（防守北平），及北上之中央軍等，蔣在發現之後，改變已批准和議三項原則之決定，堅拒先行撤兵，反而要求中日雙方同時撤軍，亦即中方北上之四師中央軍與日方派入關內至河北的一個師團與二個旅團，必須同時撤出河北，宋日和談因之破裂。

7.日軍在七月二十六日大舉進攻平津地區，二十八日攻下北平，三十日攻下天津。華北戰事乃告全面展開。

8.英使在七月二十一日向中方查證《何梅協定》，於二十二日獲得證實之後，在三十日「態度突變」，中止調停。

9.蔣乃在七月三十一日下定決心聯俄抗日，並在八月十三日挑起八一三戰役，在八月二十一日與蘇俄簽訂《中蘇互不侵犯協定》，中國正式走上聯俄抗日的全面抗戰道路。

10.蔣在挑起八一三之戰時，仍然希望能比照「一二八模式」，由英美出面干涉，把華北及華東之戰事一併解決。可是一如在七七之中，列強對八一三並未以「一二八模式」出面干涉，其間只有德國以傳話人身分在中日之間調停（詳見後文）。所以蔣之以戰求和的手法，在八一三之中再次把戰事擴大，使得中日雙方各自出兵多達其常備兵的將近二分之一，中方為七十五萬人，傷亡二十五萬人；日方為三十餘萬人，傷亡五萬餘。血戰不斷，長達三個月，因之中日在軍事上乃走上全面戰爭的道路。把八一三及七七兩個戰役作個比較，我們當可知八一三才是在軍事上造成中日全面作戰的直接原因。

以上十點，是中日之間會為了七七這樣小的一個地方性之衝突，而走上八年大戰的原因，此也是本書之主旨，容我在後文中依照蔣日記，對此十點予以詳細評述。

在一九三七年秋冬，中日是和是戰，是蔣先生在七月七日到八月十三日的三十八天之中所決定的。自七月七日到七月三十一日的二十五天之間又最為關鍵。在這二十五天中，蔣先生在和戰之間的抉擇曾有三次心理的轉變。先是「以戰求和」，繼為「和戰未決」，最後是「聯俄抗日」，而這種轉變之主要原因是在英國干涉中日衝突方面態度有所改變之故。

三、和乎？戰乎？由蔣日記去看蔣中正主動求戰的心路歷程

七七事變發生後，中日兩國在華北的軍事衝突本來只是一個小規模的地方性衝突，此為日軍一個連（一百多人）與我軍一個團（事實上是一個加強營，大約七百餘人）之衝突。此時雙方是和乎？戰乎？要看各自在外交及軍事上之應變處置手法，也就是說，如果和談能夠成功，大戰即可避免。

由七七一開始發生，即為一九三七年七月七日，經過了八一三大戰，即從一九三七年八月上旬到十一月上旬，一直到一九三八年一月十七日，日本政府發表了「近衛聲明」，明言不再以國民政府為外交交涉之對手，即一時關上了中日和談的大門為止，為時大約六個月。在此期間，列強干預中日之戰，調停於中日之間的努力，可分兩個階段：

1. 自一九三七年七月中旬起到七月三十日，英國出面調停華北之戰事。

2. 自一九三七年十一月上旬起到一九三八年一月上旬，德國出面調停，史稱之為「陶德曼調停」。陶是當時德國駐華大使，負責代表德國向中方傳達日方所提出來的和平條件。

在本節中，我將依照蔣日記逐日逐條記載與評析二事件，並且先採用「編年體」，按照日期去寫，再用「記事本末體」去把蔣日記有關此二事件之逐條記載各自集中起來加以評析，以明此等事件之大要也。如此寫法雖稍嫌重複，只是「編年體」寫法之重點在與其他事項逐日合寫，以明其與彼等之關係與相互影響，而「記事本末體」則將此二事各自單項串連，並採用蔣日記所未記載之史料加以解析之。這兩種寫法的重點彼此不同，對大家要了解當時的史實各具功用，因之若有重複累贅之處，也請讀者原諒。

有關抗戰初起之時，中日之間的和平運動，坊間已多有專著或論文問世，本文之重點是在用蔣日

記去說明蔣先生如何決定主動求戰去展開「八年抗戰」的原因。此因蔣日記在二〇〇六年才完整地公布於世，對大多數曾經研究此段歷史的同好來說，是一個新出的資料。本部分採用的資料出自陶恆生兄所寫的《高陶事件真相》一書中的第四章〈抗戰初期的和平運動〉之處甚多，承陶三哥親自檢示賜下，在此言謝。

㈠一九三七年秋冬中日軍界各自都有主和者

當時在華北（平、津）及華東（上海），中日之間分別有兩次「事變」。蔣先生在應付與處理日方所挑起的七七事變中，由前述已知有過三段心路歷程，時間自一九三七年七月七日至七月三十一日，為時二十五天。

至於在八一三事變中，這是由中方挑起的戰役，從一九三七年八月十三日打到十一月九日，為時大約三個月。在有關和戰之指揮方面，蔣先生也曾有過三次轉折的心路歷程。首先為「以戰求和」，繼而為「拒絕談和」，最終為「冀望九國公約會議之干涉」。這三段心路歷程之改變，是因為受了在此三個月血戰中，華軍在戰場上之勝負而產生的影響。

這兩個事件加起來為時五個月，即自七月七日到十一月九日，期間對中日和戰最為關鍵性的時刻，是在七月七日到七月三十一日的二十五天之內。在七七發生之初，在外交方面，蔣先生是一手備戰，一手謀和。在和談方面，他是以戰求和，冀望英美仿照一九三二年的「一二八模式」去干涉平津戰事。在備戰方面，則是立刻與俄國接觸，以試探俄國援華抗日之可能性。

不過在此二者之間，蔣先生的初意是以冀望英美干涉為正選，而以聯俄抗日為備選。因此在七月三十日英國中止調停後，蔣先生在七月三十一日，即第二天，才下定決心去與俄國簽互不侵犯協定而聯俄抗日者。即使在此後，於挑起八一三之前夕，蔣先生仍未放棄尋求英美干涉。在八月十一日，蔣先生在廬山召見英使、美使，均未見效之後，蔣先生才在八月十二日上午回到南京，下令展開八一三之戰。

在八一三之戰的三個月中，蔣先生對中日之和戰的決策過程也有過三次心路歷程之轉折。最初蔣先生是希望以戰求和，到了九月中因為中國軍界主戰派之主導，以致戰事擴大，而且華軍表現優良，使得蔣先生假戲真做，乃改為作戰到底，拒絕和談。可是到了十月下旬，因為華軍之疲態已露，敗象已現，蔣先生又改為「冀望九國公約會議」出面調停。

在一九三七年秋冬，中日雙方的軍界各有其主戰與主和者。日方在七七發生後，其軍方出現了「不擴大派」，例如已退役、曾任陸相的宇垣一成大將，以及時任參謀本部次官之多田駿中將、參謀本部第一部（作戰部）部長之石原莞爾少將等人。在中方也有主和之軍人，只是在抗戰勝利之後，沒有中國將領願意承認在一九三七年是主和反戰者。如《陳誠回憶錄》記載在一九三七年八月十六日，時任湖北省主席的他，與江西省主席熊式輝上將，兩人同時奉蔣先生之命令去上海考察戰況。回南京後，熊對蔣說「這個仗不能再打下去」，陳則說「不是不能打，而是要看怎樣打。」這一段故事在今已出版之《熊式輝回憶錄》中被省略掉了。

當時主和的中方高級將領中，我判斷至少有何應欽、張治中、徐永昌及熊式輝四位上將（何應欽與張治中之主和，可參見本書第貳編第二章第三節〈解析八一三戰役的開場與收場〉）。此外在開戰之初，連蔣先生本人也是在「以戰求和」。張發奎上將之口述回憶錄《蔣介石與我》，引用了張治中在大陸易手後之說法。張治中上將在八一三首戰時，作為前敵總指揮的他在去職之前，曾三次請求蔣批准他對日軍發動總攻，都沒有獲准。此示當時蔣也沒有下決心去把戰事全面擴大。故在八一三開打時，中方軍界高層之主和者大有人在，只是在抗戰勝利後沒有人願意承認此事的了。

㈡一九三七年七月蔣對中日和戰之三段心路歷程

在一九三七年七月七日到七月三十一日之間，蔣日記有關七七事變之記載極多，在本節中我只抄錄其中有關此事的兩方面記載，即有關宋哲元上將與日方和談者；及有關蔣之為了打破《何梅協定》（一九三五年）所採取的軍事行動，包括在事變初起之時，即派遣六師中央軍北上保定，日方乃違背《辛丑和約》之規定，派一師團及二旅團進入河北；以及在宋日和議達成後，於七月二十三日以後，蔣拒絕中方先行撤兵，反而要求中日雙方同時撤兵，和談因之破裂。日方乃在七月二十六日大舉進攻北平，華北戰事爆發。依照這兩點之選取，乃共得下述的二十一條日記項目。

七月八日：

預定：

一、令孫連仲、龐炳勳、高桂滋部動員。

注意：

三、決心應戰，此其時乎？

孫、龐、高三個部隊共四師人，為四萬四千人。當時日本在華北（河北）之駐軍為一個旅團，五千人。宋哲元之二十九軍為四個步兵師加一個騎兵師。此四師北上部隊為「第二中央軍」，此即為蔣先生從地方派系所收編成中央軍的部隊，孫、龐本為西北軍，與二十九軍系出同源，高部則為東北軍。蔣未派「中央軍」之嫡系部隊進入河北，是要安二十九軍之軍心，此示蔣無意乘人之危去奪取河北省之控制權。並且蔣此時已在考慮是否要對日應戰。

七月九日：

注意：

四、令宋乘機與倭折衝見面。

五、積極運兵北進備戰。

早起處理華北戰事，不避戰爭。

此時蔣把七七事變當作一個地方性的衝突，所以由地方首長宋哲元上將出面與日方交涉，而不是交由中央政府之外交部。如此手法有利有弊，利在既由地方處理，不牽涉到中方在日俄之間的靠邊站之政策問題。弊在宋哲元與中央有矛盾及心結，此因宋所屬的西北軍與中央軍在一九三〇年曾展開中原大戰之殊死決戰。所以在處理七七之善後方面，宋與蔣的盤算是不盡相同了，此即宋是希望恢復七七之前的局面，繼續其統治冀察之現狀，而蔣則是一心要打破《何梅協定》，以改寫七七之前的華北局面，以預防閻錫山或宋哲元去和日方合作以實現「華北特殊化」。

七月十日星期六：

注意：

三、倭寇今日又反攻盧溝橋，是其不達目的不止也。惟（唯）我已積極運兵北上備戰，或可戢其野心，我軍開始北進，彼或於明日停戰乎？

此時蔣是希望以戰止戰。

七月十日以後本週反省錄：

三、……動員六師北上運增援，如我不有積極準備，示以決心，則不能和平解決也。

此示在一開始，蔣先生派兵北上是要以戰求和。

在前文七月八日日記所記述之四師之外，此時蔣曾下令中央軍之關麟徵軍（兩個師）動員北上，可是後來此二師在到達河南省之時，又下令暫停，因此在七七事變中，北上進入河北到保定之中央軍為四個師，並非如此段日記蔣日記所寫之六個師。

在七七之前，有關華北日軍及我中央軍之進駐問題，中日之間存在了三個外交協定：

1. 一九〇一年簽訂的《辛丑和約》，清政府允許各國得在天津與北平地區駐軍，最多一個旅，以保護其駐在北京之使館及外交人員。這是因為在八國聯軍進入北平之前，清政府在慈禧太后領導下，命令正規軍（董福祥所部）與義和團聯手進攻北平城內的東交民巷使館區之故。在一九三七年的七七事變時，日本在平津地區駐兵一個旅團（共約五千人，其司令部及其主力在天津），便是根據此約而來。

2. 一九三三年簽訂的《塘沽協定》，此為解決一九三三年的長城戰役而來。其間日方並未取得在華北駐紮更多軍隊之權利，只是中方答允劃出一定之區域，中方不派駐其正規軍，以交換日軍退出其所取得之在長城以南的地區。

3. 《何梅協定》與其所造成的重大影響：世稱的《何梅協定》是一九三五年七月由國府的軍政部長何應欽上將寫的一封「私函」，收信人是時任日本天津駐屯軍司令官梅津美治郎少將。（關於此事可參考本章第二節）終何將軍一生，即使在抗戰結束以後，將軍定居在台北的晚年，他都堅決否認這封信是兩國之間的協定，堅稱這只是一封以他個人名義所作出的私人文件。我不同意這個說法，由本文所引之蔣日記去看，在一九三七年七月二十二日，英國大使及蔣中正先生本人也都不同意何將軍這個說法，英態度乃因之突變，而蔣則怒責何將軍為「誤國」之「賤種」。

此外，根據梁敬錞先生的大作〈日人岡田有關何梅協定的一封信〉，指出《何梅協定》之原稿是日本人高橋坦中佐所手寫者。不知何將軍在此時給蔣先生看的是此原稿，還是何將軍之抄本？以蔣反應之劇烈，我判斷當是原本。

蔣先生在七月二十二日的日記說，當他要查閱這封信時，是向何將軍索取底稿，可見當時在軍政單位的檔案中都沒有其備份存檔。此示何上將不但對外聲稱此文件為私函，即使在國府內部之文書處理方面，何「部長」也視之為私函矣，這真是一件令人驚駭之事。我判斷蔣先生在一九三七年派六師中央軍北上時，並不清楚在《何梅協定》中何將軍對日方作出承諾，即為中央軍不得重新進入河北，就是因為他當時並沒有《何梅協定》之存檔可供查閱。至於《何梅協定》及其所產生之重大影響，是七七事變難以和平解決的主要原因，請見本章第二節。

在《辛丑和約》、《塘沽協定》及《何梅協定》這三個中日之間的外交文件中，蔣先生在處理七七事變時，要求雙方遵守前兩個而忽略第三個，即《何梅協定》，是有一點一廂情願的做法，宋日和議最終不能成功的原因即在此。

七月十二日：

注意：

乙、《塘沽協定》以外之地區。（中方）之駐兵不能受限制。

丙、倭在平、津一帶之駐兵地點及其行動，應遵守《辛丑和約》。

此即蔣先生要撕破一九三五年的《何梅協定》，中日在華北之駐兵問題只引用一九〇一年的《辛丑和約》，以及一九三三年的《塘沽協定》。

在中方不駐兵區域方面，《塘沽協定》所規定者不但面積小，而且是泛指中方的軍隊，包括中央軍及西北軍等地方軍系在內，皆不得進入。至於《何梅協定》則有兩個特點：

1.區域包括整個河北省，很大。

2.不駐兵之「兵」專指在一九三五年撤出河北之中央軍及東北軍，而不包括其他地方軍系在內（即西北軍及晉綏軍）。

因為後述之陶德曼調停並未成功，否則中日雙方在和談之中，將會對華北之中方「不駐兵區域」規定產生重大爭執。此即不但在區域範圍之大小，而且也對「兵」之定義，即中央軍能否再進入河北省內非「不駐兵區域」地區也會有不同的看法。

在這條日記中，蔣心目中的「不駐兵」區域之定義與日方不同，即在「不駐兵」區域之外的地區，中方認為是由中央軍或其他軍系進駐，與日本無關。而日方根據《何梅協定》，會對中央軍之進入河北境內非「不駐兵區域」地區加以反對。

七月十四日：

預定：

五、派立夫見蘇使。

注意：

一、對盧案，英、美已有合作調解趨勢。

在一九三六年十二月底的西安事變之後，國府即開始與蘇俄加強往來，除了正常的外交管道之外，蔣先生另外指定陳立夫先生負責此事。當時國府對共黨（中共及第三國際）之特務工作是交由中統負責，陳立夫先生則是中統的創辦人與領導者。有關陳立夫及其助手張沖在這段時期對俄工作方面之研究，已可見各論文與專著，在此不贅。

此條日記也顯示在七七一發生之後，蔣在外交方面已作了可戰可和之準備工作。即聯俄是為了抗日，寄望英美調停則是求和。也就是說，在七月十四日，蔣先生雖然已經派了四師中央軍北上保定，可是究竟與日本是和是戰，他尚未作出決定。宋哲元在七月七日人在山東故鄉祭祖掃墓，七月九日趕回平、津，七月十二日與日方達成和平協定，可是要到七月十九日才完成實行細則，因之在此時尚未向蔣先生呈報十二日之協定。

七月十五日：

訪汪（精衛）審察局勢，英、美對中倭兩國分別提勸告，而不連（聯）合一致，減少力量。手擬對英覆文稿。

以今已所見之英美兩國解祕之文件可知，此時英國比美國遠為積極要去干涉七七事變所產生的中日之軍事衝突，兩國之態度是有不同，蔣先生此時之判斷是正確的，至於美方之所以比英方來得消極與不作為，其評析請見後文。

七月十七下週預定表：

六、運用各國外交，使英、美聯名出任調解人。

七月十九日：

……聞川喜多對敬之（何應欽）談話……

此即在我中央軍四師北上後，日本駐華武官川喜多少將在南京軍政部與何部長的一席談話。日方認為我中央軍北上重回河北是違背了《何梅協定》，而何將軍則答以當時中方並無如此之認知。

七月二十一日：

注意：

二、對英使說話太直，無論如何知交，對外交立場應有迴旋地步，不可自行束縛也。

七月二十二日：

應欽愚劣私陋，毋使預聞政治，否則害國、誤國必此人也。……見敬之致梅津之函件，憤恨又不能自制，何（應欽）愚劣至此，痛心之至。

注意：

一、宋覆電之請示用意。

二、應停止軍運。

三、盧案了結乎？當非如此之易。

四、中央軍撤出時機，必待寇同時舉行。

五、何梅諒解事項，抄交英使。

六、德、義態度不良，益露矣。

上午會客，批閱盧溝橋三十八師撤退，而未知宋與倭交涉內容為何？不勝惶恐。閱何致梅函稿而更憤激，何愚劣至此，誠賤種也。

德國決定選擇日方為友，疏遠中方，是在調停中日（陶德曼調停，詳見後文）失敗之後，在一九三七年七月時，德軍事顧問團仍在中國。

蔣在此段日記中兩次提及讀到何應欽上將寫給梅津美治郎少將的信函，我判斷其狀況如下述。在英國出面調停盧案時，因為《辛丑和約》規定各國在平津地區之駐軍不得超過一個旅，因之在七七發生之後，日軍原來在此地區為一個旅團（五千人），隨後日方即增兵一個師團加兩個旅團（三萬多人），是為違約，因此英國乃有立場出面干涉。此時日方乃出示《何梅協定》給英方看，說明其增兵乃是相對應於中方之派四師中央軍北上，乃是中方違約在先。因為何將軍在此「私函」之上並未簽名蓋章，所以英使及蔣先生都必須各自去查證日方所提供的版本之真偽。英使以之向蔣先生查證，這就是在這篇日記中蔣說的「見敬之致梅津函件，憤恨又不能自制，何愚劣至此，痛心之至」。也就是說，此為蔣先生第一次讀到《何梅協定》的全文。

隨後蔣乃向何查證，才有了此篇日記中所寫的當天第二次讀到《何梅協定》之文句，此即「閱何致梅函稿而更憤激，何愚劣至此，誠賤種也。」這是我所讀到蔣日記中罵人罵得最凶的一次。在這段文句中有一個關鍵的字，即「稿」字。此示蔣先生第二次所讀到的《何梅協定》之版本，是由何將軍親自提供的底稿，也就是說當時中方的軍政機關之文書檔案裏並沒有這份「協定」的存檔。此即何將軍不但對外界宣稱此為其致梅津之「私函」，在中方內部公文處理方面也是持此看法，這真是一個令人驚駭的「愚劣」行為。其「誤國」處即在使不明真相的蔣先生在處理七七事變時應對錯誤，使蔣先生派四師中央軍北上至河北保定之舉，變成弄巧成拙，反而使日方有了藉口增兵進入河北，乃使其陰謀製造「華北特殊化」大增助力。

宋哲元是在第二天（即七月二十三日）才向蔣報告其與日方在十一日達成了和平協定，所以在二十二日蔣對盧案能如此順利解決乃表懷疑。不過蔣已預見中日各自撤兵日期之先後或同時將是和談能否成功之關鍵點。

七月二十三日：

注意：

二、明軒（宋哲元）祇報告十一日與倭方所協定之三條，而對十九日所訂之細則尚諱莫如深，似不加深究為宜，使其負責也。

四、倭寇已悟中央部隊既入河北，對華北獨立陰謀已受重大打擊，不能達成其目的矣。

七月七日，宋哲元上將人在山東祭祖掃墓，九日趕回天津，奉蔣先生之命與日方折衝。此時人在平津地區的二十九軍將官們可分成主戰與主和兩派，主戰為副軍長秦德純（兼任北平市長）、副軍長佟麟閣、師長趙登禹、師長馮治安。主和者為副軍長蕭振瀛（主管財務及軍需）、師長張自忠（兼任天津市長）。宋本人雖不明言，則傾向於主和。宋在十一日與日方談成三項和平協定，十九日作成實行細則，二十三日上報給蔣先生三項協定，但是沒有報告實行細則。

在此我要替二十九軍的將士們說句公道話，蔣

在一九四〇年的棗宜會戰中殉國的張自忠上將。

中正因為一九三〇年的中原大戰，心中對馮玉祥上將所締造的西北軍系有了芥蒂，在他的日記中對馮玉祥、宋哲元等人，甚至對已為他收編的孫連仲上將，都有過猜疑之字句。可是在二〇一四年的今天，這些西北軍的將領們都已蓋棺論定，我必須說，他們每一個人，除了石友三及韓復榘之外，都是抗日的英雄。在一九三七年七七事變時，當時二十九軍的將官群之中，只有石友三一個人在抗戰中做了漢奸，其他的都是表現優良（韓復榘雖然是西北軍出身，但並非隸屬於二十九軍）。

在二十九軍的將領中有三位殉國。張自忠將軍後來在一九四〇年成仁時已官居上將集團軍總司令，其餘兩位即佟麟閣及趙登禹兩位中將，都是在一九三七年的七七事變中殉身的，也都被國府追贈為上將。在八年抗戰中，華軍陣亡的將領，國軍方面超過兩百名，共軍方面則有二人（左權與彭雪楓兩位將軍），可是國軍殉國者之中只有八位是上將，其中張自忠在殉國前已是上將，其餘七位則是身為中將，死後被追贈為上將者，佟與趙二位即在其中。

現在北京市有自忠路、麟閣路與登禹路，就是紀念二十九軍這三位為國犧牲的上將。這是整個中國大陸的大都市裏，在中共治理之下，唯一紀念國軍抗日陣亡將領的路名，真可以說是公道自在人心了。在筆者引用蔣日記有關七七之記載時，雖然盡量避免抄錄他對宋哲元的猜疑之詞句，有時或不能免，希望讀者不要因為蔣先生的一面之詞而對二十九軍及宋上將有錯誤的印象。

仁按：謹在此把八位為國盡忠，殉身死難的華軍上將之名單敬列於下，即為：

姓名	生卒年份	殉國時職務	出身之軍系
佟麟閣	一八九二—一九三七	廿九軍副軍長	西北軍
趙登禹	一八九八—一九三七	廿九軍師長	西北軍
饒國華	一八九四—一九三七	一四五師師長	川軍（自殺）

王銘章	一八九三－一九三八	一二二師師長	川軍
陳安寶	一八九一－一九三九	廿九軍軍長	浙軍
張自忠	一八九一－一九四〇	三十三集團軍總司令	西北軍
唐維源	一八八六－一九四一	第三軍軍長	滇軍（自殺）
李家鈺	一八九二－一九四四	三十六集團軍總司令	川軍

註：此表所列出之資料，取材於王曉明先生著《抗日戰爭中陣亡的國民黨將軍》一書。

七月二十四日（星期六）：

注意：

一、倭寇今夜以前之求戰，較前更急，而今夜忽求和。彼或知余已同意於宋哲元之三條件所致乎？可知外交與軍事皆瞬息萬變，不可執一而終，但不能不有一定目標耳。

二、在和戰未決之前，對倭要著須使用國際空氣籠罩，使彼有顧忌，不得不從速撤兵耳。

三、以後當注重撤兵與交涉問題，本日運用軍事與外交，費盡心力。而倭寇之形勢險惡，亦於昨、今兩日為甚。以彼恐我反對宋哲元所訂條件與不肯撤兵耳。下午會英使。

宋哲元在七月二十三日只向蔣先生報告十一日所達成的三項協定，而不報告在十九日談成的實行細則，原因即在日方於實行細則中要求中方先行撤兵之故。

我判斷宋將軍知道蔣先生不會同意此點，乃想蒙蔽過關，只先把十一日的三項協定上報，希望中央先批准此原則性之協定，至於如何付諸實行再說。果然，蔣先生此日乃同意宋所上報的三項協定。可是和議在後來終於破裂，乃是蔣不同意實行細則所規定之中方先行撤兵之舉。

蔣先生在二十三日得到宋書面報告之前，於二十二日日記中的注意事項之一、二、三條，對盧案之解決當不如表面容易，以及雙方之分歧在各自撤兵時機方面，已有戒心了。此時中日雙方誰先撤兵，或為同時撤兵，乃成雙方交涉之重點。此即蔣先生也心知肚明，為了打破《何梅協定》，中方絕不能先行撤兵。

七月二十四日（星期六）之後的本週反省錄：

二、此次盧案開始之初，如無派兵北上之決心，或派而不速，則今日政府地位不僅進退失據，而且內外挾（夾）攻，不知亂至如何境地矣。

四、中央軍進入河北，倭寇至今始悟其華北獨立之陰謀已為我打破，而其大陸政策亦大遭阻礙矣。故此次派兵入冀，戰略之利在其次，對倭政略戰勝之利，已無人能知者也。

此事不但在一九三七年秋冬無人能知，在二〇一四年的今天，也很少人注意《何梅協定》乃是使得七七事變不能和平解決的關鍵，最終間接造成了八年抗戰。

七月二十五日（星期日）：

注意：

一、聞英美要求倭外（交）部對華北不擴大之保證，故倭忽緩和。

三、……使英、美、法、俄共曉之。

下週預定表：

三、下午召美使，告東亞已入危險關頭，囑其政府作轉危為安之計。

七月二十六日（星期一）：

注意：

二、倭之軍權全在前方少年軍官之手，其政府無力制止，雖欲不戰而不可得也。

此為日方大舉進攻北平之日，即七七事變和談破裂之時。也就是在七月二十三日蔣先生雖然批准了宋日雙方在七月十一日所談好的原則之和平協定，可是在十九日所談要的實行細則方面，因為日方要求中方先撤北上之中央軍，而蔣則堅持雙方同時撤兵，和談乃失敗。

蔣先生有關日方少壯軍人之一條記載，是對應當時日方政界的兩股力量向他示和之反應。其一為時任日本首相之近衛文麿公爵派遣其親信尾崎秀實來南京求見蔣先生，另一則為前首相，日本元老西園寺公望公爵派其孫子來華謀和。因為篇幅之限制，在蔣日記中有關此二事之各項記載我都予以省略，因該二事項並未奏功，只是兩個與中日和戰大局無關的小插曲而已。

七月二十七日：

注意：

一、萬一北平被陷，則戰與和，以及不戰不和，（應戰）與一面交涉，一面抗戰之國策，須鄭重考慮。

此時日軍進佔北平已不可免，蔣先生對此新情勢須重新估計中方之對策，此示他心意猶未決，和乎？戰乎？尚未定策。

七月二十八日：

宋軍長六時離（北）平赴保（定），北平城於夜十一時完全退出。……政府應照既定決心，如北平失陷，則宣言自衛，與對付倭不能片面盡條約之義務矣。

北平既已失陷，蔣先生已在考慮開闢第二戰場，因此將對外宣布中國有權自衛，不再對倭寇片面盡條約之義務矣。此即中方將要撕毀《一二八淞滬停戰協定》去開啟第二次淞滬戰役（即後來的八一三）。日方並未警覺到此點，一直到八一三開戰，日方在上海虹口租界的守軍仍為六千名海軍陸戰隊，並無正規陸軍進駐。我判斷這是因為從鴉片戰爭以來，九十多年之中，中國的正規軍還沒有正式主動進攻列強租界或其正規軍之先例，所以日方並未提防華軍之進攻上海虹口日租界。

七月三十日：

注意：

三、英態度突變。

此即英國終止調停七七事變所引起的華北戰事。

七月三十一日以後之本週反省錄：

檢閱二十四年七月舊卷，……扶持朝鮮獨立，由我而成乎？

此即在本節後文所引述者，在此不贅述。這是為了行文之文意完整性，將此段蔣日記放在該處較宜。

一九三七年七月三十一日後之本月大事預定表：

六、對俄訂互不侵犯條約。

本月反省錄：

二、對倭外交，始終強硬……戒之。

三、倭要求與我共同防俄……吾於此決矣。

這兩段文句實為重要，請見下文「三國都想坐收漁翁之利」及「英國中止調停盧案迫使蔣先生聯俄抗日」所引之全文。在第二項中蔣先生自認早打了一年，在第三項中，蔣先生下定決心聯俄抗日。此為英態度突變，中止調停華北戰事後之第二天，即蔣先生到此日才決心與日本全面作戰矣。請注意，在七月二十七日，即四天前，也就是英態度突變前三日，北平雖已將失守，蔣先生對中日和乎戰乎，尚未定案。由此可證，造成蔣之決心聯俄抗日，展開中日全面戰爭的是英態度突變。

綜合以上所引，從一九三七年七月八日到七月三十一日的二十一條蔣先生日記，我們可以看出來，蔣先生在處理七七事變的方針上，是乘機派六師中央軍北上保定，以打破對我方不利之《何梅協定》，蔣先生的初意是以戰求和，日方亦相對應加派一個師團及兩個旅團進入河北省。他在七月二十三日批准了宋哲元在七月十一日與日方簽訂的三項和平協定。可是他不願按照宋日雙方在七月十九日所達成的實行細則，即中方先行撤軍，日方才撤兵，宋日和議因而破裂，日方在七月二十六日大舉進攻北平，七月二十八日攻下。在七七事變初起之時，蔣先生在外交方面採取了和戰兩面手法，在求和方面，他冀望於英美之出面調停，在備戰方面則與俄國接觸以求聯俄抗日。英使在七月二十一日向蔣先生求證《何梅協定》，蔣在七月二十二日將「何梅諒解事項抄交英使」，並向何將軍索取其「私函」之存稿，一讀之下，不禁大怒，責罵何將軍是「誤國」的「賤種」。英在七月三十日「態度突變」。蔣乃在七月三十一日下定決心去聯俄抗日。

由此可見，在七月七日到七月三十一日的二十五天之內，蔣對日本的態度是經過了三種轉折，即由最初的「以戰求和」，經過「和戰未決」，改為「聯俄抗日」。其中的關鍵因素，是由於英國對中日在華北之戰的態度，可是英國「態度突變」的原因則是根據《何梅協定》，中方違約在先。

蔣在七七初起之時的「以戰求和」，是想重施其在「一二八」中之故技，以擴大戰事的手法去使得英美等國出面干涉中日之戰。可是美國始終對七七事變採取冷漠以對的態度，《何梅協定》又使得英方「態度突變」，因之此計乃為不成，更且弄巧成拙。由於日方在華北軍力已超過四萬人，此時蔣如屈從日方要求，將北上之中央軍先行撤出，在他的認知中，則華北必定會出現「第二個滿洲國」，因此他乃下決心去「聯俄抗日」。此示華北在蔣先生心目中是對日「犧牲的最後關頭」，華北的「行政主權」絕對要保持完整，有關此點之討論與評析，請見第壹編第二章第二節〈《何梅協定》及其由來——兼述何應欽所犯下的兩個大錯〉。

在本節中我以日期之先後為排列之次序，把蔣先生在七月七日到七月三十一日的各篇日記中，有關其對日和戰之取決的各條記載，一一抄錄，並加評析。在下文中，我則將其中與英國干涉盧案有關之日記各條記載抽取出來，以記事本末之方式重新敘述一遍。此因英國之干涉態度乃是蔣在這二十五天裏決定和戰之關鍵性因素。這是為了要讓大家明白，在外交方面，中國之所以走向聯俄抗日的道路，主要原因是英美之拒絕調停中日在華北之軍事衝突。

㈢英國中止調停盧案迫使蔣先生聯俄抗日

七七事變發生之後，蔣先生立刻於七月九日派中央軍六師北上，其中四個師進抵保定，兩個師則停留在河南。擺出擴大事端，不惜與日軍在平津地區一戰之姿態，這是仿效在一九三二年一二八淞滬戰役中，我方以戰求和之故技。

蔣日記在一九三七年七月十四日記載：「預定：五、派（陳）立夫見蘇使。注意：一、對盧（溝橋）案，英、美已有合作調解趨勢。」此示，當時蔣先生一方面與俄方接觸，以查詢俄方助華抗日之可能性，另一方面則寄望於英美調停華北（平津）之中日衝突，是在做可戰可和的兩種準備。

七月十五日星期日的日記說：「英、美對中、倭兩國分別提出勸告，而不連（聯）合一致，減少力量，手擬對英覆文稿。」此處蔣先生已感覺到英、美兩國對此次中日戰事之態度不同。按照戰後至今已解密之英、美檔案，當時英方態度比美方要為積極。最後英國之所以放棄調停，其重要原因之一，即在美國拒絕參預。

一九三七年七月二十一日日記說：「對英使說話太直，無論如何知交，對外交立場應有迴旋地步，不可自行束縛也。」七月二十二日，蔣日記：「將何梅諒解事項抄交英使。」此即在七月二十一日英使與蔣先生見面時，蔣自言「其對英使說話太直」，即兩人曾經有了言語上的衝突，那麼他們所談何事呢？從二十二日的日記所寫「將何梅諒解事項抄交英使」去看，在前一天他們談話的內容是有關《何梅協定》者。

七月三十日：「英態度突變。」此即在中方承認的《何梅協定》中，中方對日方承諾在一九三五年六月將兩師中央軍撤出河北之後，中央軍不得再重回河北。因之在七七事變之中，中方先行派四師中央軍北上進駐河北省之保定市，乃成為違約在先。而日軍之相對應增兵一個師團與兩個旅團之進駐天津附近，雖然是違背了《辛丑和約》，可是依照國際慣例，後約之效力大於前約，一九三五年七月的《何梅協定》乃成為比一九〇一年的《辛丑和約》之效力為大了。也就是說用英國的角度去看，英國已經失去勸告日軍把其增兵之部隊先行撤出河北之立場，除非中方先撤北上之四師中央軍。此即在中方先行遵守《何梅協定》之條件下，英方才能去要求日方遵守《辛丑和約》。

此外，我認為英方另有考慮。英日之間曾有三次祕密同盟，在東亞聯手抗俄，為時長達二十年（一九〇二年—一九二二年）。在一九三七年，蔣先生正在面臨日俄之間孰為敵友之抉擇關頭，自從一九三六年十二月的西安事變之後，國府在內政上再度與中共合作抗日，在外交上又與蘇俄靠近，這在英美眼中已生戒心。此外，即使不談英日俄三者之間的合縱連橫，只從中英關係去看，英國與日本一樣，也是侵略中國歷有年矣的帝國主義國家，中英之間也有甚多的不平等條約，因此英國不能幫助中國撕毀《何梅協定》，以免在外交上造成中方有權悔約之先例。

在七月三十日英國中止調停之時，北平已在二十八日失守，天津則在同一天，即三十日失守。此時蔣中正只有兩個抉擇：

1. 屈從日方之要求，把北上的四師中央軍先行撤出河北省。

2. 予以拒絕，與之作戰。

如果採用第一條之先行撤兵，在蔣先生心目中，下一步必然出現「華北特殊化」，在華北有了第二個滿洲國之產生，因此他只能採取不惜與日本一戰之態度。

此時世界上有三個集團，其中民主國家的英美法等國對華北戰事已採取不予干涉的立場，另一個德義集團則已經與日本合作，因之中國只能與第三個集團——即蘇俄為首的共產主義集團聯手抗日了。這也是從九一八以來俄國史達林之夙願，即鼓勵中日開戰，讓中國替俄國去擋住日本人，以保障俄國在東方之安全。

蔣先生在英國於七月三十日中止調停以後的第二天，即在三十一日以後的本月反省錄中，寫了一段文句，以宣示他決心聯俄抗日的原因，原文如下：

> 三、倭要求我共同防俄，承認偽滿與華北特殊化，若與俄先訂互不侵犯條約，則可以先打破其第一迷夢，不再要求。蓋允其共同防俄以後，不僅華北為其統治，即令全國亦成為偽滿。故聯俄雖或促成倭怒，最多華北為其侵佔，而無損於國格，況且亦未必能為其全佔也。兩害相權，寧取其輕，吾此決之矣。

在此處容我插寫一段題外話。蔣先生對聯俄抗日之後的華北局勢分析，只想到了中日之間，即為日本將攻佔一部分華北地區，可是他沒考慮到中方內部有國共之兩個陣營的對峙。在一九三七年七月底，蔣先生決定聯俄抗日之際，共軍的主力——八路軍尚在陝北，其江西蘇區的殘部，即後來的新四軍則遠在江南，兩者都離華北甚遠。此時八路軍約為四萬多人，江南共軍則為一萬餘人，兩者之兵力均為有限。可是在一九三七年十一月底太原會戰結束之時，也就是四個月後，由八路軍改編的十八集團軍的全軍之三個師都進入了山西境內，其中的林彪師進入五台山區，劉伯承師進入太行山區，建立了兩個大型的游擊基地。在八年抗戰中，於日方的華北佔領區中壯大，成為抗戰後國共內戰中的兩支大部隊，即華北野戰軍及中原野戰軍。這種日後國共之間在華北勢力消長的重大發展，蔣先生在一九三七年七月底的此時下決心去聯俄抗日時，並未預見也。

綜合上述，蔣先生在七七事變中，即自七月八日到三十一日，其在對日和戰之抉擇方面，有兩點重心：

1.在軍事上，中央軍不但要進入河北，也拒絕先予撤出，以阻止日本製造華北特殊化，以致華北將會產生第二個滿洲國。

2.在外交上，希望英美能比照「一二八模式」去解決平津地區之中日衝突。此即中國可以考慮擴大《塘沽協定》中在河北的不駐兵區域，但是各國必須確認中國在華北（平津地區）的主權，並簽字保證之。如果英美袖手不理，則中國只有聯俄抗日，與俄簽互不侵犯協定。而且中方最後之所以會聯俄抗日的原因，即在英國對調停之「態度突變」。

蔣先生在七月三十一日雖已決定去聯俄抗日，決心要與蘇俄簽訂互不侵犯協定，可是在八月二十一日此約簽字之前，他並沒有放棄爭取英美調停華北戰事之努力，此由蔣先生一九三七年七月底的本月反省錄可證之：

> 一、倭寇隨手而得平、津，殊出意料之外。但其今日得之也易，安知他日失之也亦非易乎？此或天之冥冥者，果有其易也!?

中方若要收復平、津二市，只有兩個途徑，即是經由外交或軍事。當時日方在華北有一個師團及三個旅團的正規陸軍，而且實力強大的關東軍（四個師團，其中一個已開入河北）及駐韓軍（兩個師團）都近在咫尺。以中方在河北境內的二十九軍（兩個步兵師及一個騎兵師）與第二中央軍四個師，加起來也不是日方之對手。

依照當時中方的作戰方案，是把戰線定位在保、滄、石一線。即在平漢鐵路上，自北平以南的保定，南經滄州到石家莊這一條防線。中方是採守勢，期待日軍在佔領北平以後，經由平漢鐵路去南下進攻此陣線。

也就是說中方一時並沒有用武力北上去收復平津二市之打算，那麼蔣先生在這篇日記中，怎麼會說日方取平津甚易，也可能失之甚易呢？那是因為他從一二八事變中所得到的經驗。在一九三二年的一二八之戰中，日方攻佔上海之華界後，因為英、美、法、義四國調停，乃將之交還給中方。我判斷蔣先生此時仍冀望於英美改變心意，恢復對華北戰事之調停，如是，則平津之失陷只是暫時之事，也就是只要中方能利用外交手段，比照一二八之方式去取回即可。此示到了平津失守之後的七月底，蔣先生仍未放棄爭取英美之外交調停華北戰事。

㈣一九三七年八月到一九三八年一月中旬，蔣日記有關中日和談之記載

上文所談的是中日和談的第一段關鍵期間，即在七月七日到七月三十一日，當時是限於華北的平津地區之軍事衝突。至於第二段關鍵時期則為八月十三日之後，淞滬抗戰爆發，到了十一月九日中方潰敗之後，經過十二月十三日的南京失守，日方展開「南京大屠殺」，到一九三八年一月十七日，日本首相近衛文麿公爵宣布不以國民政府為交涉對手，一時關上中日和談之門。

在此第二段關鍵期間內，唯一可能展開中日和談是德國之調停，即史稱「陶德曼調停」，我將在後文中予以專節討論之。在此，我把蔣日記自一九三七年八月上旬到一九三八年一月十七日近衛聲明發表之日為止，各篇日記中有關中日和談之記載抄錄如下，並加評析：

八月九日：

倭提三原則，（中方）與俄訂互不侵犯條約，使其（日方）不再夢想與我訂共同防俄之條約也。

當時日本首相近衛文麿公爵公開提出了日方希望與中國合作的三個原則，其中有中日聯手共同防俄。在一九三六年十二月的西安事變之前，蔣先生主持的國府是與日本及俄國均不結盟，此由蔣在一

九三五年七月六日後之「本週反省錄」之日記可知：「三、中華立國外交之方鍼，決（絕）不能聯日或聯俄，欲自立為基礎，否則無論聯日或聯俄，必致亡國滅種也。」（有關此段文句之評析，請見本書之第壹編第二章第二節）

到了一九三六年十二月的西安事變之後，原先蔣先生在日俄之間既為反日又為防俄的外交政策乃改為傾向俄國。因此在七七之後，日本提出三原則為時已晚，成為蔣先生筆下所說的「夢想」了。

八月十八日：

美國態度惡劣，而且變為毫無骨格之國，此其現任總統羅斯福應任其咎也。

八月二十日：

德國無甚偏袒，義國亦不敢明白助倭，是開戰以來，外交形勢當有利於我者為多也。

八一三開戰以來，此為初戰階段，英美德義各國尚在觀望階段。當時在淞滬戰場中仍有為數眾多之德軍將校以私人名義擔任我方之軍事顧問，參預戰事，德方尚未予以召回。希特勒的德政府與墨索里尼的義大利政府，在抗戰之前都是與蔣中正先生的國府交往密切。例如，在美國的陳納德之飛虎隊來華參戰之前，是德義兩國來華協助中國成立空軍的。有一事順記於此，先是德國幫助中國建軍，結果是一百名報考生，只收十名，十個入學生只畢業一人。德方之要求如此嚴格，實為不適用於中國迫在眉睫的建軍要求，以便應付隨時可能爆發的日中大戰，中方乃改向義國求助，並且在河南洛陽開設航校。義方是把所有報考生一概錄取，只要入學就盡量予以畢業。這雖然在量化方面符合中方之需要，可是在飛行員的素質方面就出了問題，在抗戰初期中方空軍飛行員折損率極高，與此有關。

在一九三八年一月裏，即在此時之三個月之後，因為陶德曼調停失敗，德義才選邊站，與日本親近而與中國疏遠了。

九月一日：

預定：

二、派百里赴德、義。

注意：

下午會美國大使及德顧問。

關於蔣百里上將與蔣中正先生之間的微妙關係，我雖注意到了，卻因手頭無資料，目前只能說在八一三展開大戰時，蔣先生卻把蔣百里上將如此之將才遠派至歐洲去遊說德、義兩國，而不用之於戰場之上，真是令人覺得奇怪。今希望對兩位蔣將軍之間的交往已有研究之同好對此事能提供說法。有關中方爭取義大利及德國干涉此次中日之戰的簡單敘述，請見後文評析陶德曼調停之部分。

九月七日：

派胡適之赴美，蔣百里赴德、義。

蔣百里上將隨後返國，不久後在一九三八年內即因病去世。胡則隨後擔任駐美大使，長期住在美國，一直到抗戰勝利後才回國出任北大校長。

九月八日：

注意：

一、主和意見派應竭力制止。

二、時至今日只有抵抗到底之一法。

九月九日：

除犧牲到底，再無他路，主和之見，書生誤國之尤者，此時尚能議和乎？

此兩條文字應一併參看，此即到了九月上旬，滬戰已經進行了一個月的血戰，戰事已擴大到了雙方皆欲罷不能的地步。「以戰求和」要能成功的一個重要因素是勝方見好收手，同時敗方不再增兵再戰。可是在八一三之役，雙方即使在開戰時本來都要「以戰求和」，打到九月上旬的這個地步，變成了各自都輸不起。不論哪一方在屈居下風之時，都必須添兵再戰，要扳回上風才能言和，如此則戰事必定節節升高。這是因為雙方的民心士氣都因大戰而為之激昂，各自的主政者都無法言和。

蔣先生在發動八一三戰役時，本為「以戰求和」，到了一個月後的九月中旬，因為我軍在此戰役中表現優良，而且戰事已擴大到無從談和的地步，蔣乃改變心意，要打到底了。

九月九日：

注意：

三、俄國外交，深信為己，不能不助我也。

中俄在八月二十一日簽訂互不侵犯協定，俄方並承諾助華抗日，可是一直到八一三戰事結束之十一月九日，俄援始終沒有到達。此即當時不論在國際上與中國內部，都有人對這次中日之戰將會打多久抱著看不準的態度。此由下列各項可見：

1. 七月二十七日從北平退至保定後，宋哲元召開了二十九軍之高層會議，在此會議中宋說：「打打做個樣子。」

2. 山東省主席韓復榘主動讓路，讓日軍經由津浦鐵路南下，我方乃被迫炸燬黃河鐵橋以阻擋之。請注意，宋哲元及韓復榘兩位上將都是出身於馮玉祥的西北軍，他們一來摸不準蔣先生的心意，不知道這場戰爭會打多久，犯不著早早蒙受重大損失，二來也擔心蔣先生借刀殺人，用日本人去消滅他們的軍力。

3. 在八一三開戰之前，蔣三令五申要堵塞吳淞口都未克實現。

4. 在八一三首攻之時，何應欽軍政部長扣留了平射炮及裝甲車，不交給我軍使用。戰場指揮官張治中也隱瞞此事，未向蔣中正申訴與報告。

凡此等等，都是因為當事人認為這場中日之戰可能很快就會結束，才會或為公、或為私採取了消極自保的措施。我判斷俄援之所以晚到八一三結束後才運華，也是因為俄方看不準中日之戰是否已成定局。俄方在擔心會不會在俄方物資運到中國後，中國不久就與日本談和了？此即只有中日已走上大戰的不歸路，俄國才肯在實質上援華作戰。

蔣先生在此條日記中，已明白表示他知道俄國之援華抗日是為了俄國本身的利益。此外，今已可見之張發奎上將口述回憶錄《蔣介石與我》，引用張治中上將在一九四九年後的回憶，說在開戰之初，他曾三次要求全力進攻日軍，都沒有被蔣先生批准。也就是說在開戰之初，蔣先生也是採取了有分寸的打法，以免使得雙方無法談和。

九月二十八日：

注意：

一、釋張（學良）赴歐之利害。

二、外交重點在英、俄。

釋放張學良，令其赴歐遊說，此事雖未實現卻有趣，此因張學良與時任義大利外交部長的齊亞諾伯爵為莫逆之交。此人有三個重要身分與經歷：首先，在戰前他長期擔任義國駐華公使，因此與張學良結有深交。此因他們兩位都是官二代兼富二代的青年公子哥兒，又同有聲色犬馬冶遊之嗜好。其次，他是義大利獨裁者墨索里尼之女婿，此外，他除了身任外交部長之外，還是義大利法西斯黨五人最高領導層之成員，此相當於今日中共的政治局常委，或是國民黨之中常委。

在此插一句題外話，他的下場比張學良將軍還要悲慘。後來在一九四三年盟軍登陸義大利之後，義國發生政爭，法西斯黨五人會議乃投票表決罷除墨索里尼之黨政職務，並將之囚禁，義國政權乃告轉替而向盟國求和。此時德國的希特勒乃派特種部隊（傘兵）救出墨索里尼，扶植他搞軍事政變以重掌政權。墨索里尼東山再起之後，就把投票反對他的幾位法西斯黨高層人士絞死，他的女婿，即齊亞諾伯爵也因此公開問吊了。

又張學良與齊亞諾之交情，可由一事見之，即在九一八之後，張以「不抵抗將軍」之惡名而被迫下野去職後即赴義大利，由齊亞諾助之以戒除張抽鴉片煙之惡習。

蔣先生此段日記說的外交重點在英、俄。其中與英謀是為和議，聯俄則為主戰。可證到此為止，他的心意又有變化，即從九月十日之一心打到底，到九月二十八日仍以英為外交重點之一，此時又成了和戰未決，皆可耳。這是與當時仍在激戰之中的八一三戰場情況的變化有關。

十月三日：

注意：

二、倭託英轉達條件，仍在夢想之中。

三、對德義運用。

由後文有關陶德曼調停之評述可知，日本之廣田弘義外相是在十月五日向德國駐日大使提出要求，請德國調停中日之戰。由此條蔣日記可知，日方是在先向英方求助，不能得到中國之正面回應，才改請德國出面。

由蔣先生所說的「夢想」，以及後來陶德曼所提出的條件去看，此時日方的「夢想」乃是中日聯合反共防俄。可是中俄已在八月二十一日簽訂互不侵犯協定，此時中國如答應日方此條件，即為與共產陣營（包括蘇俄及中共）絕裂，在日俄之間只有倚靠日本了。此即蔣先生一再在日記中說的，如此則非但華北，甚至整個中國都要變成第二個滿洲國。

英日自甲午戰爭（一八九五年）及日俄戰爭（一九〇四年）以來，即祕密合作以防俄，此因英俄在十八、十九世紀即為爭霸世界的對手。英日在一九〇二至一九二二年間的二十年裏，曾三次祕密結盟以對付俄、德。據陳明銶兄告知，此英日同盟在一次大戰後的終結，是美國加了壓力給英國。此因美國在中國一向是採取門戶開放政策，一貫反對英日合作取得特殊利益。此時正在一次大戰結束之後，英國欠了美方巨大的債務，美方乃用此加壓力給英國，要求英方廢棄英日同盟。不過我認為此有另一個原因，即在一次大戰後，德國已敗，而俄國又因十月革命，國勢一時大衰，所以英國當時已不需聯日以防德俄了。

吾友陳明銶博士是香港大學退休的名教授，也是史丹福大學胡佛研究所退休之研究員。陳兄對英、美外交及政治史素有研究，承告以下五點中的第五點，此即：

1.在一九三六年十二月的西安事變之後，國府聯共抗日，在外交也恢復與蘇俄之往來。

2.當時歐戰尚未爆發，在世界上的三個集團中，除了共產集團之外，其餘的兩個，即民主國家集團（英美法等）及法西斯集團（德義日等）都是反共防共。

3.在一九三七年，美國與蘇俄的關係仍在冷凍階段，這是自蘇俄十月革命之後，各國圍堵共產主義以來，一直就是如此的，此時已長達二十多年之久。因為在二次世界大戰之中，德國是美英俄共同的敵人，在敵人的敵人即是朋友之原則下，只有在戰時英美是與俄國聯手抗德。可是不論在二次大戰前或後，英美都是防俄的。

4.在北伐之前，國民黨已有聯俄容共之往事。在清黨之後，國府內則「剿共」，外則防俄。可是在西安事變後，蔣先生領導的國府不論在內政上與外交上都有了政策的改變。對內則為國共第二次合作以抗日，對外則又恢復與俄的多方往來。這在前述兩個集團成員國家中都是不予樂見的。

5.美國在一九三七年裏拒絕干涉華北戰事的原因，除了眾所周知的，即當時美國正處於經濟大蕭條之中，以及美國國內盛行孤立主義之外。當時美國一部分保守派的重要人士認為國府可能倒向共產陣營，恢復北伐前之「聯俄容共」，也是一個重要的因素。

一九三七年十月底，蔣先生日記之「本月反省錄」，其中有一段文句，題目叫做「十年來對倭之決心與初意」，因為在本節「蔣中正對日政策之決心與初意」中已有了詳細之評析與記述，在此不贅。在同一篇日記中，另有下述條文：

二、國聯會議之決議較為有利於我。

三、九國會議召集有期。

在一九三一年的九一八事變之後，當時中國及日本都是國聯會員，中國乃向國聯控訴日本侵略。國聯遂派遣李頓調查團來東北作實地研查，並作出對日本不利的結論，日本隨即宣告退出國聯。因此在一九三七年的七七事變時，日本已非國聯會員，此次中國又向國聯控訴日本侵略，可是國聯的決議對日本已不生效力了。

中日均為《九國公約》的成員，這是在一九二二年於華盛頓會議的產物，《九國公約》之目的在維護中國主權的完整。因此蔣先生及國府對於即將召開的此次會議寄望甚殷，由下述所抄錄之各條蔣日記可見之。

十一月一日：

注意：

一、發表對九國會議意見。

李頓調查團調查九一八事變，左一為李頓，左三為日本外務大臣芳澤謙吉。

二、宗旨只有第三國參加保證，則可調停。若中倭直接妥協，則任何條件皆不顧問，唯有抵抗到底，雖至滅亡，亦所不惜。

三、停戰必有保障與撤兵日期。

十一月五日：

注意：

四、敵託德國傳達媾和條件，試探防共協定，余嚴詞拒絕。

五、外交方針，以第三者加入談判為目的。

中日之間，日方是希望中日直接談判，即為雙邊。而蔣先生則堅決要求採取「一二八模式」的多國多邊談判，用蔣日記的話是說這是「方式」不同。因為這個先決條件談不攏，當時中日和談連開始的機會都沒有，根本就無從談到雙方各自要求的實質條件是什麼了。

在這一天，即一九三七年十一月五日，日軍登陸金山衛之後，八一三戰役的戰況全盤改變，我數十萬大軍潰敗。此後，日方在十二月二十四日提出來新的條件，即經由第三次陶德曼傳話者，比起這一次，即第一次的，就要嚴苛的多了，詳見後文。

根據《陳誠回憶錄》，他在十一月五日於日軍登陸金山衛時，作為華軍前敵總指揮的他，用電話請求蔣先生批准華軍退出上海戰場，蔣則要求他再打三天，以等待《九國公約》合議之開幕。到十一月九日蔣下令撤退時，華軍乃潰敗。

十一月六日：

注意：

四、九國公約會議之運用。

十一月七日：

發表對西報談話，對於九國會議當有影響。

本週反省錄：

《九國公約》會議，以倭寇不參加，則於我國之形勢有利。

在此段時間內，因為十一月九日我上海守軍潰敗後，蔣先生已亂了方寸。日本不參加《九國公約》會議，也就是表示將不接受此次會議的結論，如此則除非其他七國能拿出實際行動來支持中國，這次會議的決議便會成為空談了，這也正是後來局勢發展的結局。而蔣先生認為日本不參加《九國公約》會議是對中方有利，實是錯誤的認知。

十一月十七日：

注意：

一、使美、德聯合調停。

二、以坦白告英、美、法、俄代表，以我國之實力如此，若（九國）會議無堅決制裁之表示，決（絕）無效力。

三、使英、美促使蘇俄參戰。

此示在淞滬戰敗後，我軍在十一月九日大敗之餘，蔣先生已亂了方寸，由此篇日記可知。因為除了八國聯軍之外，美、德從未在中國問題方面聯手出面之史例。可是蔣在此卻希望美、德聯合調停。並且蘇俄絕不可能在此時對日作戰，俄國助華抗日就是要中國人替俄國擋子彈，以免德日夾擊俄國。

在上海戰敗之後，中方在外交方面上已一時失去了主導話語的權力，蔣先生此時還想對各強國指三道四，當然就不會見效了。

陶德曼向蔣先生第一次提出日方和談的條件是在十一月五日，可是一直到十二月六日的日記，蔣才在日記中再次提及此事，由此可見在蔣心目中，在這一個月裏，他對此調停根本不予重視，只一心寄望於九國會議之干涉中日之戰。

十一月二十日：

> 老派與文人動搖，主張求和，彼不知此時求和乃為降服而非和議。

此時蔣先生兼任行政院長，所以他不但以軍委會委員長身分指揮軍事，也兼掌外交。他的連襟孔祥熙先生時任行政院副院長，在戰前，孔先生一直負責中德關係，因之孔先生對德國出面調停中日之戰，十分支持。蔣先生這段文句所說的文人，當亦包括孔祥熙與張羣等主和派在內。可是在一九三八年一月一日，即此日之後的一個月又十日，蔣乃辭去行政院長之兼職，由主和的「文人」孔祥熙繼之組閣，張羣則任副院長。此即蔣基於戰局變化之形勢，從九月中的堅拒和談，至此時蔣又改為運用和戰兩派了。

十一月二十二日：

注意：

一、九國會議已消極，恐無結果。

十一月二十三日：

注意：

一、英、德交涉似已失敗。

二、九國公約會議，無形停頓。

即在此時，九國會議已告失敗，中日言和又要重新借重德國之調停。

十二月六日：

倭寇對德國大使所提調停辦法，以我不能屈服，彼已決絕乎？

十二月七日：

預定：

對倭政策唯有抗戰到底，此外並無其他辦法，抗戰期間，俄也不使共黨反叛也。

蔣先生對俄國的這一點看法，按諸抗戰史實，確為如此。今以崔可夫元帥的回憶為證：俄國的崔可夫元帥是二戰中的名將，在一九四二年，俄德之戰中極為關鍵性的史達林格勒之役，他是俄方獲勝時的主將。在一九四五年俄軍攻入德國並進軍柏林時，一共有三支大軍，他是其中一支的統帥。因為崔可夫元帥與二戰中另一位俄國名將朱可夫元帥的姓氏相近，所以中國人往往把崔可夫的戰功給誤掛到朱可夫之名下。

一九四〇年，崔可夫曾到四川重慶擔任蔣先生的軍事總顧問。據賴小剛博士賜告，他讀過俄方的資料，崔可夫說他臨行之前，史達林召見他，對他說，他去了重慶之後要切實做到兩件事，一是要他全心全意幫助蔣委員長抗日，二是要他轉告中共同志們切勿與蔣為難。史達林說，中國人是在幫我們俄國人打這一仗。由此可見，蔣先生對俄國助華之本質是看的很清楚了。

十二月六日，中方在武漢召開國防最高會議，通過陶德曼所傳達之第一次日方提出的和談條件，以之為基礎去與日本展開和談（詳見後文）。此篇日記顯示蔣先生對此舉並不贊成，他要「抗戰到底」。

十二月十三日：

> 列強如不受倭寇之挑釁，決（絕）無自動參戰之理，只要我能持久，則倭必向列強挑釁也。

此按諸史實，果然就是因為深陷於中國戰場的泥淖中，加上美國禁運戰略物資給日本，而日本本國不生產這些物資（如橡膠、石油、銅、鐵、錫等），乃迫使日本進攻東南亞去取得此等物資，因而在一九四一年十二月與英美荷澳紐等國交戰。

十二月十五日以後之本週反省錄：

> 近日各方人士與重要同志皆以軍事失敗，非追求（和）不可，幾乎眾口一詞。此時如果言和，則無異滅亡，不僅外侮難堪，而且內部益（紊）也。抗戰到底，我國危殆，而敵亦消滅矣。

此為正確之觀察。不過蔣先生沒有考慮到的是外有俄國之漁翁得利，而「我國」內有中共因素。因之在抗戰勝利，「敵亦消滅」之後，在繼起的內戰之中，我「國」——即中華民國或國府，不但「危殆」，幾亦消滅了。

十二月二十六日：

聞德使轉達倭所提條件……

此為陶德曼調停之一部分，為陶德曼第三次傳話，傳達的是日方在十二月二十四日所提出的第二次條件，與陶德曼前兩次所傳達的日方在十一月二日所提的條件大不同，詳見後文。

十二月底本月反省錄：

二、文人老朽以軍事失利皆倡和議，高級將領皆多落魄望和，投機取巧更甚，若輩毫無革命精神，究不知其時倡言如是之易發，果何所據也。

四、戰敗敵軍，制服倭寇之道，今日除在時間上作長期抗戰，以消耗敵力，在空間上謀國際干涉，使敵軍在廣大區域駐多數兵力，使之欲罷不能，進退維谷，方能置敵之死命，貫徹我基本之主張。此皆不可稍有動搖，國際局勢不可視之為寂無望，全可由我自造者也。

此示在十二月底，即南京失守之後，中方之高層人士不論軍界政界多有主和者，而且其中不乏在開戰之前大力主戰者。

蔣先生在第四項中所提示的在國內的戰略及政略觀點，即是後來在八年抗戰裏中方所採取的方針。至於在國際方面之見效，一個最為重要的原因並不是在中方所能影響或控制者，此即後來在一九四一年，日方選擇了南進去進攻東南亞及美國之珍珠港，因而掀起了太平洋戰爭。如果日本在當時選擇北進與德國東西夾攻蘇俄，那麼二次大戰之變化以及戰後東亞之局勢，就將會有重大改變。

一九三八年一月一日（以下所抄錄者皆為一九三八年者）：

注意：

一、倭寇之內容與國際環境。

五、和戰二派之調劑與運用，表裏互用。

……

研究外交政策，倭寇急而易防，俄患隱而叵測也。

此時國府名義上已遷都重慶，不過黨政軍中心則在武漢。當天行政院改組，蔣先生辭去行政院長之兼職，由原任副院長孔祥熙繼任，副院長則由張羣出任。孔張二人皆是主和派，此即蔣先生一改其在一九三七年九月中旬要壓制主和意見，而改為和戰二派皆予運用。

蔣對日俄之分析確為一針見血，只是當時為了抗日，不得不聯俄，兩害相權，蔣也只有飲酖止渴，先救眼下燃眉之急了。

一月二日：

預定：

一、約閻（錫山）、汪（精衛）等會商外交。

注意：

一、倭所提條件等於滅亡與征服，應即嚴拒。

二、與其屈服而亡，不如戰敗而亡。

晚接倭寇條件，即嚴詞拒絕。

此為陶德曼第三次傳話，前二次同為提出日方於一九三七年十一月二日所提之條件。此次為新的條件，較前遠為嚴苛，並且在「方式」上日方堅持中日雙邊談判，即德國這個調停人被排除在外（詳見後文）。

一月三日：

注意：

二、國際形勢之變化無望，但吾當一本原定之方鍼，忍痛奮鬥到底。

本日批閱會客，接儒堂（王正廷）電，美國態度仍無把握，對外運用應分二派，此種機宜應須慎重也。

王正廷時任駐美大使，不久之後為胡適取代。胡適此時以蔣先生私人代表身分在美爭取其朝野支持中國抗日，王先生則返回重慶出任外交部長。

一月四日：

注意：

一、倭寇政策變更乎？

二、對俄外交應積極進行。

三、注意英、美行動。

一月七日：

注意：

一、對德大使所提，傳有消息，倭寇求和之意甚切乎？

一月九日：

注意：

三、倭寇求和甚急。

四、倭寇明日又重新檢討對華方鍼。

一月十日：

注意：

一、敵國急於求和而外張聲威，其實外強中乾也。

一月十二日：

注意：

一、對倭心理與態度之研究：

甲、中國真正放棄容共抗日之政策，表示為東亞和平計，與日本進行確實提攜態度。

乙、保衛日本在東亞實在地位。
丙、履行日本所任世界反共義務。
丁、克盡中國善後事宜。
故必須取消蔣政權。

此大概是蔣先生引用了日方文件所得者，因之乃有許多日式中文詞句。此為蔣先生心目中日方之「心理與態度」，我認為只要蔣先生認定日方以「必須取消蔣政權」為既定決策，那麼當時中日就無從展開和談了。

一月十四日：

注意：
一、倭寇之反響如何？
甲、宣戰。
乙、否認。
丙、威逼，強為限制答覆。
丁、不再覆。
戊、再行續議。

此即在中方不予置理日方所提出的第二次條件，由陶德曼在第三次傳話所轉告者，在此日已過了日方所要求答覆的最後期限，亦即一月十日之後，蔣先生乃估計日方對中方的不予答覆所可能產生的反應。結果是日方採取了丁點，即不再覆。

一月十五日（星期六）：

此一星期中敵人以宣戰，否認國府與繼續軍事行動等等，威脅逼迫，無所不至，可云極矣。以余視之，不值一笑。無論其出於如何舉動，皆不能動搖我抗戰之決心與信心。彼本未停止軍事行動，何謂繼續？本未受有約束，何謂自由行動？此種外強中乾，以進為退，求和不得，進退維谷之醜態畢露，蓋不早日覺悟，明言撤兵為得計也。

一月十六日：

注意：

三、對德大使明言，如倭再提苛刻原則，則拒絕其轉達。

史界認為陶德曼調停之失敗，是因為中方不予及時答覆日方第二次所提出的和談條件（包括「方式」），所以日方乃在一月十七日發表近衛聲明，不再以國民政府為談判對象，即是由日方關閉了中日之間的談判大門。可是由此條蔣日記可知，則是中方明告德方，除非日方改變條件，否則免談，亦即是中方主動關閉了日方第三次改提條件之大門。因為當時不論在外交與軍事方面，日方都已經佔了極大優勢，日方不可能把第二次所提條件予以放寬。

第二天，日方之近衛首相乃發表聲明，不再以國民政府為交涉對象。蔣此條記載與近衛聲明只差了一天，這兩件事相互之間有沒有關係？是否蔣之態度造成了日方與之決裂？是值得史界探討的一個題目。此即中日之間關閉了和談大門，是由哪一方面主動造成的呢？我的看法是雙方不約而同，都對對方之態度感到不能接受，可是又沒有一個列強肯採用「一二八模式」去參預調停，英、德都只肯在雙方之間傳話，和談乃因之胎死腹中，連展開的機會都沒有，中日之間的全面戰爭乃告爆發。此即在軍事上，八年抗戰是由八一三造成；在外交上，則是因為英國中止調停盧案在先，德國陶德曼調停宣告失敗在後所造成。

一月十七日：

注意：

一、倭政府昨日宣佈（布），不與國民政府作交涉對手，而未明言否認二字，此乃敵人無法之法，但有一笑而已。

二、英意妥協。

三、意（義）德於三四月間挑戰消息。

第一條是指近衛聲明，此即中日之間的和談大門一時正式關閉。第二項及第三項是指歐洲當時的局勢，與東亞的中日之戰無關。

以上抄錄了六十六條蔣日記的記載，是從一九三七年八月上旬到一九三八年一月十七日為止，大約為時五個多月。在此期間中日和議方面的大事是陶德曼調停，容我在下文評述之，至於在軍事方面，由七七到近衛聲明的六個多月裏，其大致狀況如下：

1.在津浦線，日軍從平津南下攻到黃河邊，因為山東省主席韓復榘不戰而退，所以在此方面之戰事不多，我方乃被迫炸燬黃河鐵橋以阻擋之。

2.在平漢鐵路及平綏鐵路方面，中日雙方展開太原會戰，以日方攻取太原而獲勝。

3.在上海，中日展開八一三淞滬之戰，從八月十三日打到十一月九日，日勝中敗。隨後日軍追擊我軍，攻下南京並展開南京大屠殺。國府乃西遷四川之重慶，以之為陪都，不過實際上以武漢為軍政中心。

進入一九三八年後，在近衛發表聲明之後，一直到抗戰結束，中日雙方仍有多方和談之試探，即使晚至抗戰末期，日方也仍在試探與國府言和，此即其在投降前夕之「繆斌工作」。不過在一九三七年秋冬中日走上全盤作戰之路以後，中日之間的各種和議都是屬於「謀略」性的工作。即戰是主軸，和只是與之配合的計謀，此為中日雙方各自都有過的打算。惟本文主旨在研討八年抗戰是怎樣開打的，故僅以一九三八年一月的近衛聲明為限。

在下文中我將討論與分析三次陶德曼傳話之案例，這是中日在一九三七年秋冬，於展開全面作戰之際，陶德曼之第一次傳話，乃是雙方唯一可能達成和議的機會，卻因為時機錯失而未能成功也。

㈤陶德曼調停之始末

一九三七年抗戰初起之時，德國的希特勒政府分別與中日兩國交好，又應中日雙方各自提出的要求，乃在一九三七年十月到一九三八年一月之間出面傳話，以調停中日之爭。當時德國駐華大使陶德曼充當傳話人，因之中國史界乃稱之為陶德曼調停。其實中日之間的傳訊過程是：中國（蔣中正）↑↓陶德曼↑↓柏林德攻府↑↓德駐日大使↑↓日本政府（外相）。此即陶德曼只是這個過程之中的一個環節而已。

蔣先生要求德方出面調停是在一九三七年七月，此為應對七七之華北戰局，日方則是在一九三七年十月二十一日，由其外相廣田弘義出面，會見德駐日大使狄克遜，要求德方出面。在此不久之前平津已告失守，此時中日在華北進行太原會戰及津浦鐵路北段之作戰，在華東則已在淞滬苦戰了兩個月之久。

十一月二日，日方向德方提出了和談條件，此或是因為《九國公約》在比利時之普魯塞爾即將開會，日方為了避免列強出面干預，乃亟欲與中方直接談判言和。十一月五日陶德曼大使在南京面見蔣中正先生，轉達日方之條件。同一天，日軍登陸杭州灣之金山衛，淞滬戰事發生重大變化。十一月九日華軍撤出上海，潰敗。

此時蔣先生在和議方面一心寄望於《九國公約》會議，乃暫時置陶德曼調停於不顧，不過亦未予以拒絕。此由前文所引蔣日記，在十一月五日之後，絕口不提陶德曼調停一事，而幾乎每天都在掛念《九國公約》會議，即可見也。

蔣日記一九三七年十一月五日顯示在日方所提之多項條件中，蔣不能接受者為聯日抗俄，其他可以商量。第五項為和談之「方式」，蔣要求為多邊談判，除了中日兩國之外，必須有第三國（意指德國）參加。此也是最終中日雙方無法達成共識的歧點之一，即日方堅持由中日直接談判。

陶德曼在十二月二日又去南京晉見蔣先生，當時日方尚未提出第二次條件，陶乃建議中方儘快回應日方所提之第一次條件。此因對中方言，淞滬既已戰敗，日方之條件將會更加苛刻，遲則生變也。

以下文可知，蔣乃召集當時在南京的各派系之高級將領會商此事，經過大家同意之後，蔣乃指示在漢口召開國防最高會議，由外交部次長徐謨列席報告他所參預的兩次會議之經過，此即蔣陶會面及蔣與高級將領會商之經過。

此次國防最高會議因為蔣先生人不在武漢，所以沒有參加，由汪精衛副主席代為主持。並且在這次會議中，主要的報告人是外交部次長徐謨，他是負責經辦陶德曼調停一事我方的承辦人員，因此參加了陶德曼與蔣先生在十二月二日的會談，是當場的見證人。因為這次會議事關重要，為了讓大家明白，當時中方是有人誠意接受此調停者，今把該次會議紀錄全文抄錄後，再加評註。會議時間為民國二十六年（一九三七年）。

國防最高會議常務委員會第三十四次會議紀錄（原始紀錄）

日期：二十六年十二月六日上午九時

地點：漢口中央銀行

出席者：孔祥熙、居正、何應欽、于右任

副主席：汪兆銘

列席者：徐謨、徐堪、陳布雷、董顯光、邵力子、陳立夫、陳果夫、翁文灝

主席：汪兆銘

秘書長：張羣

秘書主任：曾仲鳴

紀錄：狄膺

報告事項

一、徐次長謨報告，十一月二十八、二十九兩日，德大使陶德曼先後訪晤孔部長王部長略謂：彼奉德政府命特向我轉達日方議和條件，據聲稱軍事上雖佔勝利，但仍願設法與中國恢復和平條件為：㈠內蒙自治。㈡華北沿滿洲國邊界至平津以南一帶設立非武裝區，區內治安由中國警察維持之，如和議即刻成立，則華北全部行政仍屬於南京政府，但須遴選與日本友善之官吏一人，主持最高行政職務。如和議目前不能成立，而華北有產生新行政機構之必要，則該行政機構於和議成立後，仍將繼續存在。截至現在止，日本政府並無在華北設立自治政府之舉動。在

華北經濟方面，所有衝突未發生前，關於礦產權利交涉事項，應予滿意結束。㈢上海設立非武裝區較現有者略大，由國際警察管理之，餘無變更。㈣停止排日政策，此僅指上年在南京商議時日本提出之要求（如修訂教科書），予以照辦。㈤關於反共一層，日方要求有一種辦法。㈥減低日貨有關之關稅。㈦外國人權利當予尊重。日方又謂，如戰爭延長則將來條件必較此苛刻數倍。陶大使並告我，希特勒曾謂：竭全力以保存國家，勝於任國家為光榮之犧牲。意在勸我與日言和。陶大使述畢後表示，希望能有面達於蔣委員長之機會，當經孔部長王部長分別以電話電報報告蔣委員長，蔣委員長覆謂，可請德大使往南京一行。遂由謨於三十日夜偕同德大使乘船赴京，十二月二日晨抵京，先由謨將經過情形面陳蔣委員長。是日下午四時，委員長邀集徐部長永昌、白副參謀長崇禧、唐司令長官生智、顧主席祝同、錢主任大鈞等商討，余先報告如上述各節，繼蔣委員長詢問各將領意見，各將領詢問有無其他條件，如限制軍備等。余答無之，諸人相繼表示意見，大致謂既非亡國條件，當可討論。既而余偕德大使謁蔣委員長，德使申述來意後，並聲明日方意思，此項條件現在仍無變更，如戰爭繼續下去，則將來條件如何變更不能預料。蔣委員長表示要點如下：㈠日方無信，已簽字之條約尚往往撕毀，我方相信德方，願德方始終執調停之勞；㈡華北行政主權應當完整，此為我方堅持之點；㈢日方所提條件可作為討論之基礎，但不能作為如哀的美敦書中所列條件無可變更；㈣日方不能以戰勝者自居，因我方並未承認為戰敗者；㈤日方不能將此條件片面的隨意宣佈。德使聆悉後並稱：中國能否持容讓之態度。委員長答：要容讓兩方容讓，並問貴使對於雙方停戰有何意見？德使答：如兩方能接近，我元首或請中日兩方同時休戰。德使旋即退出與余商量，將委員長談話要旨，電達德政府及駐東京德大使，現在等候覆電。

（見《中華民國重要史料初編──對日抗戰時期》，第六編，《傀儡組織》，頁一一一──一一三，中央黨史會編印，民國七十年出版，台北。）

這份文件取材於蔣永敬教授之大作《抗戰史論》之第四四〇頁至四四二頁。

仁按：坊間流傳此會議記錄之版本是以汪精衛在一九三九年發表之〈舉一個例〉一文中所引用的，與此處所採用的是該會議之原始記錄有些差異，蔣教授在其大作中已專文予以評析，在此不贅。至於汪精衛之版本則請見本章之附錄，有興趣的讀者可作比較。

朱子家（金雄白）先生所著的《汪政權的開場與收場》中，則採用了汪先生的版本，並且在該書中作者引述周佛海先生之回憶，說因為蔣先生人不在漢口，在鄭州，中方乃把此次會議之決議呈報給他，卻在處理過程中耽誤了時間，因而錯過日方給中方的最後期限。

當時周佛海是國民黨中宣部次長代理部長，也是蔣先生侍從室之副主任，是陳布雷主任之副手。周上述的說法是故意把這次會議所認可的第一次日方條件（十一月二日所提出），與第二次（十二月二十四日所提出）相混淆。蔣之置之不理，拒絕答覆者是指十二月二十六日中方所接到的第二次日方之條件，並非在此處所引述的第一次條件，詳見下文。不過我認為蔣的心意，應當以下述所引之蔣日記為根據，周或任何其他人之猜測，只能作為參考而已。

徐謨所參加的，是在十二月二日下午四時。蔣與在南京各將領談話時到會者之名單，依徐先生所列出的五位上將，其代表性如下：1.顧祝同（墨三，中央軍，代表何應欽系）；2.白崇禧（健生，代表桂系）；3.唐孟瀟（生智，代表湘系）；4.徐次辰（永昌，代表晉綏軍系）；5.錢大鈞（中央軍，蔣之嫡系）。

這個名單甚有趣，這次抗戰，不論是在淞滬或華北，都是全國一致，各軍系都參加了大戰。這就像一批人合夥做生意，蔣先生這個董事長兼總經理要做重大決策時，得先召開一個臨時董事會（或股東會），大家一起做個商量。徐先生在漢口的這次會議中引用那次南京的談話中各將領發言之用意，是在向各位出席與列席者報告，在南京的各軍系代表人物已認可陶德曼此次所提出之日方條件。至於蔣本人對此次陶德曼傳話之心意，已可見下二段日記：

十二月六日：

倭寇對德國大使所提調停辦法，以我不能屈服，彼已決絕乎？

十二月七日：

預定：

對倭政策唯有抗戰到底，此外並無其他辦法。……

到此為止，陶德曼曾在南京晉見蔣先生前後共為兩次，所傳達的日方之和談條件並未改變，可是在時間上的差別則有重大影響。第一次晉見是在一九三七年十一月五日，當時淞滬戰役尚未結束，《九國公約》會議則即將召開。第二次則是在一九三七年十二月二日下午五時，此時上海已經失守，南京也岌岌可危，而且此時《九國公約》會議也未見奏效，中國在外交上已陷於困境，也就是說中方在十二月二日時，不論在外交及軍事上比在十一月五日時大居劣勢。

在十二月六日國防最高會議之後，一九三八年一月一日國府改組，蔣中正先生乃辭去行政院長之兼職，由孔祥熙組閣，張羣出任副院長，此即由主和的孔與張出掌外交了。十二月六日，中方批准與日方展開談判之後，德方在十二月七日把此傳達給日方，日方卻反悔前所提出的條件，乃在十二月二十四日改提另外的一些追加條件，較前更為嚴苛，德方在十二月二十七日向孔祥熙轉達之。陶恆生兄在其大作《高陶事件始末》有相關記載如下：

追加條件：
一、放棄容共、抗日及反滿之政策。
二、擴大華北、內蒙、華中的非武裝地帶。
三、承認內蒙自治及華北特殊政權，並保證駐兵。
四、必要的賠償。
新的要求：
一、限期內提出答覆。
二、向日本指定的地點派出媾和的使者。
三、在承認全部條件後，開始締結停戰協議。

此處要說明一點，朱子家（金雄白）先生在《汪政權的開場與收場》一書中，引述周佛海的回憶，指蔣先生未予及時答覆日方，以致陶德曼調停失敗一事，是有魚目混珠之嫌。因為在該書中，朱子家在引用了前述的國防最高會議之紀錄後，接著寫周的那一段回憶。其實在陶德曼所傳達的日方第一次和談條件（即在十一月二日所提出的），並沒有「限期答覆」之要求。而且中方在十二月六日開國防最高會議通過可以展開和談之後即通知德方，德方也在十二月七日轉告日方。所以在那一輪來往中間，蔣先生也好，中方及德方也好，都沒有拖過日方所給的限期（因為根本沒有限期）。然而在這第二次日方所提的條件中卻有了限期，可是這些追加條件與新的要求是嚴苛的「亡國條件」，周佛海及朱子家都不願意明著寫出來，只寫出第一次日方所提之條件以求混騙過關，把陶德曼調停失敗的責任推給蔣先生之錯過日方所給的「限時」時限。

現在我們來查閱蔣日記對十二月二十六日德方轉來之日方所提條件的反應：

> 聞德使轉達倭寇所提條件，余以為倭或以和緩條件誘惑我政府，使我政府內部反發生爭執或動搖：
>
> 一、中央政府放棄親共抗倭反滿之政策。
>
> 二、必要地區則不駐兵區，並成立特殊組織，共同防共。
>
> 三、中與倭滿成立經濟合作。
>
> 四、相互賠款。
>
> 另外附件二
>
> 甲、談判進行時不停戰。
>
> 乙、須由我派員到其指定地點直接交涉。
>
> 余見此心為之大慰，以其條件與方式苛刻至此，我國無從考慮，並無從接受，決置之不理，而我內部亦不致糾紛矣。

此示在十二月六日的國防最高會議之後，中方的主和派正式走到台前，浮現出來。此時德方在第三次傳話時，如果傳回來日方的條件一如第一次條件之寬鬆，那麼蔣先生就無法避免「我政府內部反發生爭執或動搖」，他會有壓不住主和派之可能。結果日方乘勝加碼，提出了極為嚴苛的新要求，這反而使蔣先生大為放心，「我內部亦不致糾紛矣。」

在此篇日記中，蔣先生雖未明說，吾人可由下列數點知之，日方所提之條件，絕非其可以接受者，此即：

1.蔣先生用「聞德使轉達……」之「聞」字，此即可證明朱子家書中所說的，當陶德曼正式在漢口對中方提出書面文件時，蔣先生人不在漢口，所以沒有見到此文件，只能用「聞」字。

而今已知陶大使是向孔祥熙副院長提出來的，此因孔氏一向是負責中德關係者，周佛海有關此點之說法為實。

2.前述朱子家先生轉述周佛海所言，蔣因為考慮太久而錯過日方所提之最後期限（一九三八年一月十日），可是早在一九三七年十二月二十六日，蔣已決心「置之不理」。所以蔣先生對陶德曼調停未予之「及時」作出反應，不是因為耽誤，而是「置之不理」。

3.在十二月六日的最高國防會議中，以及十二月四日在南京的各將領談話會中，無人注意到雙方談判「方式」之問題。即日方在十二月二十六日要求由中方派員到其指定地點「直接交涉」，而蔣則要德方「一直擔任調人」。也就是說，日方要求中日雙邊談判，蔣則要求中日德三邊共同參預之談判。我認為這是在一九三七年秋冬，中日始終不能展開和談之關鍵，即蔣先生堅決要求採取「一二八模式」，調停人不論是英、美或德國，都必須「一直擔任調人」，而日方則希望各國只是談判前的傳話人，等到中日展開和談時，各國就不得參預其中。這個在談判「方式」上的中日分歧，使得在一九三七年秋冬，中日不能走上談判桌，因此造成了八年抗戰，這是史學界迄今少人注意之處。

4.蔣曾分別向英、美、德各國表示，中國不接受中日雙邊談判，堅持要採取「一二八模式」之多邊談判。可是此事始終未能實現，一方面是因為日方不願意予以採用，另一方面我判斷各國也不願意再作馮婦。試想，一九三二年的《一二八淞滬停戰協定》是經由多邊談判方式達成的。可是在一九三七年中方挑起八一三淞滬會戰時，是由蔣先生一手主導將之撕毀。雖然中方自認有充足的理由去進攻上海日本租界，此是因為日軍攻陷北平、天津後，中方認為「不能片面盡條約」之義務。可是在列強眼中，華北戰事的擴大是因為中方違背了《何梅協定》，派四師中央軍北上保定而造成的，是中方違約在先。

我們可以不同意這些列強的看法，但是中方在希望列強出面比照「一二八模式」調停一九三七年秋冬的中日之戰時，就必須站在列強的立場去思考其可能採取的行動。試想英美法義這四個簽字保證中日雙方履行《一二八停戰協定》之國家，在中方片面違約之後，此時又有什麼立場去保證八一三或七七之中日和平協定呢？這是中國史界在研究一九三七年中日為何走上全面戰爭道路時，不曾考慮到的一個角度。

陶德曼大使曾三次傳話，第一次是在一九三七年十一月五日，第二次是在一九三七年十二月二日，這兩次都是傳達日方在十一月二日所提出來的第一次的和談條件。此等亦即是十一月五日陶德曼在南京向蔣先生所提出來的同樣條件，當時中方之反應冷淡，是因為寄望於即將召開之《九國公約》會議，中國希望能爭取到列強對中日之戰出面干預，中方可以取得既在國際保證下，而且更為有利之條件。

事隔一個月左右，當陶德曼第二次去南京晉見蔣先生時，已是十二月二日，此時不但《九國公約》會議已告失敗，而且中方在八一三之役也已潰敗，日軍已兵臨南京城下。因之中方不論軍界與政界都有人主張接受德國此調停，乃有了下面的發展：

蔣在南京於十二月二日召集四位高級將領商討日方之條件（十一月二日提出者），咸認為可以接受。中方乃在十二月六日於漢口召開國防最高會議，蔣缺席，由汪精衛主席，通過基於陶德曼轉達之日方條件去和日方展開談判。德方在十二月七日將此訊息轉告日方，可是日方因為前述九國會議已結束，及上海戰場的變化，乃改變心意，乘勝加強其需索條件，乃在十二月二十四日重提新的條件。

德方在十二月二十六日於漢口，由陶德曼向中方之行政院副院長孔祥熙提出日方第二次的條件。孔即向在河南指揮軍事之蔣報告此事，蔣認為此乃「亡國條件」，不予置理。可是中方在一九三八年一月一日改組行政院，蔣辭去行政院長之兼職，專任軍委會委員長，由原任副院長孔祥熙繼任，並以張羣出任行政院副院長。孔與張都是公開主和者，此次行政院改組是向國際宣示中方有談和之誠意。由於中方對日方所提出的第二次和談條件「置之不理」，因此在日方所要求答覆的最後期限，即一九三八年一月十日之後。日方乃擬議放棄通過德方調停以談和之努力，此即日方並未因為中方行政院改組，由主和之孔與張二人出面組閣，因而重新提出比一九三七年十二月二十四日所提者較為寬鬆之條件，也就是說中方以改組行政院為向日方示和之好意並未奏效。

蔣在一九三八年一月十六日召見陶德曼大使，告訴他如果日方今後仍提出「嚴苛之原則」為條件，中方將拒絕接受其轉達。同一天，日方之近衛文麿首相宣布，此後日方不以國民政府為交涉對手。陶德曼調停因之失敗，中日之間一時也關上了和談的大門，中日乃走上長期的全面戰爭。

㈥小結

一九三七年秋冬，中日之間的和平努力可分兩個階段。第一階段是一九三七年七月七日至七月三十一日，大約二十五天，主要的是英國之出面調停「盧案」，因為《何梅協定》而破功，已見本節之評述。第二階段是在八一三開戰之後，即一九三七年八月到一九三八年一月的近衛聲明為止，主要是陶德曼調停，其失敗的原因可分兩方面：

1. 和談的「方式」：蔣先生堅持要用「一二八模式」，即有第三國參預的多邊談判，而日方則堅持為中日雙方直接談判。因談判「方式」不能取得共識，故而中日之間連展開談判的機會都沒有。

這個「方式」之原則性的堅持，蔣先生不論在第一階段爭取英國調停「盧案」，及在第二階段爭取《九國公約》會議之出面干預時，都甚為重視。

2.和談的條件：又可分成兩個方面去討論，此即：

(1)由蔣日記可知，在日方第一次條件之中，只有日方要求中日攜手反共防俄是「夢想」，不能接受。此因中俄已在八月二十一日簽訂互不侵犯協定。蔣認為中日聯手反共，則中國只得倚賴日本，成為第二個滿洲國，此是「亡國條件」。至於其他各項條件，中方可用之為和談的基礎。

(2)在十一月五日陶德曼第一次傳話時，中方沒有及時回應。等到十二月二日陶德曼第二次晉見時，已時不我與，日方乘勝加碼，追加了新而苛刻的條件，遂使陶德曼調停宣告失敗。

我個人認為，在一九三七年秋冬中日開戰，對中國來說是打得太早了，如果用這個角度去看，不論英國在盧案中之「態度突變」，以及陶德曼調停之失敗，對中國來說都是不利的。

一九三五年，何應欽將軍在處理《何梅協定》時所犯的錯誤，何的責任雖然比蔣大，可是蔣在沒有查明《何梅協定》全貌之前便冒然派兵北上，也是有責任。至於陶德曼調停的失敗，在十一月五日第一次傳話時，中方沒有及時作出回應，固然是誤事之主因，當由蔣負其責，不過我判斷，即使中方在十一月五日即刻作出正面回應，日方在後續動作仍可能會追加條件。此因十一月五日正好是日方登陸杭州灣的同一天，在十一月九日（即四天後），華軍乃撤出上海而潰敗。不過在十一月上旬，九國會議尚未結束，那麼日方補加之條件應當比十二月二十二日第二次提出來的要稍微不苛刻些。

歷史的弔詭在此，即當時日方登陸杭州灣之設計者，是時任其參謀本部第一部（作戰部）部長之石原莞爾少將。他是極力主張北上攻俄者，他在七七與八一三之時是「不擴大派」，力主中日應進行和議。不料因為他的策謀，使日方在八一三戰役中大勝，卻因之把當時唯一可能實現的中日和談（即經由陶德曼調停所開啟者）給破壞掉了。而後，就是因為日方深陷於中國戰場，在一九四一年六月，日方要決定北進攻俄，還是南下去攻英、美等國時，日方才會南下。而此時已任中將的石原因為仍然力主北上攻俄，乃告失勢。

這真是一飲一啄，皆有前定，讀史至此，真是覺得一人一事之得失成敗，只有在經過長遠之時日，方能得知也。

四、華北為中日雙方必爭的原因

(一)華北行政主權的完整是蔣中正對日的「最後關頭」

九一八比起七七要更為嚴重得多，可是蔣中正先生主持的國府能忍九一八之國恥，而不能在七七方面讓步，這使得研究中日戰史者實為大惑不解。

七七發生之後，中方之冀察委員會委員長宋哲元上將（二十九軍軍長）出面，七月十一日與日方達成和議，並在七月十九日商定實行細則。其中有一條文，即日方要求中方先行撤出北上的四師中央軍之後，日方才撤出其進入華北之增兵。在七月二十三日以後，蔣先生先是批准了十一日的和平協定之後，又堅拒先行撤兵之實行細則，要求中日雙方同時撤兵，和談因此破裂，日方乃在七月二十六日大舉進攻北平，華北戰事擴大。為什麼蔣先生要在撤兵這個技術性的問題上予以堅持，絕不讓步，不惜與日本開戰呢？

比起九一八之失去東三省，蔣先生都忍住不和日本人打仗，此次宋日協定既未失地，又不喪權，為什麼蔣先生不能忍一忍？這是因為當時日方正在大力推行「華北特殊化」，蔣先生擔心原西北軍系的二十九軍會和日本人合作，引為心腹之患。此乃宋日和談協定會因為中日之間是中方先撤兵，還是中日同時撤兵而告破裂之緣故。

蔣中正先生死守北京之決心，在華北不輕易對日讓步，並非在七七時才有此念。在此兩年多前，即一九三五年中，當日方要求我中央軍兩個師從北京撤退時，蔣已有堅拒之決心，不惜與之一戰。可是因為當時人在北平與日方交涉之何應欽上將「不能負責」，在沒有向中央請示之前，「任意」把兩師中央軍「撤至豫境」，蔣乃無可奈何，對此既成事實只得予以補認，並且在日記中說，此事攸關黨國之存亡，需再予從長計議。由此可見蔣對華北之重視是「吾道一以貫之」，並不是在七七時才有。（此詳見前文）

一九三七年秋冬，德國駐華大使陶德曼出面調停中日之戰時，蔣對德使提出的中方和談條件，是要求恢復七七以前的華北局面，並沒有把東北地區（此時已有滿洲國存在）包括在內，並且堅決主張中國對華北的行政主權需為完整。請注意，因為和談條件中有擴大中方在《塘沽協定》中所已讓步及承諾的不駐兵區域，已有損於主權（在軍事上），因此中方要保持的只是行政主權（即非軍事上）。蔣在對英使及美使之私下談話中，依據其日記所載也只在談華北，並沒有談到東北。

由此可見華北絕不可失是蔣的中心思想，而在七七事變中，日方踩到這紅線，使得蔣先生立刻派出中央軍北上，遂使華北之戰事擴大。不過即使平津失守，依照一二八事變之先例，日本在一九三二年佔領上海市區之後，在英美法義四國出面調停時，仍與中國談和而交還上海市給中方。則在七七之後，平津雖為日本所攻佔，中日仍有握手言和，且中方仍有用外交手段拿回平津之可能，但是接著發生在上海的八一三之戰，卻把中日推向了全面戰爭。此因在七七之中，談談打打，不到一個月，雙方並未決戰，各自傷亡人數皆不多。可是在八一三之中，血戰三個月，華軍傷亡二十五萬人以上，日軍傷亡五萬人以上，我軍出動七十五萬人，日軍出動三十多萬人。這場仗打得太大、太久、太凶，使得中日兩國之民心激盪，皆欲決戰了。

㈡由地理位置所決定的中俄日三國戰略目標之衝突

在土耳其的奧圖曼帝國遮斷了中國與歐洲的貿易路線，即古絲路之後，歐洲國家為了尋找海上通路，因而有了哥倫布發現新大陸，與麥哲倫之遠航東南亞。經過長期的努力，各國乃打通了歐亞之間的航路。

到了十九世紀的晚清，歐洲國家蜂擁至中國，予以瓜分蠶食。從鴉片戰爭起，中國歷經多次外敵侵略，因之割地賠款，喪權辱國，終於使中國人民奮起革命，推翻了清朝，由國父孫中山先生領導而建立了中華民國。此國民革命之主要目的，依據孫先生遺囑，即為在「求中國之自由平等」，要「廢除不平等條約」。入民國後，這些外侮並未因為清朝亡國而中止，其中對中國最為窮凶惡極的是俄國與日本這兩個近鄰。

中、俄、日是東北亞的三個相鄰大國，因為地理位置，在清朝末期即成為相互之間和戰不斷、合縱連橫的三股力量，直到一九四五年，日本在二次大戰結束無條件投降為止。尤其是在一九三七年七七事變之前，這三個國家中，中國雖大卻是弱國，日俄則是兩強對峙。晚清光緒年間，李鴻章執掌外交時期，他便是時而聯俄制日，又時而聯日制俄，使得日俄之間發生利益衝突，終於造成了一九〇四年的日俄之戰。

一九一七年革命之前，俄國是由沙皇統治的帝國，當時英俄爭霸世界，英國代表了海權，俄國代表了陸權。俄國地處北方，其本土之海港皆為冬季結冰者，因之從帝俄到後來的蘇俄，其對外擴張勢力之戰略目標一直就是要找不凍港，以供其海軍使用。十九世紀以來，英國在暗中支持日本去打日俄戰爭，以及在一八五三年，英法出面與土耳其聯手和俄國打了克里米亞戰爭，就是分別要防止俄國伸足於太平洋及地中海（與波斯灣）。

在東北亞來說，帝俄時期，日俄競爭重點為朝鮮半島及中國東北地區，俄國的目光是聚焦在朝鮮半島上的釜山港與遼東半島上的旅順港，而此亦為日本向外擴張時所必須取得者。因之在甲午戰爭後的中日《馬關條約》中，日本由中國割取遼東半島時，俄、法、德三國乃聯手出面，迫使日本將之歸還給中國，史稱三國還遼（一八九五年），而英國在此時卻拒絕參加。此即俄國看中了旅順港，不願讓日本捷足先登。十年後，在一九〇四年的日俄戰爭中，雙方決戰之所在處即為日本攻取俄軍所佔領之旅順港。

這不但是在帝俄時代如此，到了蘇俄亦為如之，在一九四五年的《雅爾達密約》中，俄方也以取得旅順與大連使用權為其對日作戰的條件之一。即使在中華人民共和國建國以後，在中俄共反目之前，俄共也屢次垂涎於使用旅順港，但是終被中共領袖毛澤東先生所拒絕。

總之，這種因為地理環境所造成的戰略形勢衝突，在中、日、俄三國之間是宿命，並不會因為彼此的當政者、執政黨或政府有變換，甚至改朝換代，國號更替而有所不同。此即在東北亞朝鮮半島與遼東半島之控制，是中、俄、日所必爭，從清末到今日猶然。只是在二十一世紀的今天，海權國家方面由十九世紀至二十世紀原來的英、日改為美、日，而陸權國家方面，原來只有一個強國俄國（帝俄、蘇俄皆是），現在則加上了近來才崛起的中國而已。

在二十一世紀的今天，其狀況是釜山港屬於美日盟友之南韓，旅順港則屬中國，因之海權與陸權取得平衡之均勢。可是在一九三一年九一八事變之後，日本同時擁有了釜山與旅順，再加上整個朝鮮半島與中國東北地區，東北亞中日俄三國之間的均衡狀態乃被打破。在九一八之前，中國雖弱，可是東北在中國手中，日俄之間便就有了一個緩衝地區。在九一八之後，日俄接壤乃成短兵相接之態勢。

日本關東軍駐在東北是為了應對俄國，即使經歷了第二次世界大戰，不論是在中國或西南太平洋戰區之情況多麼緊急，日本陸軍仍然維持了數十萬精兵駐在東北以防俄。不過日軍曾有把關東軍轉用到中國戰區及西南太平洋戰區的情形。就拿中國戰區來說，於第一期抗戰中，即一九三七及一九三八年中間，日方曾使用一部分關東軍於華北戰場的太原會戰，以及後來的徐州會戰中，例如坂垣師團（第五師團）。此外在一九四四年發動的一號作戰中，日軍曾使用關東軍的一個裝甲師團於豫中會戰（河南）及長衡會戰（湖南）。至於在西南太平洋戰區，日方是用化整為零，偷龍轉鳳的方法，把一部分關東軍的部隊以小單位轉移過去，因之由作戰序列方面，即從師團及旅團等單位的名單去看，是不容易察覺這種兵力調動的。

在二次大戰裏，日俄長期處於中立狀態，一直要到日本投降前一個星期，俄國才對日宣戰。可是即使在相互中立時期，日軍駐重兵於東北以防俄之情勢，迄未改變。

㈢三國四方的合縱連橫

在一九三〇年代抗戰前夕，世界上有三個集團，其間之勾心鬥角與合縱連橫，以及因之對中日和戰的影響，請見本書第壹編第一章〈一九三〇年代的世局〉，在此只簡述於下。這三個集團包括右派資本主義的兩個集團：實行民主制度的英、美、法等國家；實施法西斯主義，一黨專政的獨裁國家如德、義。第三個是實行共產主義的集團。

此時日本是一個特例，在形式上它是多黨制實行民選的議會制國家，屬於第一類的英、美式，可是實際上卻又被極右派法西斯思想的少壯軍人所控制，在實質上反而是屬於第二類的德、義式者。

在戰前奉行共產主義，政治制度與法西斯國家一樣也是一黨專政的國家只有蘇聯。俄共是經由第三共產國際去指揮各國共黨或左翼團體，其成員並非一定是政府或國家，甚至並不一定是個政黨。當時第三共產國際的口號是「全世界無產階級團結起來保衛工人祖國」，就是其成員要效忠共產黨之第三國際及俄國，並不奉行民族主義去效忠其祖國。

中共當時是第三共產國際的成員，而第三共產國際對中共的影響力之大，由一個例子可以看出來，即在國府江西「五次圍剿」中，共軍總指揮竟然是一位第三國際派到中國來的德國人李德。

反過來看，蔣中正先生從一九二〇年代的北伐到一九七五年過世，他一生用過的外國軍事顧問，在大陸上前前後後有俄國人、德國人、義大利人，又再用俄國人、美國人，到了台灣以後則為美國人與日本人。可是他從來不允許任何一個外國人直接指揮他手下的中國軍隊，頂多只能擔任軍事顧問或參謀性質的職位。在抗戰中，以他當時倚靠美援之重與迫切，當美方提出由美軍的史迪威將軍去指揮國軍時，蔣先生乃不惜與美方決裂而迫使美國召回史迪威。兩相對照，真是可以使讀史者三思也。

其實在七七之前，中日俄三國之間的合縱連橫，名為三國，實有四方面，亦即中國內部有國共兩方面。以民族與國家來區分，國共是同一民族與同一國家，可是就意識形態及利益來區分，中共與俄共則是同一戰線。

在西安事變之前、國共內戰期間，世人皆以蔣中正先生先剿共而後抗日之策略為不是，並稱之為「先安內後攘外」。雖然蔣之「安內」並非只限於國共戰爭，也包含了中央與各地方軍閥之鬥爭，不過先拿剿共這部分來說，這是內戰？還是中國對抗以俄共為首的共產集團之戰鬥呢？就國共之爭來說，所謂的「安內」，是不是也算國府「攘外」的一部分呢？也就是說，在九一八到七七之間，中國人皆以日本為第一號敵人，可是在蔣先生的心目中，俄國（俄共）所奉行的共產主義是中國骨髓中的毛病，日本只是皮膚的毛病。因此他對中共的「安內」，在他的思維中也是在「攘外」也。

即使在一九三七年八月二十一日，中俄已經簽訂了互不侵犯協定，中國正式聯俄抗日前後，蔣對蘇俄是中國潛在的敵人這件事，始終明瞭於心。試看上章所引，他在七月底決心聯俄抗日的自述心意，認定兩害相權取其輕。此外，在一九三八年一月一日的日記說：「研究外交政策，倭害急而易防，俄患隱而叵測也。」即可知矣。

四三國都想坐收漁翁之利

東北亞的三個大國，即中、俄、日彼此之間的合縱連橫，當然是每一個都希望另外兩個先發生戰爭，而且是打得愈早，愈為全面，則自己愈能坐收漁翁之利。

在一九三六年的西安事變之前，國府是既反日又反共，與日俄雙方都不結盟，一如前述，西安事變使得國府採取了聯俄抗日的策略。日本則希望國府能參加反共協定，與德義日並肩對付俄國。即使在七七與八一三都已經發生之後，在德國大使陶德曼出面調停中日之戰時，日方猶為提出這個要求。至於中國則在一九三七年八月二十一日，即八一三開戰後八天，在南京與蘇俄簽訂互不侵犯協定，走上聯俄抗日的道路。

在九一八之後，俄國一方面通過第三國際去指導中共力言抗日，在中國內部造成強大的輿論，以迫使國府對日作戰。另一方面又經由及時簽訂的《中俄互不侵犯協定》，用援助誘使中國對日作戰。在此內有壓力，外有誘力之影響下，使得七七與八一三成為中日全面開戰的原因。

蔣中正日記在一九三七年七月三十一日以後的本週反省錄，有一段文句：

檢閱二十四年七月舊卷……其間進退優劣之勢，相差果為何如？若再假我二年之時間，豈不能恢復當年之原狀？若有十年之時間，不唯東北全復，而台灣與朝鮮亦將恢復甲午以前之舊觀，扶持朝鮮獨立，由我而成乎？

此處蔣先生所說恢復「當年之原狀」，是指在一九三五年《何梅協定》之前的原狀，即中央軍駐守河北。至於他說的假以十年時間，可以恢復甲午之前的原狀，那就非得像二次大戰結束時，日本投降方能做得到了。

在此段文字中，蔣認為早打了兩年。在接著的本月反省錄中（一九三七年七月），蔣日記有下列的文句：

對倭外交，始終強硬，其間不思運用。如當時密允宋哲元准倭築津（天津）石（石家莊）路（鐵路），則至少可由（有）一年時間之展緩，準備較完密。此則余對於外交失策，唯輿論是從，而疏於遠慮，自亂大謀之過也。政治與外交家應指導輿論，而勿為輿論所誤也，戒之。

此處蔣先生自己承認，因為受到輿論的壓力，他自己對日外交過於強硬，使中日戰爭提早開打了一年。如果以後見之明去看，我認為是早打了四年。

在二次世界大戰裏，德義日三國結盟成為軸心國，可是德義在歐洲與北非戰區，以及日本在亞洲戰區，雙方是各打各的仗，彼此既不配合，也互不影響。日本在亞洲戰場，尤其是一九四一年十二月起在西南太平洋戰區的行動，是受到其在中國戰區軍事行動之影響。因此在討論中日之戰開打是否太早的時候，我們不能以西南太平洋戰區的發展為論證。

可是德義在歐洲之行動是與中日之戰無關的，我們先來檢驗下列重大事故的時間：

1. 中日在一九三七年秋冬開戰。

2. 德國在一九三八年進軍捷克。
3. 德國在一九三九年九月進攻波蘭，二次大戰爆發。
4. 德國在一九四〇年攻法，擊敗英法聯軍，法國敗亡。
5. 德國在一九四一年六月進攻俄國。

對中日來說，其中的第五項最為重要。中日是在一九三七年秋冬開戰，到一九四一年春夏，已經打了三年多。日本為了迫降中國，在一九三八年十月的武漢會戰之後，便努力切斷中國對外通路以達圍困。

在一九四一年四月，日俄簽訂中立協定之前，中國的海岸線已全部被日本封鎖，至於陸上對外的通道，此時也只剩下滇緬路與經過新疆的中俄通道。從一九三七年八月二十一日中俄簽訂互不侵犯條約之後，俄國是唯一援助中國抗日戰爭的國家，而日軍又無法攻進新疆去切斷中俄間之通道，因此日本乃用外交手法使俄國中止援華。

俄國史達林之援華抗日是為了要避免日本攻俄，讓中國人替俄去擋住日本人，所以當日方提出要求雙方簽約，互不侵犯之時，俄國就不再需要中國作擋火牆。可是此時史達林只肯答允日方簽訂中立協定，而非互不侵犯協定，替俄國在後來翻臉後對日宣戰留下機會。

俄國的戰略目標是避免受到日德夾擊，不論是與日本訂中立協定或互不侵犯協定都已完成此目標，免於受到日方的進攻，但是互不侵犯協定卻限制了俄國不得進攻日本。在德國突然攻俄時，日俄中立協定才簽字兩個月，此時日方最高決策層乃面臨一個大難題，即日方下一步是要北上攻俄？還是南下攻英美等國？

日本在一九四一年決定南下，有兩個重大原因，即日本急需東南亞地區生產的戰略物資，以及

《日俄中立協定》之墨跡未乾，而這兩個原因都是因為日本已經與中國作戰四年才造成的。中日之戰不但使日本消耗大量國力，也使美國對日禁運戰略物資，使日本國內石油、鋼鐵、橡膠等物資極度缺乏，日本必須攻佔印尼、馬來西亞等地區才能取得此等物資。俄因為獲得諜報，知道日本不會進攻俄國，才放心把其亞洲戰線之紅軍大量西調，以阻擋德軍進攻，使俄國免於滅亡。

也就是說中日之戰在一九三七年開打，是史達林棋高一著，不但使蘇俄度過一劫，而且在一九四五年日本投降時，因《雅爾達密約》而坐收漁翁之利，更且對日後東亞之北韓、中國大陸及北越之納入俄國陣營，有了決定性的影響，蘇俄成了二次大戰的最大贏家。

五、結論

㈠國府聯俄抗日是兩害相權取其輕

在一九三七年秋冬，七七事變發生之時，中國的兩個強大之鄰國即日本與蘇俄，都是中國的「敵人」。用蔣先生的話是「倭寇急而易防，俄患隱而叵測也。」因此中國在俄日之間不應該與其中任何一方結盟，此即蔣在一九三五年七月六日之後的「本週反省錄」所說的：「三、中華立國外交之方鍼，決不能聯日或聯俄，欲自立為基礎，否則無論聯日或聯俄，必致亡國滅種也。」

那麼在明知聯俄抗日之後，中國有「亡國滅種」的危險，蔣中正先生在一九三七年七月三十一日為什麼會下定決心去聯俄抗日的呢？那是因為華北情勢所使然，在七月三十日「英態度突變」之後，蔣先生又不願意按照宋日和談協定之實行細則，把北上的四師中央軍先行撤出河北省，日方所增派入關之一個師團及兩個旅團再予撤出。因為蔣認為如此則華北必然會出現「第二個滿洲國」，因之他被迫去聯俄抗日。

如果把八年抗戰與四年內戰合起來當作一場連續的戰爭，是三國（中、日、俄）四方的一場大戰。此即中國有國共兩方，所以有三國四方。在這場大戰裏，中俄之兩國三方合作先是去打敗日方，即八年抗戰是第一階段。在接下來的第二階段，則是俄共幫助中共打敗了美國所幫助的國府。在這一場十二年的大戰裏，日本先輸，國府（中華民國）及美國後輸，最後的勝利者是蘇俄及中共（中華人民共和國）。

只拿這一場戰爭來說，中華民族是贏了，大和民族是輸了，所以蔣先生在一九三七年七月底採取的聯俄抗日，對中華民族來說確為兩害相權取其輕。可是對中華民國、國府、國民黨及蔣先生來說，這場先贏後輸的戰爭，其成敗得失真是難以計算了。

即使是對中華民族來說，一九四九年內戰之結果，其利害得失還是要在長遠未來讓歷史學家們去作評論分析了。即使在二〇一四年的今天，因為國共兩黨依然掌控海峽兩岸兩個政府的政權，再加上又多不願意完全公布當年的史料，一時史學界對此十二年的戰爭仍然是難以作出詳實公正之評析。

㈡蔣中正在處理一九三七年秋冬中日和戰時所犯的錯誤

七七事變是日本挑起的，八一三事變是中方挑起的。在被動應付七七與主動挑起八一三時，蔣先生的初意都是要「以戰求和」，希望能採取「一二八模式」，利用擴大戰事為手段去使得列強（先是英美、繼為德國，以及《九國公約》會議）干預中日之戰，結果都沒有奏效。反而兩次都弄巧成拙，而把華北及華東之戰事都予擴大，尤其是八一三淞滬會戰，使得中日走上了全面戰爭的道路。

在七七之求和過程中，因為《何梅協定》而使英國「態度突變」而中止調停，乃迫使蔣先生聯俄抗日以免在華北出現第二個滿洲國。在這方面，何應欽將軍固然「誤國」，可是蔣先生在沒有查明白《何梅協定》的全部內容之前，就冒然派中央軍北上河北保定，也有「失察」之責任，以致作了錯誤的行動（mismanagement）。

在處理八一三及其後之和議方面，於「陶德曼調停」之中，在一九三七年十一月五日，陶大使轉來日方在十一月二日所提的第一次條件時，蔣先生過於期望《九國公約》會議出面干涉中日之戰，因此予以冷處理，暫不作答。等到十二月二日，德國陶大使再次晉見蔣先生，舊事重提之際，不論在軍事及外交方面，中國之情勢較十一月五日已為大壞，此時中方才在十二月六日之國防最高會議中通過以前述日方之條件為談判基礎。可是此時日方卻乘勝追加遠為苛刻之條件，於十二月二十四日提出第二次條件，中方遂不可能接受，和議乃不得展開。至於雙方對和談「方式」之歧見，即中方堅持採取「一二八模式」，德方必須參加談判，而日方堅持只限雙方直接談判，這方面的差別看法，也是雙方不能走上談判桌的一個主要原因。蔣先生在十一月五日未及時對陶大使第一次傳話予以答覆，作出類似十二月六日中方所採取的反應，以致錯失和談時機，也是一個錯誤的行動。

以上我所作的評論，並不牽涉到當時中國對日本應該是談和或是作戰之孰對孰錯，而是只從管理學的角度去看，中方如果在七七之中，或是在陶德曼調停之中，都是以和平為目標，那麼蔣先生或中方任何有損於達成此目標之行為，都是一種錯誤的行動。

其實從管理學去看，我認為日本在二次大戰中於政略及大戰略上也犯了三個致命大錯，此即：

1. 日本的敵人有許多個，其中中國只是一個弱小的次要目標，其他不論美、英、俄等國都比中國對日本之潛在威脅要大的多。日本在八年抗戰中深陷中國戰場，實在是為不智。這一點，日方的石原莞爾將軍在一九三七年秋冬已明白地指出來，因此當時他極力主張中日言和。

2. 一九四一年六月，日方決定南進攻打英美等國而不去北進攻俄。

3. 南進攻下東南亞以後，日本不北上進攻印度與中亞及中東，設法與德軍會師，反而南下進攻新幾內亞、澳洲及紐西蘭。

因為第二及第三這兩點，使得在二次大戰之中，日本在亞洲戰區與其軸心國之盟友德義在歐洲及北非兩個戰區，成為各自為戰的局面，使得俄國及英國都避免了兩面作戰的不利局面。

㈢華北行政主權之完整是造成中日大戰的原因

世局有如棋局，棋局之勝負在於雙方棋手相互之間誰的錯誤之多寡。中國當時表面上只有一個敵人——日本，另有一個潛在的敵人——蘇俄。國府在蔣中正先生領導下打敗了日本，卻在戰勝後的內戰敗給了中共（蘇俄的同路人）。

日本的敵人不只中國，表面上有中、英、美、紐、澳等國家，潛在卻還有蘇俄。從一九四一年四月到一九四五年八月，蘇俄恪守《日俄中立協定》，沒有對日宣戰。卻在日本必敗，並且請求蘇俄代為向盟國乞降之時，史達林才落井下石，乘人之危去對日宣戰，而且在一個星期之後，日本即為無條件投降了。這真是中日蚌鷸相爭，蘇俄坐收漁翁之利了。

在東北亞的中、日、俄三國之間，每一個國家當然會希望另外兩個大打出手，以便坐收漁翁之利。在一九三一年的九一八之後，日本可以南下攻華，也可以北進攻俄。此時蔣中正先生犯了一個重大的錯誤，即他認定日本必先攻華，才會攻俄。這是蔣在思想與觀念上的一個錯誤假設，在一九三七年秋冬之所以會落實而成為行動，則是因為「華北行政主權之完整」是蔣對日的最後關頭，絕不讓步。

從九一八到七七的六年之間，日方在華北的活動是要製造「華北特殊化」，其政略及戰略目標是要在華北製造一個對日方友善的地方政權，其合作對象為宋哲元或（及）閻錫山，目的是希望日本在北上攻俄時，不必擔心華軍北上進攻其關東軍之側背以助俄軍。

試看，當時「華北特殊化」計劃負責人為關東軍之特務機關長土肥原賢二少將，而不是由「華北派遣軍」人員出任，便可以知道這個計劃是關東軍戰略思想的產物。對中國來說，尤其是蔣先生來說，即使明白此點，也不能允許「華北特殊化」之實現，因為誰能保證日方在隨後只會北上攻俄，而不會南下攻華？北宋靖康之恥的亡國之禍，便是因為五代後晉的石敬塘把華北的一部分（包括今日平津在內的燕雲十六州）割給了遼國之緣故。那麼在華北特殊化之後，不但華北會出現了第二個滿洲國，甚至全中國也會作為滿洲國了。更為緊要的，是當時控制華北的宋哲元及閻錫山兩位上將，正好是在一九三〇年與蔣先生在中原大戰中作殊死戰的對手，蔣對他們不放心。

明乎於此，我們才能明瞭在蔣心目中，中日之戰是絕不可能避免的原因。即為日方如果南進，則中方為了保衛華北必然與之一戰，就算是日方要北進攻俄，蔣也不放心宋哲元與閻錫山與日方妥協以安日方之腹背。所以在一九三七年十一月五日，德國大使陶德曼所傳過來的日方和談條件中，因為有了中方在華北行政主權完整之條款，蔣先生及各將領在十二月二日的會議中才予認可作為中日和談的基礎。

一九三七年秋冬中日之所以展開大戰，是因為蔣先生認為華北絕不可失。在他思想中，東北並非中國立國之根本，華北才是。此即大如九一八，蔣能忍住不與日本即刻開戰，而小如七七，卻會間接造成八年抗戰之原因所在。

㈣中方在一九三七年秋冬開打是不是打得太早了？

若把中日這場大戰定位於起自九一八，即為十四年抗戰，那麼這場戰爭是日本主動挑起來的。若把中日這場大戰定位於起自七七或八一三，即為八年抗戰，那麼這場戰爭是中方主動求戰所造成的。

在九一八之後，中日定將一戰，因之我不指責蔣先生在挑起八一三時之主動求戰，也不指責蔣先生拒絕予以同意宋日和談實行細則中之中方先行撤兵，因而使得華北戰事擴大。我要檢討與批評蔣先生的，是他把這場中日大戰給打早了，因此使得中國元氣大傷，以及蘇俄坐收漁翁之利。

在一九三七年秋冬，不論在七七或八一三之中，日本都沒有與中國展開大戰的準備，此由一個簡單的事實可以看出來，即：

1.在七七發生之時，日本在華北的駐軍只有一個旅團（大約五千人）。

2.在八一三開戰時，日本在上海虹口租界之駐兵只有六千名海軍陸戰隊（並非正規陸軍）。

在抗戰已經結束了六、七十年之後的今天，世人很少注意到這個問題，因為世人都一向以為中日之戰是日本開打的，在一九三七年秋冬中國是被迫應戰，然而事實卻並非如此。事實的真相是在日本不準備大打出手的情形下，因為中方在處理七七與八一三之手法才使得中日全面開戰。因此我們要研究的是，在一九三七年這個時機去開戰，是不是一個對中方最有利的開戰時機？對中國的利害得失究竟如何去估算？是不是打得太早了呢？

我認為中國如能等到一九四一年六月德國攻俄之後才去聯俄抗日，對中國最為有利，即使等不到如此之晚，愈是靠近這個日子去開戰，對中國愈為有利，也就是中日之戰打得愈久，對中國愈為不利。可是蔣先生卻選擇在一九三七年秋冬開戰，比德俄之戰早打了四年，成了八年抗戰，使中華民族的損失大為增加，也導致蘇俄成為二戰最大的贏家，戰後中國大陸、北韓及越南之終為赤化也。

附錄

汪精衛在〈舉一個例〉一文中所寫出的一九三六年十二月六日國防教育會議之會議記錄，此與本書所引用的「原始記錄」稍有不同，當然以會議之「原始記錄」為準，至於兩者不同之處，請見蔣永敬教授之大作《抗戰史論》第五章〈抗戰初期的和戰問題〉第三節〈「舉一個例」所涉抗戰「機密之真象」〉。下文為汪先生的版本，作為附錄，供讀者參考。

國防最高會議第五十四次常務委員會議紀錄

時間：二十六年十二月六日上午九時

地址：漢口中央銀行

出席：于右任　居　正　孔祥熙　何應欽

列席：陳果夫　陳布雷　徐　謨　翁文灝　邵力子　陳立夫　董顯光

主席：汪副主席

秘書長：張羣

秘書主任：曾仲鳴

徐次長謨報告：「德國駐華大使陶德曼，於上月二十八號，接得德國政府訓令，來見孔院長，二十九號上午，又見王部長，據稱『彼奉政府訓令云：德國駐日大使在東京曾與日本陸軍外務兩大臣談話，探詢日本是否想結束現在局勢，並問日本政府欲結束現在局勢，是在何種條件之下，方能結束；日本政府遂提出條件數項，囑德國轉達於中國當局。

其條件為㈠內蒙自治。㈡華北不駐兵區域須擴大，但華北行政權仍全部屬於中央，惟希望將來勿派仇日之人物為華北最高首領。現在能結束，便如此做法。若將來華北有新政權之成立，應任其存在；但截至今日止，日方尚無在華北設立新政權之意。至於目前正在談判中之資產開發，仍繼續辦理。㈢上海停戰區域須擴大；至於如何擴大，日本未提及，但上海行政權仍舊。㈣對於排日問題，此問題希望照去年張羣部長與川樾所表示之態度做法，詳細辦法係技術問題。㈤防共問題，日方希望對此問題有相當辦法。㈥關稅改善問題。㈦中國政府要尊重外人在中國之權利』云云。

陶大使見孔院長王部長後，表示希望可以往見蔣委員長，遂即去電請示，蔣委員長立即覆請陶大使前往一談。本人乃於三十日陪陶大使同往南京。在船中與陶大使私人談話，陶大使謂：中國抵抗日本至今，已表示出抗戰精神，如今已到結束的時機。歐戰時，德國本有幾次好機會可以講和，但終自信自己力量，不肯講和，直至《凡爾賽條約》簽訂的時候，任人提出條件，德國不能不接受。陶大使又引希特勒意見，希望中國考慮；並謂在彼看，日本之條件並不苛刻。十二月二日抵京，本人先見蔣委員長，蔣委員長對本人所述加以考慮後，謂要與在京各級將領一商。下午四時又去，在座者已有顧墨三、白健生、唐孟瀟、徐次辰。蔣委員長叫本人報告德大使來京的任務。本人報告後，各人就問有否旁的條件，有否限制我國的軍備。本人答稱：據德大使所說，只是現在所提出的條件，並無其他別的附件，如能答應，便可停戰。蔣委員長先問孟瀟的意見，唐未即答。又問健生有何意見。白謂只是如此條件，那麼為何打仗？本人答：陶大使所提者只是此數項條件。蔣委員長又問次辰有何意見？徐答只是如此條件，可以答應。又問墨三，顧答可以答應。再問孟瀟，唐亦稱贊（讚）同各人意見。蔣委員長遂表示：㈠德之調停不應拒絕，並謂如此尚不算是亡國條件；㈡華北政權要保存。

下午五時，德大使見蔣委員長，本人在旁擔任翻譯。德大使對蔣委員長所說，與在漢口對孔院長、王部長所說者相同，但加一句謂：如現在不答應，戰事再進行下去，將來之條件恐非如此。蔣委員長表示㈠對日不敢相信；日本對條約可撕破，說話可以不算數。但對德是好友，德如此出力調停，因為相信德國調停之好意，可以將各項條件作為談判之基礎及範圍。但尚有兩點須請陶大使報告德國政府：㈠關於我國與日談判中，德國要始終為調停者，就是說，德國須任調人到底；㈡華北行政主權須維持到底。在此範圍內，可以將此條件作為談判之基礎。惟日本不可自視為戰勝國，以為此條件乃是哀的美敦書。德大使乃問：可否加一句？蔣委員長說：可以。德大使說：在談判中，中國政府宜採取忍讓態度。蔣委員長云：兩方是一樣的。蔣委員長又謂：在戰爭如此緊急中，無法調停，進行談判，希望德國向日本表示，先行停戰。陶大使稱：蔣委員長所提兩點，可以代為轉達，如德國願居中調停，而日本願意者，可由希特勒元首提出中日兩方先行停戰。蔣委員長說：如日本自視為戰勝國，並先作宣傳，以為中國已承認各項條件，則不能再談判下去。在歸途中，陶大使表示，以為此次之談話有希望。離京時，陶大使並對蔣委員長說：此項條件並非哀的美敦書。陶大使在船中即去電東京及柏林，但至今尚未有回覆，此後發展如何，尚不可知。」

第貳編　八年抗戰是怎樣勝利的

第一章　中勝日敗的必要條件

● 引　言

● 我國抗戰的三個指導原則是中勝日敗的必要原因

● 中國長期抗戰勝利的基礎是在戰爭軸線的正確選擇

——兼懷民族英雄蔣百里

引　言

如果把抗戰比做一盤圍棋，中勝日敗的主要原因是在下定石棋時，中國佔了大戰略上的優勢，亦即在一九三七年秋冬到一九三八年的武漢會戰結束為止，中方所採取的三個戰爭指導原則奏效的原故。從七七到武漢淪陷，為時一年又三個月，在此期間，因中方挑起了八一三事變，以及成功的先阻止了日本從北平沿平漢鐵路南攻武漢，以及後來在一九三八年六月在河南省花園口決開黃河堤防造成了黃氾區，阻止了日軍沿著隴海鐵路從徐州進攻鄭州，再轉平漢南下武漢。這兩個軍事上的成功範例改變了日本進攻武漢的軸線，因此使得中國有一年三個月的時間，把原來位置在華北、華中及華東三個地區的國力撤退到了西北及西南的山區，並且以四川重慶為根據地，乃能有實力展開了長期抗戰。

在一九三八年十月的武漢會戰之後，日本無法攻進四川，因之抗戰乃轉入第二期，一直到一九四四年一月的一號作戰（即我方稱為豫中會戰）為止，在此為時長達六年多的時間裏，中日之戰乃成為膠著的僵持狀態，中方已居於兵法上所謂的「先為不可勝而後勝」的優勢狀態。

這只是中勝日敗的必要條件，並非充分條件，也就是說，中方在棋局開始的時候，定石棋下得好，是使得日方不能取勝的原因。可是僅僅如此，也不足以使中方取勝，雙方可能成為長期對峙的僵局。至於使日方落敗的充分條件也就是盟軍在美國麥克阿瑟元帥的領導下，在西南太平洋戰區打敗了日軍。至於在一九四五年八月，美方在日本本土的廣島及長崎丟下了兩個原子彈，以及俄國撕毀了長達四年的《日俄中立協定》，突然進攻日本駐在中國東北地區的關東軍，因此促使日本立刻宣布無條件投降。此種「屈原」與「蘇武」的兩個行動，只是這盤棋局的收官棋，此因在一九四五年八月，日本投降已成定局。此時德國與義大利已經無條件投降，盟軍把歐洲戰區的軍力轉移到亞洲來，日本已經無力抵抗，只是因為：

1. 英美等國重視其本國軍民的生命，極力希望減少進攻日本時，英、美本國軍人的傷亡。

2. 英美從歐洲調動兵力到亞洲，必須經過海路，費時費日。

3. 俄國的本土橫跨歐亞，俄軍從歐洲到亞洲，可以經由西伯利亞鐵路，是內線作戰，比較英美更為迅速與方便。

4. 在一九四四到一九四五的一號作戰中，中國軍隊全面潰敗，使得英美必須借重俄國的力量去儘快結束與日本的戰爭。

本章的目的重點只是在研究中日戰爭中，中勝日敗的原因，因此本書只專注於在一九三七年到一九三八年，中日於開戰時，中方所採用的三個指導原則之何以會造成中勝日敗的原因，並不討論上述的其他事項。

我國抗戰的三個指導原則是中勝日敗的必要原因

一、蔣中正在什麼時候就開始決心抗日？

在沒有讀到蔣中正先生的日記之前，我與大家一樣，都認為蔣先生之抗日是被內外情勢所迫，他內心則是一個「親日」與「媚日」的人。在讀了他的日記之後，我才知道他是一個極為痛恨日本侵略中國的人，而且遠在一九二八年的五三濟南慘案之時，即已下定決心中國在他領導之下，終須與日本決戰。

從他的名言——「和平未到最後時期，絕不放棄和平；犧牲未到最後關頭，絕不輕言犧牲」去看，他與一般中國人不同之處，是在什麼情形之下，在他心目中，此才是中日和平已無希望，中國對日必須展開抗戰的「最後關頭」了呢？甚至在抗戰已經結束了七十年後，許多中國人都認為在一九三一年，日本發動了九一八事變，侵佔我國的東北三省，此時應當是中國奮起抗戰的時際。

可是蔣中正先生並不作如是想，他之拒絕承認「滿洲國」，是因為「彼以後亦必繼續侵華，毫無保障」（詳見下文所引之蔣日記），此即在他心目中，失去東北並非是「最後關頭」也。

一九三七年發生的七七事變，原來只是一個偶發事件，是由日本天津駐屯軍之中下級軍官所挑起的小型衝突，之所以會造成華北全面大戰，就是因為此事觸及了蔣先生心目中的「最後關頭」之認知。也就是蔣先生絕不會允許日本人在華北製造第二個大型的傀儡政權——所謂的「華北特殊化」，此即華北之得失才是蔣先生認為此是「最後關頭」也。

以中國歷史去看，自秦始皇之後，兩千多年來漢族是以長城為北方的疆界。此即長城以北的地區，包括東北三省在內，並非是中國立國根本之所在。就拿東北來說，在西晉八王之亂以後，一直到明太祖時代，長達一千多年，歷朝歷代始終不能予以長期持續統治，而是時得時失。但是長城以南的華北地區，尤其是燕雲十六州，此即今天的河北省北部地區，包括北京在內，對漢族來說則為絕不可失，否則金滅北宋之「靖康恥」必將重演的了。

因此蔣先生不以失去東北為「最後關頭」，而是以阻止「華北特殊化」為「最後關頭」，是符合中國歷史經驗法則的看法，只是一般人都認為東北絕不可失而已。即使以清末同盟會之口號，「驅逐韃虜，恢復中華」去看，當時孫中山先生及他的革命同志們是把關外的東北地區當作滿人的故鄉，並不包括在「中華」之內。

日本在佔領東北之後，可以繼續南下進攻華北，也可以北上及西進去進攻蘇俄。因之蘇俄的史達林乃指使中共大力主張抗日，把中日推向戰爭，要中國替俄國去擋住日本之進攻。並且在一九三六年十二月的西安事變中，史達林指示中共加壓力給張學良將軍，使此事變得以和平解決，蔣先生乃得脫險，全身而退。

蔣中正先生對俄國利用中國去擋住日本之西進亦有認知，此亦可見於下文引述之日記，此即在其一九三七年十月底的「本月反省錄」中有文曰：

十年以來對倭之決心與初意：

甲、如我與之妥協，無論至何程度，彼少壯侵略之宗旨，必得寸進尺，漫無止境，一有機會，彼必不顧一切信義，繼續侵略不止也。

乙、即使解決東北問題，甚至承認，彼以後亦必繼續侵華，毫無保障。一時妥協，不唯不能奏效，自破壞人格與國格也。

丙、倭之望我與之妥協者，其唯一目的為破壞我人格，使中國無領導中心也。

丁、此次抗戰，無論結果與成效如何，但如不抗戰而與倭妥協時，則今日國亂形勢絕非想像所能及也。

戊、倭寇非先擊敗我革命軍，確實處置中國後，絕不敢對俄開戰。故我國雖欲與倭謀妥協以待機，絕不可能。

己、總之倭寇對我一得國際動搖機會，必先向我進攻，此無可挽回，亦不能用任何策略轉移者也。

庚、此次抗戰實適處此無可幸免者也。與其坐以待亡，致辱召侮，何如死中求生，保全國格，留待後人之起而復興，況國際形勢非由我自身犧牲，絕不能喚起同情與干涉耶！

辛、解決中倭問題，唯有引起國際注意，與各國干涉，今九國公約會議已有召集確期，國聯盟約亦有較好之決議，此乃抗戰犧牲之效果也。

二、最後關頭——蔣中正絕不允許「華北特殊化」之出現

有關這八點的逐條詳細評析，請見本書前文第壹編第二章第四節中「蔣中正對日政策之決心初

意」，在本節中，我只予大略分析如下：

我的評析是：

1.蔣先生這段日記是寫在一九三七年十月底，當時正是八一三戰役已打了兩個多月，雙方勝負猶未分，而且死傷慘重之際，因此其自云之「十年以來」是指從一九二八年以來，即此十年是從北伐中之濟南五三慘案起算也。按蔣先生日記中，自那一天起，每天起首處必然寫上「恥」或「雪恥」，今與此段自白相對照，可證從一九二八年起他已決心抗日的了。可是他為什麼會忍讓了十年之久，到七七事變時才覺得此時已到「最後關頭」的呢？

2.蔣先生是「知日派」，他深知日本對華之侵略是由其少壯軍人所主控者，不論我方如何妥協退讓，彼輩絕不滿足，繼續侵略。

3.可是什麼才是「犧牲已到最後關頭」，中日之間和平已經無望了呢？顯然在蔣先生心目中，失去了東北三省並非是「最後關頭」，這是與當時絕大多數的中國人的看法是不同的。因之在一時軍事無法與日本對抗的情形下，蔣先生對九一八事變的底線是絕不承認「偽滿」。不過其原因卻是「甚至承認，彼以後必繼續侵華，毫無保障」，換句話說，如果有了保障，日本不再侵華，蔣先生是可能會用承認滿州國作為交換的了。

4.對中、日、俄的三角關係，蔣先生的看法是日本在擊敗「我革命軍」（即中央軍）之前，「絕不敢對俄開戰，故我國雖欲與倭謀妥協以待機，絕不可能」。在此方面，蔣認為日本必先攻打中國，勝之，才敢去進攻俄國，此為錯誤之認知。也就是說我方之抗日是替俄國人去擋日軍之子彈，蔣先生是心知肚明的。但是有趣的是蔣先生認為擋住日軍進攻俄國的只是「我革命軍」（即中央軍），而並不是「華軍」，亦即是全體中國軍隊，包括各派系的軍隊在內，蔣先生的想法真是值得史家去作分析的了。

5. 在一九三七年掀起八一三戰役時，蔣先生並無必勝之把握，其主旨為：

(1)「引起國際注意，與各國干涉。」

(2)「與其坐以待亡，致辱召侮，何如死中求生，保全國格，留待後人之起而復興。」

蔣先生在此時之過於期待國際干涉中日戰事，希望重演一次英、美、法之國調停一二八上海戰事之往例，因此主動出擊去進攻上海之日本虹口租界，遂掀起了八一三戰役，詳細情形請見本書第貳編第二章第三節之〈解析八一三戰役的開場與收場〉。

在讀到了上述蔣先生在日記中的自白之後，我認為從一九二八年的濟南慘案之後，蔣中正即已下定決心「雪恥」抗日。只是在他心目中的「最後關頭」與一般人的看法不同，對丟掉東北三省，他認為尚非最後關頭，可是他絕不容忍宋哲元與日本合作去製造「華北特殊化」。因此在一九三七年的七七事變發生後，他要乘機撕毀一九三五年中日之間的《何梅協定》，立刻派遣四師中央軍進入河北，並且拒絕履行宋哲元與日軍所達成的和平協定，亦即我方先行撤回此四師中央軍，因而使得和談破裂，遂使七七事變不能和平解決，乃造成了華北之全面開戰。此可見本書第壹編第二章〈七七事變為什麼不能和平解決〉。

也就是說，平、津與華北之可能脫離中央控制，乃是蔣先生認為和平已告絕望，犧牲已至最後關頭之時刻也。此即「華北行政主權之完整」是蔣對日的「最後關頭」，亦即底線也。

三、中國在下定石棋時已取得優勢

在八年抗戰已經結束了近七十年的今天，包括中國人與日本人在內，世人多以為日本之戰敗是因為下列其一：

1. 美國在一九四五年以原子彈轟炸日本之廣島及長崎兩個城市。

2. 蘇俄在一九四五年日本宣告投降前幾天，忽然對日宣戰，進攻駐在中國東北之關東軍。

右派認為日本投降是第一個原因，左派則主張是第二個原因。當時有人製作燈謎，謎面是「日本無條件投降，打古人名一」，結果有人答之以「屈原」，也有人答之曰「蘇武」。

其實這兩件事情發生的時候，歐戰已經結束，在軸心陣線的三個主力國家之中，即德國、義大利與日本，其中之德國與義大利已向盟國投降，只剩下日本還在做困獸之鬥。那麼可以說大勢已定，差別只是日本在什麼時候宣布投降而已。

如果把戰爭當作棋局，這兩件事是發生在收官階段，會影響到雙方輸贏的枚數，就是有了贏多少子與輸多少子的分別，卻無關棋局之大勢，此時是輸贏已定，勝敗已分的了。

中日之間是在一九三七年七月七日開戰的，到一九四一年十二月五日的珍珠港事變，為時長達四年半之久，中國是獨自抗日的（其間只有蘇俄以人力及物力去援助中國抗日，可是蘇俄並未正式參戰）。此後因日軍偷襲珍珠港的美軍，造成了太平洋戰爭，英、美、澳、紐等國乃成為中國對日作戰之盟友。

因此在研究八年抗戰中勝日敗的原因時，我們首先要注意的是，為什麼中國能單獨與日本作戰了四年半而沒有落敗的呢？從鴉片戰爭到八年抗戰，一百多年間，在歷次對外國作戰時，每當失去了沿海的地區之後，中國便與敵人談和了，只有八年抗戰是例外的。

試想在失去了北平、天津、上海、南京、廣州等城市，以及沿海的各省地區之後，中國便像以往一樣與日本談和，而使得這次中日戰爭以日勝中敗而宣告結束，那麼日本還會因為急需取得南洋之戰略物資而去南進嗎？也就不會有日方偷襲珍珠港之舉動的了。

我認為中國八年抗戰中勝日敗之必要條件，是中方在一九三七年秋冬開戰之初，即已在大戰略上取勝。此即在下這盤大棋時，中方的定石下得好，乃決定了棋局的勝負。至於前述世人所認知的「屈原」與「蘇武」，只是在收官時的技術考量而已，無關大局也。

四、抗戰的三個指導原則是中方獲勝的必要條件

(一)中方抗戰的三個指導原則

抗戰是在一九三七年七月爆發的，在此之前的一九三六年十月於洛陽，中方已決定了戰爭的三個指導原則，此即：

1. 打持久戰。
2. 誘使日軍自東向西沿著長江去仰攻武漢，而不是由北向南從北平沿著平漢鐵路去攻取武漢。
3. 以西北及西南的山區作為基地，以四川省的重慶為陪都去和日本作戰，此即放棄平原地區，用山區為「退無可退之最後防線」。

這三個原則，據我所知，前兩個都是出於蔣百里上將的創議。至於第三個，我雖然沒有讀到蔣將軍有關乎此的著作，卻讀過一篇相關的文章。

就是因為這三個指導原則，使得中方在大戰略上佔了優勢，成為「不可勝」，而後才能等待到國際局勢之變化，使得以美軍為主力的盟軍，在美國麥克阿瑟元帥領導之下打敗了日軍，中國才得以「而後勝」也。此即兵法所謂之「先為不可勝而後勝」的道理。

可是這只是中勝日敗的必要條件，並非充分條件，也不是唯一條件。此即非得如此，中方才能獲勝，因此是必要的條件。可是僅僅如此，中方不足以獲勝，因之此並非充分條件，也因之不是唯一的

條件了。

《陳誠先生回憶錄：抗日戰爭》上冊第五十三頁說：

二十五年（一九三六年）十月，因西北風雲日緊，我奉委員長電召，由廬山隨節進駐洛陽，策劃抗日大計。持久戰、消耗戰、以空間換取時間等基本決策，即於此時決定。至於如何制敵而不為敵所制問題，亦曾初步議及。即敵軍入寇，利於由北向南打。而我方為保持西北、西南基地，利在上海作戰，誘敵自東向西之仰攻。關於戰鬥序列，應依戰事發展不斷調整部署，以期適合機宜；關於最後國防線，應北自秦嶺經豫西、鄂西、湘西以達黔、滇以為退無可退之界限，亦均於此時作大體之決定。總之，我們作戰的最高原則，是要以犧牲爭取空間，以空間爭取時間，以時間爭取最後勝利。

此即在七七事變前九個月，我方已決定上文所述的抗戰三個指導原則也。陳誠先生在回憶錄中並未說明，不過據我所知，前兩點原則是由蔣百里將軍所創議的。至於第三點原則，也與蔣百里將軍有關，容在後文中介紹之。

(二)蔣中正日記並未記載此事

為了查證陳誠上將的記載，我查閱了胡佛研究所蔣中正先生一九三六年十月間的日記。那一次蔣先生去洛陽是為了避壽，因為那是他五十歲整生日，但全國軍政要人也紛紛去了洛陽，一時冠蓋雲集。兩個月後，就發生了震驚中外、影響極為深遠的西安事變，蔣先生當時就是從洛陽去西安的。

在蔣先生的日記裏，我查不到任何有關陳先生所說的那次軍事集會或抗戰指導三個原則的記載。我判斷：

1.當時聚集在洛陽的軍政要人甚多，背景複雜，因之蔣陳會商抗戰指導原則的聚會，應當是個小型的會議。此即只有蔣先生的心腹得以參加，並不是一個公開的大型軍事會議，甚至可能是一個非正式的談話會、碰頭會之類的。

2.那次聚會所決定的抗戰三原則並非正式的最後決定，所以蔣先生也沒有寫在日記裏。但是有一件事可以證明陳先生沒有記錯。在《抗日戰爭》上冊第五十三頁有一項記載，是在一九三七年八月十九日，蔣中正與陳誠討論上海戰事時，陳對蔣說：「敵如在華北得手，必將利用其快速部隊，沿平漢路南犯，直趨武漢，如武漢不守，則中國戰場縱斷為二，於我大為不利，不如擴大淞滬戰事，誘敵至淞滬作戰，以達成二十五年所預定之戰略。」

他們兩人此段對話可證一九三六年十月曾作了此戰略之決定。

㈢八年抗戰的分期法——三個時期

西方的戰史學者在討論二戰史時，多把起始點定在一九三九年九月一日德軍進攻波蘭、英法對德宣戰之時，他們並不把在此之前的中日戰爭計算在內，這是因為：

1.出於西方人重歐輕亞的偏見。

2.中日在七七事變之後，各自沒有向對方宣戰，仍然維持了外交關係。一直要等到一九四一年底的珍珠港事件後，中國才對日宣戰。

這是西方人從國際法的觀點所採取的說法，與我們東方人的看法是不同的。

前代史家吳相湘教授則認為，抗戰應該從一九三一年的九一八事變算起，到一九四五年九月，為時十四年。這是吳教授在其名著《第二次中日戰爭史》裏的主張。先生把抗戰定為第二次中日戰爭，意指甲午戰爭是第一次中日戰爭。

吾從眾也，把抗戰定為八年，並且採用一般戰史之劃分法，把八年戰事分為三期，此即：

1.第一期：自一九三七年的七七事變至一九三八年十月武漢會戰結束，為期一年三個月。

2.第二期：自武漢失守至一九四四年四月，日軍發動「一號作戰」，展開我方名之為豫中會戰之役，為期五年六個月。

3.第三期：自豫中會戰起至一九四五年九月日本投降，為期一年五個月。

也有人把前述第二及第三期合併為一者，例如陳誠上將即然。

四第一期抗戰雙方戰略之要旨

在第一期抗戰中，日方企圖速戰速決，迫使我方求和，迅速結束戰事。其間有當時德國駐華大使陶德曼之調停，並未成功。

我方則依據前述之三個指導原則，採取下述措施：

1.在八月十三日挑起上海戰事，最初投入兩個師，日方則為六千名海軍陸戰隊。

2.不斷擴大上海戰事，到十一月八日我軍棄守上海時，我方已投入九十多個師，共七十五萬人。日軍則投入三十五萬人，其中上海戰區為二十五萬人，杭州灣（金山衛）戰區為十萬人。我方傷亡二十五萬餘人，日方傷亡五萬餘人。血戰三個月，雙方損失慘重。

3.同時間在華北戰場，日方之總兵力為十餘萬，兩相對照，日軍之主力是集中在上海地區。

4.在華東之上海及南京地區戰役結束時，已是一九三七年十二月之嚴冬，日軍失去了在一九三七年內攻下武漢之機會。

5.進入一九三八年內，日軍乃自南京向西，溯長江而上去攻武漢，到十月裏才攻下。

此上距七七事變後平津失守，已為時一年又三個月，此即我方設計誘使日軍進攻軸線成為由東向西打，而不是由北向南打，也是本文討論之主題也。至於第二期及第三期抗戰，因為不屬於本書之範圍，暫此不贅。

五、保衛武漢為什麼成為首要任務？

㈠淺談蔣百里上將

蔣百里上將（一八八二—一九三八年）是中國近代最為傑出的軍事學家。他少年時留學日本，入士官學校為第一期生，畢業時名列第一。回國後，先生曾任保定軍校校長，以及各級參謀性質之軍職，後來又赴德國入參謀指揮大學研究。先生終其一生從來沒有帶過兵打仗，不曾擔任指揮官，這真是一件怪事，他的軍中事業全在軍事教育及參謀方面。

在分析我國抗戰的三個指導原則與蔣將軍之關係時，容我先簡單介紹第一個（持久戰）與第三個（最後國防防線之劃定），再仔細分析第二個（日軍進攻軸線）。

在第一次世界大戰結束之後，梁啟超先生組團赴歐洲實地考察。梁先生是蔣將軍的老師，蔣將軍也就參加了這個考察團。歸國後，蔣將軍寫了一篇文章公開發表，說他在柏林郊外的一座森林裏，遇到了一位德國老將軍，老人對他說：「你們中國跟日本打仗，要記得一句話；不論勝也好，敗也好，就是不跟他講和。」

這就是打持久戰的基本原則。

至於第三個原則，即我軍放棄平原地區，退到西北與西南的山區作為最後防線。蔣將軍曾在一篇文章中計算了日本的國力——包括軍力、人力、財力及械備等——之後，預言：「日軍打到三陽，就會投降。此即北到襄陽、中到衡陽、南到貴陽。」

蔣將軍是在一九三八年去世。按照後來戰史的發展，他的預言真是神準。在襄陽附近的老河口之役發生在一九四五年。日軍攻下衡陽是在一九四四年八月，打到貴陽附近的獨山是在一九四四年十二月，而在一九四五年九月日本就投降了。八年抗戰中，日軍最為深入我國內地的，就是攻到貴州獨山，此地正是我國最後防線之黔省山區也。

本節有關蔣百里將軍之事蹟詳見本書第貳編第一章第三節〈中國長期抗戰勝利的基礎是在戰爭軸線的正確選擇——兼懷民族英雄蔣百里〉。

(二)武漢在抗戰初期之重要性

古代的戰爭運輸及補給多為依靠河流，而在近代則依靠公路及鐵路。就我方之抗戰來說，如何避免日本利用我國的鐵路線以進攻我方，乃成首要之考慮，而其關鍵之要樞實為武漢。

為了避免重蹈歷史之覆轍，蔣百里將軍乃建議，我方應該避免讓日軍在佔領北平後去沿著平漢鐵路南攻武漢。而是要在上海開戰，誘使日軍從上海沿著長江去仰攻武漢。此即避免日軍由北向南打，而要誘導日軍由東向西打也。

在抗戰前夕，國府已決定選擇重慶為戰時之陪都，以西北及西南各省為長期持久戰之基地。那麼在開戰之初，如何把我方原本結集在東部沿海平原地區的人力、物力、財力與軍力及時轉移到西北及西南之山地去，便成為首務。

以四川為中心的抗戰基地，對外有三條通路，即：

1. 北路：自陝南之漢中而入川北。
2. 中路：自武漢西進，溯長江，經過三峽而入川中。
3. 南路：自雲南北上，入川南。

同時在抗戰中期，當日軍攻佔武漢之後，如何防守四川也是此後最為重要的戰略考量。

在前述三條路線之中，因為南北二路都是經過崇山峻嶺的陸路，而且當時都沒有鐵路與四川連接，所以交通困難，運輸量也不大。至於中路則是利用長江的水運，因此成為抗戰第一期裏我方撤入四川的最重要通路。

明乎於此，如何拖延日本攻佔武漢的時間愈晚愈好，乃成為我方在第一期抗戰中戰略設計之標的。在七七事變初起之時，平、津失守已不可避免，日方利用鐵路去從華北南攻武漢，可有兩條路線，此即：

1. 西路：由平漢鐵路南下，直攻武漢。

2. 東路：日軍可由津浦鐵路南下徐州，再由隴海鐵路西向去攻鄭州，並在此轉平漢鐵路南段南下去打武漢。

然而，日軍在攻下北平後，自八月到十一月中旬，在華北以進行太原會戰為主，錯失了自西路南下直攻武漢之戰機。關於此點，請見本書第參編第一章第二節〈太原會戰的另一種看法——日軍暗助共軍進入華北〉。

在上海及南京方面，日本於一九三七年十二月打下南京後，即揮軍北上，沿著津浦鐵路南北去夾擊徐州。其間雖然在台兒莊為我方挫敗，但是在一九三八年六月上旬仍然攻下了徐州。此時日軍可以從隴海鐵路西向去攻鄭州，即自上述之東路去打武漢。如此，則日軍進攻武漢的軸線又回到自北向南，而不是我方精心設計的由東向西沿著長江去仰攻的了。

我方徐州之守軍是沿著隴海鐵路西撤的，為了阻擋日軍之追擊以及保護鄭州，我軍遂在河南省之花園口決堤，造成黃氾區，以滯延日本機械化部隊之行動。

我對此事的看法如下：

1.因為時任山東省主席韓復榘不戰而退，讓路給日軍南下，所以徐州會戰乃提前爆發。

2.因之為了保護武漢，不使之過早淪於日人之手，我方乃被迫決堤。

3.據當時參預決堤之魏汝霖先生之回憶（發表於《戰史會刊》第十四集），當時黃河水位甚淺，溢出的河水只到膝蓋。只是我方之官民缺乏警覺性，在秋汛來臨之前雖然有數月之久，卻並未把人民撤離。等到大水來時遂蒙受重大損失矣。

4.黃氾區固然使河南中部免於淪陷，一直拖到一九四四年的豫中會戰，日軍才能跨越此雷池，卻也使國府失盡民心。在抗戰後的國共內戰裏，該地區之民心多為支持中共，我認為是與此事有關也。

5.更有甚者是國軍使用紙鈔去就地徵糧之制度，使黃氾區原本受災已歉收之農村更為不勝擔負，因之駐紮該地區之湯恩伯集團乃失盡民心，這是題外話，就此打住。

6.我不認為韓復榘是存心賣國，他只是誤判情勢，他以為抗戰是打不久的，他不必為了即將結束的戰事而賠上了他的武力。所以為了保存自己的實力，他才會不戰而退，開門揖盜的。

這就像在八一三開戰前，蔣中正三令五申要堵塞吳淞口，而不能得到上海人民之合作，終未實現。此與韓復榘之讓路是一樣的，這都是當事人為了私利而不肯配合戰事。不過因為韓復榘之耽誤戎機，迫使我方決堤，造成黃氾區，其罪實為可誅也。可是吳淞口沒有在八一三開戰前予以堵塞，使日本可以逐次向上海增兵，而且其軍艦得以駛近戰區，以八吋艦炮去攻擊我陸軍，因之造成我軍重大損失，這個責任至今卻無人追究。

在第一期抗戰中，我方之首務是力保武漢之安全，明乎於此，我們才能明白下列各點：

1.為什麼我方要挑起八一三之役？

2.為什麼會把八一三之役擴大到了如此之規模？

3.為什麼要在河南決堤，造成黃氾區？

這一切的努力，乃使武漢晚到一九三八年十月裏才淪陷。也就是說，我方爭取到了一年多的寶貴時間，讓大量的人力、物力、財力及軍力得以撤退進四川，因而奠下長期抗戰之基礎。

㈢戰史上南北交戰的三條路線

中國的戰史，不論是外族入侵或是漢民族的內戰，在南北交戰時有三條路線，今分述如下：

1.東路：在隋煬帝開鑿大運河之後，即是沿此線。而在近代，則以津浦鐵路取代之。即使在隋煬帝之前，雖然沒有一條貫通南北的大運河，可是斷斷續續的許多河流仍然是存在的，隋煬帝只是把那些河流連接起來而已。

例如東晉及南朝的幾次北伐，大多是利用水路進攻的。可是南軍北伐有一個難題，就是地理上北高南低，因此南軍北上時，過了淮河與運河的交接口之後，水量乃為大減，南人慣用的大船就難以前進了。東晉與南朝的幾次北伐戰敗之原因即在此，而且多是在一個名叫枋頭（今河南濬縣）的地方，我判斷此地當在古淮河之北。又如南宋初期，金兀朮自江南退兵，他的船隊也在其地附近進退不得，此即韓世忠大破金兵的黃天蕩之戰也。

在這段時期，南人北伐唯一成功的一次，是東晉末年劉裕（後來的宋武帝）領兵的那一次，他是在到了舟行不易之處就捨舟登陸，改用騎兵去進攻關中而成功的。

2.中路：在古代是利用漢水南下武漢，今則改用平漢鐵路。

大家所熟悉的三國赤壁之戰，便是發生在這個地區。

北軍南攻，最好是東路與中路並進，以分南軍防守之勢，曹操之南攻東吳便是如此，當然在此二路之間，是有主攻與助攻之分別。又如淝水之戰，前秦苻堅之敗，世人多以為是因為他陣前退兵，被降將朱序大喊秦兵敗矣而亂了陣腳，乃為東晉軍乘亂進攻所擊潰。其實從戰略上去看，他不明瞭中國的地理，把數十萬大軍集中在東路，而沒有同時以重兵去進攻中路，也是失策。

戰事將起之時，防守長江中上游，駐節武漢的東晉將領陶侃寫信給在建康（南京）的宰相謝安，表示願意領軍東下勤王。謝安因為不知道苻堅沒有打算進攻武漢，為了預防中路空虛，乃回信婉拒之。以當時敵我雙方兵力差別之懸殊，謝安仍然拒絕陶侃之來援，固然有其政治上的考量，可是也是明瞭在南北交戰時，武漢地區之重要性也。

3. 西路：北軍攻擊南方的第三條路線，是先取四川，再沿江而下去取江南。這是魏滅蜀、晉代魏後再滅東吳的途徑，亦即是唐詩：「王濬樓船下益州，金陵王氣黯然收。千尋鐵索沉江底，一片降幡出石頭。」之所謂也。

綜合以上可知古來南北征戰，多是由北攻南而北方取勝。歷史上南方起兵北上而統一中國的史例只有兩次，即明太祖建國時，與一九二六年國民黨之北伐也。第一次是漢民族對抗蒙古人，第二次則已有鐵路可供利用。

戰史為何如此？是因中國之地形為西北高、東南低。更且因外族多為北方之游牧民族，他們的騎兵之戰鬥力高於漢人之步兵，一旦攻進長城，在華北的黃土高原及平原上就大為有利的了。在元末，明軍北伐之取勝，原因之一即在蒙古入主八九十年後，其騎兵已喪失了作戰能力，此即蔣百里將軍所指出來的，是生活條件與戰鬥條件不一致所造成的。

在中國八年抗戰中，日軍之機動力及火力都比華軍強大。戰爭初期雙方之戰鬥力約為一比三，即日軍出動一萬人，而華軍出動三萬人，雙方互有勝負。至抗戰末期，日方認為此數字已成一比七，而我方則認為約為一比五。

因之我方必須利用地理條件來打持久戰，引導日軍由東向西打，沿著長江去打武漢，即是一策。另一策則是放棄平原地區，我軍退到山地去阻擋日軍向西之進攻，亦即前述抗戰指導原則之第三條「退無可退之界限」也。

這個計謀之所以能夠實現，是因為兩個因素：

1. 在一九三七年七七開戰之時，日本並沒有制定全盤對華的作戰計劃。
2. 我軍在上海挑起了一個大戰，把日軍主力吸引到上海，使華北的日軍失去了在一九三七年內由北平南攻武漢的戰機。

六、小結

中方在制定抗戰大戰略時，是要把東海岸的國力能及時後撤到西北及西南的山區中，以奠定打持久戰的基礎，是要避免與機動及火力都比華軍佔了優勢的日軍去在平原地區決戰，這是因為日軍是從東面的海上來之緣故。無獨有偶，在一九四四年日軍已在西南太平洋戰區為盟軍擊敗之後，日方乃在中國戰區發動了「一號作戰」，其目的在打通縱貫中國大陸的鐵路線，以謀日方能建立一條由北向南去補給其在東南亞地區的日軍之陸上交通線。此時因為美軍也是由東方之海上來，所以日方乃避開靠近中國海岸之津浦鐵路與浙贛鐵路等，而是選擇了在中國內陸的平漢鐵路、粵漢鐵路與湘桂黔鐵路作為進攻目標。此即在初期抗戰華軍的戰略構想與第三期抗戰時日軍的戰略構想是一致的，即是如何避免在中國沿海地區與來自東面海上的優勢的敵軍決戰的了。

在一九三一年的九一八之後，中方曾在一九三二年的一二八之戰中頒布了一個「全國防衛計劃」

（詳見本書第貳編第二章第二節〈由軍事及外交去看蔣中正在一二八事變中的角色——兼評馮玉祥之誣控〉）。以之與一九三六年洛陽會議所制定的三個指導原則去作比較，一九三二年的防衛計劃是期待日軍由北向南進攻，把雙方的決戰區定在華中的隴海鐵路一線。此為中國軍事史上的傳統主張，亦即南宋抗金名將韓世忠的名言——「守江必先守淮」。如是則中日雙方的主力會在平原地區決戰，我認為如此則中方必敗，抗戰根本打不到八年，在第一年便會以日勝中敗的局面宣告結束的了。此即在一九三二年的防衛計劃中，中方期待日軍進攻軸線為由北向南，而在一九三六年的作戰計劃裏，中方則要改變之，使日軍是由東向西進攻也。

中國能在初期與第二期抗戰中，即從一九三七秋冬打到一九四一年十二月的珍珠港事變，獨力與日方作戰了四年多而不被擊敗，是得力於上述在一九三六年十月的洛陽會議中所決定採取的三個抗戰指導原則，此即中方是在下抗戰這盤大棋的定石時，已獲得「先為不可勝而後勝」的優勢。只是世人，不論是中、日、英、美等國家的人士，能看出這點者極少。日人敗了猶不自知其所以戰敗之原因固然可悲，而獲勝者如中美之論者，亦不自知中國取勝之道，也是愚劣者也。

中國長期抗戰勝利的基礎是在戰爭軸線的正確選擇
——兼懷民族英雄蔣百里

一、前言

今年（二〇〇五年）是中國抗戰勝利的六十週年，值得寫一文章紀念。然而一部八年抗戰史豈是短短一篇雜文所能涵蓋的，在本節中我只談一件事，就是蔣百里將軍如何設法去引導日軍由東向西進攻中國，而不是由北向南，這是抗戰軸線的選擇。我認為中國長期抗戰的基礎，便是建立在這個正確的戰爭軸線上。

因為日本是中國東邊的鄰國，地理上可以假道朝鮮半島，經由東三省而侵入華北，所以日本侵略中國可以有兩條路。在九一八事變，日本已侵佔東三省之後，日本的陸軍可以由此南下進攻華北。另外，日本可以利用海軍運送其陸軍進攻中國海岸。而由北到南，自天津以至廣州，上海應當是最為可能的一個選擇。

中國的人口及工商業集中在東海岸，如果要實施長期抗戰，必須在開戰前後迅速及時將之大規模遷移到後方，即西北、西部與西南。中國政府既然已經決定以四川為長期抗戰的基地，這一次大規模的遷移的目的地當是以四川為中心。入川的道路有三條，自北方是經過漢中入川北，中間是沿長江溯江而上，南方則繞道廣西、貴州與雲南。南北兩條是陸路，而且都是山路居多，中間則是水路，此當是最主要的一條通路。

這一條長江水路，在入川前最重要的集散地或中途站是武漢三鎮。華中及華東地區的人員物資經由長江先撤至武漢，再溯江而上通過三峽至四川；華北及淮河流域的人員及物資則是分別經由平漢線北段及隴海線，到達這兩條鐵路的交點鄭州，再經過平漢線南段南下至武漢。

也就是說在開戰之後，我國必須盡力保護鄭州及武漢，使華北及華東的人員及物資能夠盡量後撤至武漢，以備入川，以奠定長期抗戰的基礎。

日本進攻中國，陸路可自東三省南下華北的北平與天津，海路則可進攻長江口的上海，再進軍中國的首都南京。

一九三七年七月七日的七七事變，日軍進攻平津，中國抗戰開始。

此時日本陸軍可以沿著津浦線南下攻擊徐州，再繼續南下攻擊南京與上海。同時也可以沿著平漢線南下攻擊鄭州，再繼續南下攻擊武漢。日本如果採取這兩條進攻的路線，其軸線便是由北向南。如果日軍採取這個策略，便會早早切斷我華北及華東地區人員及物資後撤至武漢的通路。

為了防止日軍採取這個方案，我國採取了蔣百里將軍的謀略，主動吸引日軍進攻，即：

1. 在華北誘使日軍沿著平綏線，由北平向西進攻山西省的大同市。因之我軍在平綏線上的南口主動進攻日軍，挑起了南口之役。

2. 在華東，我軍主動挑戰，引起了八一三淞滬抗戰，把日本陸軍及海軍的主力吸引到上海來，誘使日軍自東向西沿著長江仰攻武漢。

這個戰略奏效，使日軍在一九三八年底，也就是在七七事變一年三個月後才攻下武漢，使中國完成了利用武漢為中途站，將人員及物資轉運入川的任務。

本節的宗旨便是在分析及說明蔣百里將軍有關抗戰軸線的策略之由來及成效。

二、蔣百里將軍是一位傳奇人物

蔣將軍是中國近代軍事史的傳奇人物。他在清末留學日本，入士官學校第一期步兵科，畢業時獲得第一名，榮獲日皇御賜的佩刀，這對日本人來說是奇恥大辱。

將軍學成回國之後，一直沒有統率大軍的機會。在北洋政府時代，他先後擔任過保定軍校校長及吳佩孚的參謀長，其間他又去德國參謀指揮大學深造。國民軍北伐勝利之後，蔣將軍乃轉入軍事教育界，七七事變時，他是國防大學校長，位居上將。

將軍出身日本士官學校，與日本朝野久有往來，深知中日兩國勢將一戰，因此數十年來他竭盡心智策劃的，就是中日大戰我國如何克敵致勝的方法，其一生之心血與事業，可以說畢功於此。然而將軍未及目睹日本投降，在抗戰初期便因胃出血而病死於貴州旅途之中，我相信他是死不瞑目的。

在七七事變之前，蔣百里將軍對即將來臨的大戰，曾提出他的許多看法，我在此記述下列三條：

1.不論勝也好，敗也好，就是不與他講和。

也就是說不管任何單一戰役的勝敗，中國絕不與日本講和，用長期戰爭去拖垮日本。這是中國八年長期抗戰的指導政略原則，果然成功。

一次世界大戰後，梁啟超組團參觀歐洲，蔣將軍參加了。回國後他著文說他在柏林近郊遇到一位德國的老將軍，承其忠告，中國對付日本的方策就應當是不論勝敗，絕不講和。不過評者多以此為將軍之高見，假託他人之言而已。

2.日本人打到三陽，就會投降。

蔣將軍說日軍北到襄陽、中到衡陽、南到貴陽就會投降。

這是將軍根據中日雙方軍力、人力、物力等也就是國力去算出來的。日本在一九四五年投降時，將軍早已過世多年，然而驗之史實，果然如此，將軍真是知己知彼，料事如神了。

3.中國抗戰的軸線應是由東向西，不可由北向南。

這便是本節的主旨。

蔣將軍回憶說，他在日本士官學校就讀時，有一門課上課時，校方就把中國學生集隊拉出去到操場出操，日本學生卻留在教室中上課。將軍私下借來日本同學的筆記閱讀，才知道這門課是中國歷代亡國史。其大要為外族入侵中國，或中國內戰，都是由北向南進攻者取勝。可有三條路線，即在華東是沿著今日的大運河南下；在華中，則自襄陽、樊城沿著漢水進攻武漢；在華西，則自漢中入四川後，沿著長江順江而下武漢及南京。如果以抗戰初起時的地理去看，就是沿著津浦與平漢兩條鐵路從北向南打了。因之蔣將軍力主此次中日大戰，我軍應該將戰爭軸線改為由東向西，而不可讓日軍由北向南進攻。

仁按：當時中國由東向西的交通線，最北的是平綏鐵路，由北到南，順序排列，依次為黃河、隴海鐵路、淮河、長江、京九國道及南方的一些分支河流及公路鐵路。其中黃河不可航行；淮河流域常有氾濫；京九國道是公路，可是只通到江西的九江，此即到了華中地區，長江沿岸已經沒有近代化的道路，日本佔了優勢的機動車輛及火炮就難以發揮威力了。也就是說，自東向西進攻，日軍只能利用平綏鐵路、隴海鐵路及長江航運這三條通道。

平綏鐵路自北平通向山西北部及察哈爾與綏遠，引導日軍攻向西北，遠離中國的腹心區域，此正是我方之所願也，當然不必予以切斷。至於隴海鐵路及長江航運，是我方必須防止日軍在進軍時利用的交通線，因此在戰事初起之時，我方即予切斷。

在隴海線，我軍在一九三八年六月九日掘開河南省花園口的黃河堤防，造成黃氾區，阻擋了日軍的進攻。

在長江航運方面，在開戰之初，國府即徵用民船裝載水泥與石塊，在長江下游兩個狹窄之處鑿沉，即江陰要塞及馬當地區，一以阻止駐在武漢的日本長江艦隊沿著長江東逃，二以阻止在上海的日本艦隊西上以進攻武漢。可是因為消息走漏，日本的長江艦隊得以緊急東下逃出，因之只發生了抗戰初期阻擋日本海軍溯江而上的功效。

因為國軍及時切斷了隴海線及長江航道，使得日軍在開戰後的一年三個月後才攻下武漢，因之中國軍民乃能先遷至武漢，再遷至四川重慶，因而奠定了長期抗戰的基礎。

三、兩次淞滬會戰起因不同

一九三一年的九一八事變及一九三七年的七七事變，分別發生在東北及華北，都是遠離上海，卻先後引起了中日間的兩次淞滬會戰，然而這兩次戰役的起因不同。

九一八所造成的一二八淞滬戰爭，是日本海軍為了與佔領了東三省的日本陸軍搶功勞所挑起的戰役。可是七七事變之後的八一三淞滬戰爭，卻是我方主動出擊求戰而挑起的。其目的也是在利用日本海軍求功心急，以迫使日本陸軍進攻上海。

先說一二八戰役。日本海陸軍的爭風，其來有自，要從明治維新說起。當時因為德川幕府主政三百年，所以只有四個藩邦起而勤王，其中比較具有實力的是薩摩藩及長州藩。

薩摩藩是以廣島為中心，長於海軍。而長州藩當時出了日本近代陸軍的創始人山縣有朋元帥，因之掌控了陸軍。出身此兩藩的藩士一開始就分別掌控了海陸兩軍，他們的徒子徒孫也就涇渭分明，而各成一派了。這是從海陸兩軍主事者的派閥出身去看。

另外，這兩個軍種的師承不同。在明治維新時，歐洲是世界的主人，美國還是個後起之秀，不足道也。因之，日本陸軍取法德國，海軍則取法英國。

英、德兩國不但在歐洲是敵對的爭霸者，治軍方法及戰略思想也積不相容。此因德國是個陸權國家，而英國是個海權國家，日本人又是食古不化，喜歡把各自學到的外國東西原封不動地搬回國內，是長於模仿，短於創新的。因之在歐洲是英德兩國的不同，到了日本就成為海陸軍之間戰略思想與治軍方法的爭執了。

第三點是因為日本國土地理位置所成的爭執。

日本三島位在東北亞，日本人對外擴張，往東是太平洋，以當時的造船技術，一時難以跨越去直達夏威夷群島等海域。往北是極為寒冷的白令海峽，無利可圖。因之只有往西及往南的兩條路線。日本史稱北進與南進之爭。

其實北進是西進，這條路線具體的說法就是日後聞名於世的《田中奏摺》，即自朝鮮半島進取滿洲（即中國的東北）與蒙古，以俄國的西伯利亞為目標。也就是說，當明治維新時，日本在東北亞爭霸的對手是帝俄，日本不把積弱的滿清看在眼裏。

至於南進，則是先取琉球，繼下台灣，進窺南洋。

從北進論去看，進入中國的東北之後，海軍就無用武之地了，當然不會受到海軍的歡迎。

從南進論去看，陸軍只是協助海軍去佔領各島嶼，主要依靠的是海軍的力量，當然不會被陸軍所喜歡。

明治年間，因為前述的藩閥之爭，分別主張北進與南進的兩股力量因之而掀起了內戰，日本史稱西南戰爭，結果主張南進的西鄉隆盛戰敗自殺。最近（二〇〇三年）拍攝的一部美國電影，由湯姆·克魯斯主演的《末代武士》（The Last Samurai）便是影射此事。日本在此內戰後決定先北進，而後才有甲午戰爭等一連串的侵略朝鮮半島及中國大陸的行動。

蔣百里將軍針對日本海陸兩軍積不相容的狀況，曾經指出日本陸軍是世界之強，海軍也是世界之強，可是兩者加在一起，反而不是了。此實為知情者之名言也。

到了一九三一年，日本陸軍的關東軍製造了九一八事變（滿洲事件），因而佔據了東三省之後，其海軍見獵心喜，乃在上海挑起了一二八事變以搶功，此事件因為各國調停而休戰。過了六年，到了一九三七年的七七事變發生之後，中日又在上海開戰，史稱八一三事變。我認為這是我方深知日本海陸軍之間爭功的心態者所發動的戰役，利用其海軍求功而迫使其陸軍進攻上海的巧妙行動。

中國一直聲稱此是日方所挑起的，是日軍一位軍官的座車硬要闖入我方的虹橋機場，為衛兵所格殺，因之雙方開戰。目前已有史料證明，此事雖然發生過，卻並非雙方開戰之原因，八一三之戰是我軍所挑起的。只是還不能找到我方所以作出此主動在上海求戰這個決策的過程及原因。以下是我根據所見所聞而作的一些判斷，並不全是我的創見。

1. 蔣中正先生希望把中日之戰引到上海，以援前述一二八事件之先例，使各國為了保護本國在上海的工商利益而出面干涉及調停中日戰爭。此非空穴來風，因為隨後即有德國希特勒政府出面調停中日之戰，史稱陶德曼調停，陶德曼即是德國駐中國大使。

2. 我上海駐軍未奉中央命令的擅自行動。

這一點的可能性不大，因為當時上海駐軍的主力是孫元良師，是中央軍。

3. 前述蔣百里將軍所主張的抗戰軸線應由東向西，不應聽由日軍自北向南，長驅直入以下武漢去切斷我華東大軍後撤之路線。因之我軍在七七事變後，日本既已佔領北平天津，我方為了防止日軍分別沿津浦與平漢兩條鐵路由北而南，乃在上海掀起大戰，吸引日本陸軍主力於上海地區。

四、八一三淞滬抗戰該不該這樣打？

八一三淞滬抗戰打了三個多月，我軍投入七十多萬兵力，消耗掉了我中央軍國防軍的主力，以及為數眾多的地方部隊。

在九一八之後，五、六年中，德國協助我國訓練了二十多個師的國防軍，是我中央軍野戰軍的主力，在此戰中就犧牲了其中的二十個師，影響此後我國抗戰的實力甚巨。

因為上海太靠近海岸及長江口，日本海空軍的優勢甚大，因之我陸軍明顯的是居於挨打的劣勢。在抗戰已結束了七十年後的今天（二〇一四年），中外的戰史學者仍在爭辯國軍選擇上海作雙方決戰的戰場的明智性，也就是說對中國來講，這仗該不該打成這個樣子呢？

我個人的看法是，如果只拿上海這個戰場，純粹以軍事學的眼光去看，這個戰役我軍是不應該用這種方法去打的。

首先，把幾十萬兵力聚集在這麼狹小的一個戰場內，是拿我軍的血肉去抵擋敵方優勢的炮火，是不對的。其次，因為戰區小，正面不夠寬廣，因之我軍雖然佔有人數上的優勢，卻只能分批逐次投入。也就是說每一次可以有效使用的兵力有限，顯示不出這個我方人數的優點了。再其次，日軍雖在外線，我方在內線，可是日軍可以利用海軍的優勢以運送及轉用兵力，反而比我方因為缺少運輸工具及交通道路不良而調兵不易來得較為佔了優勢。也就是說，我方雖然佔了內線，並沒有因之得利。

就拿最後造成我軍戰敗的因素，即日軍在杭州灣登陸一事去看。杭州灣在我軍的右翼，但是與我在上海的主力陣地中間卻有了租界的阻隔。因此日軍可以利用海軍遠自東北及華北調動一個軍南下進攻杭州灣，而我陸軍反而不能就近向右移動去援救我軍在此的守軍。

可是拿整個中國戰場以及國際的角度去看，這個戰役並非一無可取的。

首先從外交看，這是在洋人聚集的上海打的，舉世皆知中日雙方的交戰經過，因此乃可知中國軍民抗戰的決心，以及日方未必能輕易打敗中國的了。其次，也就是上述的戰爭軸線問題了。在七七事變之後，我方放棄了河北省的北部。在華北，我方在南口主動出擊，以吸引日軍沿著平綏線以進攻山西省的大同市，即避免日軍集中兵力沿著平漢線南下，在華東我方挑起八一三淞滬保衛戰，以避免日軍立即自河北沿著津浦線南下徐州。

在淞滬會戰結束後，日軍沿著長江進攻南京，於十二月裏攻下，此時冬季已經來到。

我自淞滬後撤之野戰軍，兵分三路，主力沿著長江後撤，一部分退入南京，後來因城陷而被消滅；大部分向西方及西南旋轉，退入江西、安徽等地區。也有一部分渡江北上，沿著津浦鐵路北上徐州地區。

在一九三七年十二月下旬，南京失陷之後，長江航運又已受阻，日軍乃在嚴冬之中休息整頓，一直要到一九三八年春天才恢復進攻。

此亦即蔣百里將軍所主張的吸引日軍自東向西仰攻武漢的戰略已經奏功了。

在日軍於次年十月攻下武漢，國府退至重慶以後，中國戰區已成膠著狀態。此需遲至六年以後，亦即一九四四年，日本為了支援其在南洋的軍隊，乃發動打通中國大陸鐵路線，由北向南攻的一號作戰為止，日軍進攻中國的軸線仍是由東向西。可是在攻下武漢以後，沿長江進攻四川，日軍受阻於三峽天險，只能打到湖北的宜昌。沿著隴海鐵路由東往西打，又受阻於黃氾區，因之戰事乃成膠著。

歷史上外軍進攻四川只有三條路。

第一條是沿著長江北上，這是三國時劉備自荊州入主益州的道路，而三峽是必經之路。抗戰時，由蔣中正先生的愛將陳誠負責防守。

第二條是自北，由漢中入蜀，此是秦始皇收服蜀地，以及三國時曹魏征服蜀漢，以及晉將王濬滅東吳的道路。在抗戰時由蔣中正先生的另一位愛將胡宗南負責防守。

世人多以胡宗南駐防陝西是防共，此為當然之事，其實他的另一個任務是防衛四川北面的門戶。

第三條路是自雲南北上川南，是元世祖忽必烈征服四川時進攻的路線之一。此也是何以諸葛武侯在北出漢中之前，先要南征雲貴，收服孟獲的理由。這條路在抗戰中由杜聿明鎮守，駐軍中雖是由西南各省的地方部隊負責，但是也有美軍及美國代訓的新軍駐防。

易言之，日軍溯長江而上由東往西仰攻，受阻於長江三峽的天險，是打不進四川這個抗戰基地的。

五、我軍誘使日軍改變進攻軸線的具體步驟

今將前述有關我方扭轉日軍進攻軸線的步驟，以時間順序排列如下，以便讀者參考：

1. 七七事變：一九三七年七月七日開戰後，日軍進佔平津及華北，七月二十九日攻佔北平，戰事

告一段落。

2.八月十三日，我軍主動在上海挑起抗日戰事。

3.八月十五日，日本政府下達全國動員令，編組上海派遣軍及華北派遣軍。我軍委會劃全國為五個戰區，在津浦線北段及平漢線北段均採取阻止敵人沿線南下的戰略。

4.日軍自八月八日起進攻長城的南口，至八月二十六日攻下平綏路的張家口，至十一月八日太原陷落。此即我軍在華北戰場，吸引日軍沿著平綏線由東往西去進攻山西省，而避免日軍經平漢線南下攻取武漢。按南口之役是由我方中央軍之湯恩伯集團主動進攻日軍所挑起來的。

5.自八月十三日開始的淞滬戰事，至十一月上旬太原陷落時為止，我軍已開始後撤，自上海退至青浦。

十一月五日，日軍登陸杭州灣，八日我軍開始自上海全面後撤。

此時我軍已達成將日軍進攻軸線由北向南改為自東向西的大戰略目標。即在一九三七年夏秋季內，阻延了日軍經過津浦線及平漢線南下。在華北吸引日軍向西進攻，經過平綏線及正太線攻入山西省。以及在華中（上海）吸住了日軍的主力。

6.日軍在十二月中旬攻陷南京，此時國民政府已西遷武漢。日軍雖然在南京展開大屠殺，我野戰軍主力已脫離戰場。

7.一九三八年二月，日軍成立了華中派遣軍，與我軍在淮河流域作戰，目標是徐州。二月至四月間雙方在台兒莊發生遭遇戰，我軍大勝。日軍乃增兵攻擊徐州，五月十五日國軍開始撤出徐州。六月九日國軍為了阻擋日軍的追擊，在河南省花園口決堤，黃河河水衝出，造成了黃氾區，因之阻擋了日軍沿著隴海鐵路攻陷鄭州，再經此沿著平漢線南攻武漢，使中國爭取到了將近半年的保衛武漢的時間。

8. 一九三八年八月，日軍沿著長江南岸開始進攻武漢，十月下旬我軍開始後撤，放棄武漢。也就是說從一九三七年的七七事變算起，日軍花了一年又三個月的時間才攻下武漢，使我國軍政工商力量能安然西撤至四川，奠定長期抗戰的基礎。

如果日軍在七七事變以後能集中軍力自北向南，經由津浦鐵路及平漢鐵路南下，迅速攻佔京滬及武漢，同時切斷我主力軍後撤的兩條路線，中國能否支持八年的長期抗戰，實為疑問。這兩條路線即為由津浦路中段轉至隴海路，以及沿著長江兩岸西撤。若日軍先攻下鄭州及武漢，我軍將無路可退矣。

這就是蔣百里將軍極力主張的誘使日軍自東向西，沿著長江仰攻武漢的戰略，立功至偉之所在也。而蔣將軍此策之所以奏效，是因為他深知日本陸軍與海軍之間的矛盾，如果是在佔領華北之後，陸軍沿著兩條南北向的鐵路線南攻，海軍就成了英雄無用武之地了。因之我軍在上海主動求戰，必然激怒日本陸軍，而海軍也樂於參戰，如此上海戰事必然日益擴大，日軍在華北就一時不能迅速集中兵力去南下打通津浦及平漢兩條鐵路線了。等到一九三七年底，冬天已經來到，日軍就不能一鼓作氣去打通平漢線以進攻武漢也，再加上我軍沉船以切斷長江之航運，日方之海軍乃無用武之地，日軍從九江以西至武漢，只能從極為不利於進軍之地區進攻的了。

等到日軍佔領了南京，乃南北夾擊以求攻取徐州以打通津浦線，此時我方已轉進武漢，因之確保平漢線乃成主要目標，津浦線已可放棄。而日軍在佔領徐州時，我主力已沿隴海線後撤，又決黃河堤以阻擋日軍追擊，因之日軍自北向南以攻武漢的途徑已斷，日方只得自淮河流域及長江流域由東向西仰攻，而且是以長江陸路交通不便的南岸為主攻。因之一直拖延到一九三八年秋冬才能攻達武漢，而此時我方已轉進到四川，日軍在武漢會戰中又沒有捕捉到我軍的主力了。

在一九三八年底，日軍攻陷武漢以後，既然無法通過三峽以進攻四川，一直到一九四四年發動了一號作戰為止，中國戰場已成膠著狀態，雙方都是在作有限目標的作戰，尤其是在一九四一年日本偷襲珍珠港，掀起了太平洋戰爭之後，中國戰場乃成次要，盟國與日本的勝負實取決於太平洋上雙方海空軍之勝負了。

因之事後回顧，中、日此次戰爭之勝負關鍵是在於日本能不能一鼓作氣，在七七事變之後迅速擊敗中國，當中國自華北及華東首先將軍政主力撤至武漢，再撤入四川之後，已立於不敗之地。此後中國只要堅守蔣百里將軍所主張的「不管勝也好，敗也好，就是不與他講和」的最高政略原則，以日本的國力去計算，日本終有被此戰爭拖垮的一天。我個人相信，即使沒有太平洋戰爭，中國得不到美國的幫助，只要中國不投降，不講和，日本是不可能無限期拖下去與中國交戰幾十年的。

因之中國在開戰之初，能不被日軍一舉擊倒，是中國長期抗戰能夠獲勝的契機。

因之，我軍掀起八一三淞滬戰爭，吸引了日軍的主力，使之不能迅速由華北南下進攻京滬及武漢，亦即蔣百里將軍所主張的將日軍進攻軸線，由傳統戰史上的從北至南，一改為前所未有的自東向西，居功極偉。

六、由重光葵的證詞去看

今以下列兩點資料說明我方在淞滬開戰的成功處，即：

1. 蔣中正先生在一九三八年一月十一日在河南開封召集第一、第五戰區團長以上軍官訓話時說：

我們此次為什麼要在上海作戰呢？就是打破敵人的戰略，使他們不能按照預定計劃集中兵力，侵略我華北，現在他們的戰略已完全被我們打破了。

這是在當時蔣先生及我軍所作的日方戰略研判，認為日方在七七事變之後，會先進攻華北再南下。然而在戰後去查看日方的資料，日本軍部在七七事變時，並沒有立刻全面進攻中國的計劃。七七事變是日本天津駐屯軍所挑起的一個區域性事件，事先並沒有獲得東京軍部的批准。

2. 日本投降時的外相重光葵在戰後發表回憶錄，《昭和の動亂》中有下述的記載：

對於中國的作戰計劃，自從一九三二年的第一次上海戰役以後，海軍方面，認為上海及華中長江流域，應為對華作戰的重心。陸軍不贊成，以為中國不是日本對手，解決中國，只要動用在華北的少數部隊便可優為之，日本的敵人是蘇俄，因此要把主力擺在東北。這兩個意見吵吵鬧鬧，始終不能解決。

在七七事變發生以後，重光葵的記載如下：

華北戰爭的擴大，立刻激動了上海，……米內海相強硬要求陸軍出兵，可是（陸軍）參謀本部方面則堅決反對，這事使近衛（首相）非常為難，結果通過了最低限度出兵方案，派了三個師團，叫松井帶領向上海出發。但仍陷於苦戰。第二次又派柳川，以幾個師編為一軍，從杭州灣登陸，中國軍方才開始退卻。

盧溝橋事變發生後，中日戰爭從北到南，一步一步被中國軍拖著走。

由以上日本前外相重光葵的回憶錄《昭和の動亂》中的記載可知，八一三淞滬會戰是由中方所挑起的，因之日本軍事先並沒有應變的計劃，而且戰事長達三個月，日軍逐次投入，自開戰時增援的三個師團，到戰役結束時在上海投入了九個師團，三個支隊（旅團）及陸戰隊與海軍，共約二十七萬人，加上登陸杭州灣，自關東軍抽調來的，由柳川平助率領的第十軍，下轄三個師團及一個支隊（旅團）及直屬部隊，約十萬人以上。此與八一三開戰時，日本上海駐軍的海軍陸戰隊六千多去相比較，八一三戰役吸引住了日軍三十多萬部隊。與之同時，日本在華北戰場三個戰區中一共使用了七個師團、四個旅團及一個騎兵支隊（旅團），共約二十萬人去比較，是如蔣中正先生所說的，我軍很成功地把戰爭軸線定位在上海至南京這一條路線的了。因之在戰後，由國府國防研究院及中華大典編印會所出版的《抗日戰史》第六十一頁更有下述的說法：

> 日軍之目的為「速戰速決」，但並未從華北沿平漢線直下武漢，搗我抗戰之心臟地區，而以大兵力逐次投入上海，與國軍鏖戰，曠日廢時，持久消耗，實與其既定戰略相背。

不過這本國府出版的《抗日戰史》，刊行於一九六六年（民國五十五年），因之仍聲稱八一三上海戰役是由日方挑起的，此當非事實。

今年（二〇一四年）是抗戰勝利七十週年，我們緬懷蔣百里將軍的高瞻遠矚，實為敬佩，以將軍日本士官學校第一名畢業的資歷，與娶了日本女子為妻的私人關係，較諸今日海峽兩岸一些知日媚日的華人，更能為日人所接受與尊敬。然而將軍知日而不媚日，能夠為國族制定抗戰致勝的大戰略，真是一位值得大家深深景仰的民族英雄。

在此，作者要表達對蔣百里上將最高的敬意與無盡的懷念。

第二章

兩次淞滬戰役的開場與收場

- 引　言
- 由軍事及外交去看蔣中正在一二八事變中的角色
  ——兼評馮玉祥之誣控
- 解析八一三戰役的開場與收場
- 有關第五軍參加一二八戰役的討論
  ——答陳齡生君之批評
- 〔附文〕蕭如平：以戰求和在一二八抗戰中的運用

引言

一九三二年的一二八事變與一九三七年的八一三事變，戰場都在上海，可是有下面四點不同。

1. 一二八是由日方挑起的，八一三是由中方挑起的。

2. 一二八是從一九三二年一月二十八日打到一九三二年三月二日，為時三十多天。日方出動了四個師團（大約十萬人），中方出動了兩個軍（大約五萬餘人）。在八一三中，雙方作戰為時三個月，九十多天，日方出動了三十餘萬人，中方為七十五萬人。

3. 在一二八中，日方傷亡人數為大約五百餘人，中方大約為四千人。在八一三中，中方傷亡為二十五萬餘人，日方為五萬餘人。

4. 一二八時，當時中日雙方的中央政府都沒有意願展開全面大戰，而且日方派遣司令官白川義則大將遵從天皇的命令，在取得上海華界之後停止追擊。可是在八一三時，日軍司令官松井石根大將力主進攻南京，擴大戰爭。

因為一二八與八一三的戰場都在上海，在兩個戰役中，中方在開始時的主將群中又都有張治中上將，所以在八一三初時，華軍是採取巷戰的手段來對付日軍，這是根據一二八作戰經驗所得者。此外，在戰術上因為上海的地形限制，在華軍陣地的右翼是各國租界，所以中日雙方都是採取沿著長江去迂迴攻擊華軍左翼陣地的手法，這也是根據一二八戰役經驗所致。

不過因為本書的重點不在八一三的戰爭史，因此對八一三戰役的軍事方面著墨不多。在此引言，筆者要強調的是《一二八停戰協定》對一九三七年，中日在七七與八一三期間和議的影響。至於軍事方面，筆者強調的是八一三戰役的開場與收場，而不在這三個月血戰的經過。

比較了七七事變所造成的華北戰場與八一三所造成華東戰場，我們可以明瞭在一九三七年，在軍事上造成了中日展開八年大戰的原因，不是七七，而是八一三。當時華北戰場是支戰場，而華東戰場才是主戰場，此即蔣中正日記一九三七年九月二十六日記曰：

注意：

五、平漢線軍潰敗，滄州亦已不守，北正面只可守太行（山）脈側面之陣地矣。本日身心舒泰，對北正面戰事雖不利，但心無甚慮系（繫），以主戰場在上海也。

此即中方發動八一三戰役有兩個目的，從短程的目標是希望英美本照一二八事變的前例，出面干涉八一三之戰，把華北戰場與華東戰場的戰事一併解決。長期的目標則是意圖改變日方進攻武漢的軸線，從原來可能採取的由北向南沿著平漢鐵去進攻武漢，改成由東向西，沿著長江從上海去攻擊武漢。關於第一個目標的討論，可見本書第壹編第二章第四節的〈由外交及軍事去看八年抗戰是怎樣開打的？——蔣中正如何走上主動求戰的道路〉中的陶德曼調停之部分。至於第二個目標即改變戰爭軸線一事，則為前一節我國抗戰的三個指導原則之主題。

由軍事及外交去看蔣中正在一二八事變中的角色

——兼評馮玉祥之誣控

一、前言

一九三二年一月二十八日，駐守在上海虹口日租界之日本海軍陸戰隊，派了幾連士兵（不到一千人）進攻閘北華界之中國駐軍十九路軍的一個團，因而掀起了史稱的一二八事變。這個戰役在同年三月二日結束，日勝我敗。到五月五日雙方簽訂停戰協定，正式宣告事變結束。

從軍事方面來說，這個事變的戰鬥可分三個階段：一月二十八日到二月十四日、二月十四日到三月一日、及僅為時一天的三月一日到二日。

此三個階段之劃分，是由於在第一階段，日方在陸地上只有兩千名左右的海軍陸戰隊參戰，正式陸軍尚未到達戰場，我方三萬三千名守軍佔了上風。並且日方之第一次「上海派遣軍」兩個正規軍師團（約四萬餘人），在二月十四日開始登陸上海地區，投入戰場，在二月二十四日被五萬五千名我軍擊敗。日方之第二次「上海派遣軍」另外兩個正規的陸軍師團（約為四萬餘人）在三月一日抵達上海，開始登陸，第二天我軍戰敗，退出上海地區。

至於外交方面，從一月二十八日到三月二日，雙方交涉的進展不大。三月二日我軍退出上海市，撤至第二戰線後，日軍遂即佔領上海之華界，乃使在上海有租界及工商利益之各國（英、美、法、義）聯合干涉，促成了中日雙方簽訂《淞滬停戰協定》，此四國公使並在協定上簽字，作為雙方履約之保證人。

一二八事變，雙方交戰的時間長度與動員的兵力人數，都遠比五年半後的八一三淞滬戰役要少得多，可是雙方因為此戰役所取得的經驗，不論是在軍事或外交方面，都對八一三戰役雙方的處理具有重大影響。對中國來說，蔣先生在一二八事變中採取的外交方針是「以戰求和」與「擴大戰事」，使國際（英美）干涉中日之戰，以謀取對中國較為有利的和平條件。

此計在一九三二年得逞之後，在一九三七年處理七七與八一三兩次戰役時，蔣先生乃故技重施。不料這一次國際始終未予按照一二八模式再去干涉華北（平津）及華東（上海）之中日戰爭，蔣先生為了以戰求和而去把戰事擴大的結果是反而弄巧成拙，把華北及華東戰事擴大到中日不得不展開全面戰爭的地步。

至於我方在此期間於軍事方面之因應措施，及蔣中正先生在軍事方面之角色及作為，將為本文評析的一個重點。而蔣先生採用的「以戰求和」方針在一二八事變中奏效之經過，則為本文另一重點，可是其對我方在七七及八一三之決策過程之影響何在，則在本書之第壹編第二章〈七七事變為什麼不能和平解決〉中評析之。

二、蔣中正在軍事方面扮演的角色

㈠一二八事變是日本海軍擅自挑起的

中日在一九三〇年代曾在上海打過兩次戰役，即一九三二年的一二八事變和一九三七年的八一三事變。本節重點在研究一二八事變中，蔣中正先生在外交及軍事兩方面所扮演的角色。

一九三一年九一八事變中，日本陸軍關東軍全面進佔中國東三省，對日本來說是立下了大功勞，因此日本海軍在第二年的一月二十八日，在上海掀起了一二八事變，也想建功。自從明治維新以來，日本海陸兩軍之間的競爭心態，即其來有自。我國的蔣百里上將是日本通，他是日本士官學校第一期正科（步兵科）的第一名畢業生，他有一句名言說：「日本的陸軍是世界之強，海軍也是世界之強，合在一起就不是了。」

當時上海的虹口日本租界是其海軍勢力範圍，因此在掀起事變時，日本進攻我國閘北地區的部隊是一千八百名海軍陸戰隊，並非正規陸軍。日本的海軍陸戰隊相當於我軍的保安隊，戰力薄弱，且在開戰之夜，日軍在上海地區之兵力，陸地上共有陸戰隊一千八百三十三人；黃埔江中共有十艘軍艦，包括了航空母艦一艘、巡洋艦兩艘與驅逐艦五艘。

兩相比較，其艦艇兵之兵力遠遠超過陸戰隊之兵力，以一千八百多人的小部隊，日方如何能在陸地上展開大規模戰鬥？也就是說日本東京中央政府並沒有在上海地區展開大規模陸上戰鬥的準備，此即這個事變是日本第一外遣艦隊司令官鹽澤幸一少將個人草率的盲動所挑起。

當時我方在上海地區的守軍為第十九路軍，指揮系統是京滬警備總司令陳銘樞（真如）上將，他是十九路軍的締造者，其下屬依指揮次序有三級，即為總指揮蔣光鼐將軍、軍長蔡廷鍇將軍、淞滬警備司令戴戟少將（師長級）。該軍下屬三個師，共三萬三千人，擔負上海至南京方面的防務。

此為一二八開戰之初，中日雙方在上海地區的兵力配置狀況。事變初起時，蔣先生復出，擔任軍委會常委，即下令十九路軍全軍移防上海，由八十八師及八十七師（前警衛軍）移防南京。

㈡蔣中正的尷尬處境

一二八發生時，蔣中正先生正在第二次下野期間。❶此段時間內，蔣先生最初並沒有擔任軍政方面的職務，只保留國民黨內的職務，即仍是黨中央政治會議的委員，此會議相當於今日之中常會，是當時國民黨最高的權力機關。可是蔣先生在這個會議中的處境十分微妙，今借用他自己的日記以證之。❷

一月二十八日　星期四：

上午會客後，開臨時政治會議，季新（汪精衛）強欲余主席，余惶恐萬狀，然又不能不主席。臨席時，對見各委（員），大半皆被余消滅，或為余仇敵，今竟相聚一堂，不知所懷。回途萬感交集，甚欲辭去。飯後再思，如果辭去，則政府必散，國家必亡，故決忍痛駐留。下午往訪季新，與之商談外交方針，確定：

一積極抵抗，

一預備交涉。

彼即贊同，並有願任行政院長之意。余再勸之，彼乃允就。晚即開會通過。

這段蔣日記十分重要。先是一月二十五日行政院長孫科及外交部長陳友仁向國民黨中央辭職。而

❶ 按蔣先生在北伐中躍登全國軍政舞台之上後，一直到一九四九年大陸易手時，在此二十多年中，曾經有三次下野的記錄。這一次是其中的第二次，時間為自一九三一年十二月二十五日至一九三二年三月六日。而一二八事變發生在一九三二年的一月二十八日，軍事行動則結束於一九三二年三月二日，正好在其復出之前四天。

❷ 蔣中正日記，在本文中未予註明年分者皆為其於一九三二年內所寫者。

後汪兆銘繼任行政院長，是先與蔣先生取得共識，在如何解決一二八事變之外交方針方面，要「以戰求和」。亦即一二八事變初起之時，蔣、汪已共同決定如何用外交去解決，二位都是「以戰求和」派。

當時舉國上下皆欲一戰，蔣二月十一日記曰：

> 戰無可戰條件，和亦國人反對，如不戰不和，國家與人民被害，日重一日，此時無人敢主張言和，而一味要戰。

主戰者在政壇方面，以一月二十五日辭職的前行政院長孫科為首；在軍人方面，則有元老如馮玉祥與李濟琛兩位上將，掌兵權者則當以時任京滬警備總司令，掌控了駐守上海戰場的十九路軍之陳銘樞上將最具實力。並且在事變中，陳銘樞以軍事實力支持孫科於杭州另成立政府，擅派部長，請見後文所引之蔣日記。

(三) 《蔣總統秘錄》的錯誤記載

《蔣總統秘錄》有關一二八事變之記載，有下列明顯錯誤之處：❸

1. 有關任命蔣先生等人為軍事委員者。
2. 有關劃分全國防衛區。
3. 我方第五軍及十九路軍防線之左右劃分。

按《蔣總統秘錄》第八冊一五〇頁（總一九一六頁），有文曰：「事變翌日（即一月二十九日）中央政治會議任命蔣總統、馮玉祥、閻錫山、張學良四人為軍事委員。」

❸ 《蔣總統秘錄》中文版第八冊。此書錯誤頗多，我在本文將予以指出並評論。

承蒙浙江大學蕭如平教授❹提供我的國防部資料：「軍事委員會，由蔣介石、馮玉祥、何應欽、朱培德、李宗仁、陳銘樞為委員。行政院、參謀總長、軍政部長、海軍部長、訓練總監、軍事參議院院長為當然委員。指定蔣介石、馮玉祥、朱培德、李宗仁為常委，指揮前方大權，交軍政部長何應欽與參謀總長朱培德會銜行之。」

此即在兩份名單之中，《蔣總統秘錄》漏列了何應欽、朱培德與李宗仁三位，卻添加了閻錫山與張學良二人。

以當時的軍政實況來看，何應欽（時任軍政部長）、朱培德（時任參謀總長）兩人以本職論之，本已為當然委員。不過一個人是否除了職務之外以個人名義也是委員，亦為重要。例如朱培德上將的參謀總長職務，在三月十八日改由蔣先生本人以新設置的軍事委員會委員長身分自兼，那麼朱將軍在去職後能否仍舊擔任軍事委員，就得看他以個人名義是否也是委員了。

《蔣總統秘錄》在軍委會委員名單中漏列某些人的名字，以文意言之不能算錯，由史學觀點去看則為粗疏。可是它若添加名單，把閻錫山與張學良兩位變成無中生有，那就是在文句及史料兩方面都犯錯了。

其實以軍委會所列名之委員名單去看，各位委員在一二八事變初起時，都是人在京滬地區。可是當時張學良人在北平，身負「不抵抗」失去東北之責；閻錫山則在一九三一年九一八之前一個月（即此事變前四個月），方才在日本關東軍保護了八個月之後，由大連市回到山西省，並且仍為在野之身。

---

❹ 蕭如平博士，現任浙江大學蔣中正研究中心副主任。蕭教授對一二八事變有深入研究，二〇一三年在史丹福大學胡佛研究所閱讀蔣中正日記，為期一年。本文初稿承其過目與批評，並提供許多資料以供筆者修正，謹在此言謝。

因此他們兩位一時未能榮膺此軍事委員之新職，應是事出有因，也合乎當時政治大環境。這種本來並沒有定額的委員名單，就像一場政治大拜拜，只要有需要，也切乎實際，那麼把張、閻兩位的大名添進去，對主政者來說，也只是空頭人情的舉手之勞。不過在一九三二年一月二十九日新成立的軍委名單中既然沒有他們兩位大名，那麼在一九七六年出版的《蔣總統秘錄》就不可以無中生有的把他們兩位的名字添加進去。這是《蔣總統秘錄》這套大部頭書由史學觀點去看，不夠謹嚴的一個例子。

在此書當初於台北《中央日報》連載出版時，筆者在紐約的《星島日報》上曾連續撰寫了多篇文章予以批評之，其中一部分請見本書第肆編第二章第四節〈評述《蔣總統秘錄》中的中日戰史〉。

㈣蔣中正先暗後明的軍事角色

在一月二十九日所委任的四位軍委會常委，即蔣介石、馮玉祥、朱培德、李宗仁這四位上將，其中朱培德依本職是要會銜去執行常委會的決定以指揮前方軍事，當然應該參加。李則人在上海閒居，此段時期也沒有參與軍委會事務，只是掛了虛名，不算是代表兩廣方面參加軍方決策層。至於馮玉祥，他雖然在一月三十一日與蔣同車經徐州去洛陽陪都，以他在《我所認識的蔣介石》之遺作中有關在一二八事變期間自述的活動來看，❺他也是個置身於軍委會事外者。那麼蔣先生在此事變中，在軍事方面，又扮演了什麼樣的角色呢？

事變初起時，蔣已在第二次下野期間，一月二十九日受命為軍委常委後，才有名義指揮前方作戰。不過在理論上並非由蔣一個人說了算，而是要由四常委開會決議。

不過以本文在後文中所引用各將領之間的祕電可知，當時在淞滬作戰的兩支軍隊，即十九路軍

❺ 馮玉祥，《我所認識的蔣介石》，台北市：捷幼出版社，二〇〇七年。

（屬陳銘樞系）及第五軍（屬何應欽系），其領軍者何與陳兩位軍委都聽命於蔣。加上本來已屬蔣系的朱培德常委，即在常委會裏，蔣系已佔一半，而剩下的兩位常委，李宗仁始終住在上海，沒有到南京開會，則馮玉祥之被架空而置身事外，也就是理所當然的。

依實況看，在一二八事變中我方參戰的軍力，有陳銘樞領導的十九路軍三個師，共三萬三千人；以及屬於中央軍，由何應欽出面領導的第五軍（軍長為何系之張治中上將）共兩個師兩萬兩千人。在戰事將要結束時趕到上海增援的中央軍第一師（胡宗南部）則為一萬一千人，不過在三月二日時此援軍還來不及開上去，十九路軍已後撤，所以沒有派上用場。

此即參戰的我軍分屬陳與蔣，而陳又一度聽命於蔣，那麼蔣先生一個人把持軍委常委會去發號施令，做個幕後的影武者去指揮何及陳，也就是毫無意外之事了。

此處我要向蕭如平教授致謝，因為在閱讀蔣中正日記時，由下文所引在一月二十八日至二月十二日之間者，其日記內容毫無涉及他指揮上海戰事之處。因此我初步的印象是蔣在這段時期內，在軍事方面是局外人。當我把初稿給蕭教授過目後，他提供了下文所引蔣先生與前方將領之各項祕電，此等皆為蔣日記予以省略而我又從不知道的文件，才使我採納了蕭教授的觀點，即在一二八事變的軍事方面，蔣先生自始至終都是我方的主導者。不過以下述各篇日記去看，在二月十二日獲得行政院汪精衛院長授權去處理上海戰場一切外交與軍事事宜後，蔣在二月十三日即從徐州回到南京，召集了何應欽與陳銘樞兩位上將開會，正式出面，而不再是只用祕電去指揮作戰了。

所以說在一二八事變中，蔣在軍事方面的角色可分兩個階段，在二月十三日之前是位居幕後主導，此後則走向台前了。

(五)蔣主張遷都洛陽

在事變初起時，蔣中正認為南京離上海太近，乃主張遷都洛陽。馮玉祥認為因蔣要「逃難」，此非事實。以後文所引之蔣日記為證，在一月三十一日遷都之後，蔣在二月三日即向汪精衛提出要求，由蔣本人回到南京去主持外交事務，而為汪所拒。一直等到二月十二日，汪在徐州把蔣從洛陽召到徐州，蔣再次要求回南京去負責軍事與外交事務，汪才予批准。所以蔣之主張遷都洛陽，並非是為了他本人要「逃難」以遠離上海戰場。關於蔣與馮在這段時間內的相互批評，在後文會再評析之。

不過當時國府中人，如林森主席及汪精衛行政院長，多不同意蔣先生遷都的主張，認為是小題大作。以事後去看，在攻下上海華界之後，其上海派遣軍司令官白川義則陸軍大將「沒有前進南京，在中途適當地方停止進擊和戰爭，當時陸軍各方面都批評和非難」，「軍中幕僚也主張打到南京」，但白川沒有接受。（此可見《鈴木貫太郎自傳》，陳鵬仁譯）由此可見，蔣先生之堅持主張遷都，雖然因為一二八事變沒有擴大即告落幕，而被世人誤認為庸人自擾之事，其實並非杞人憂天也。有關白川義則在一二八之「適當停止戰爭」，與松井石根之在八一三之進攻南京，兩者之比較，容筆者在本書第貳編第二章第三節〈解析八一三戰役的開場與收場〉中申論之也。

在遷都方面，由於蔣先生的堅持，在一月三十一日乃予實施，不過在一月三十日，林森及汪夫婦都曾一度婉拒登上火車動身，這使蔣先生甚為生氣，在一月三十日的日記說：

> 余無職責，而不能不為負責之事，觀內情，心地之苦，無以復加。然為國為黨，又不能不忍痛茹苦以行也。

這段文字點出了他當時的尷尬處境，即在政府中他是下野之身，「無職責」者，可是上海戰場是他的地盤，參戰的軍隊聽命於他，又使他「不能不為負責之事」了。

㈥小結

因為十九路軍在事變結束之後的第二年，即一九三三年十一月在福建搞了閩變，造了蔣中正先生的反，以致一般人以為在一九三二年一二八事變中，十九路軍也是反蔣的。再加上馮玉祥等人大力鼓吹蔣逃難、畏戰，破壞十九路軍之抗日等指控，使得大家誤解了蔣在此事變中於軍事方面所扮演的角色。

十九路軍的領導者如陳銘樞上將，在一二八事變中是與蔣中正先生有所不同，蔣是要以戰求和，而陳等人則是要全面抗戰，此於下文所引之各篇蔣日記可以明證。不過這是從大戰略去看中日之和戰，若只以一二八事變中在上海戰場的範圍去看，雙方是利害一致的，都是要打贏這一仗。不過蔣是打贏後要後退求和，而陳則要乘勝再打下去而已。

二、一二八戰事之簡述

㈠日軍首攻閘北不利

在一二八開戰時，日本在虹口租界之陸戰隊兵力為一千八百餘人，即使以一比三的戰鬥力去計算，也還不是我方上海駐軍十九路軍（約三萬三千人）之對手。

因此我判斷日軍進入閘北華界，根本沒有估計到我軍會抵抗，日方以為會重演三個月前九一八事變的故事，中方會採取不抵抗政策，讓出閘北地區。日方之所以有此誤算，一方面是出於狂妄自大，二方面也是低估了他們的對手，當時駐守上海的十九路軍之鬥志。

這是一支廣東部隊，是從戰場裏壯大的軍隊，他們的中高級軍官多為行伍出身，是從刀尖上打滾長大的。他們與少年得志的「官二代」，東北軍少帥張學良完全是兩種人。在此我節錄紐約時報駐華首席記者阿班（Hallett Abend）的回憶錄《採訪中國》（*My year in China, 1926-1941*），根據他親眼目睹日軍進攻閘北的情景，在該書中譯本第二〇六頁所寫的記錄：

> 日本人派了幾個連的海軍陸戰隊跨過公共租界邊界，進入閘北，每隊士兵中有兩人舉火把引路，中國的神槍手便挨個射擊，百步穿楊，不消多久，通往上海鐵路北站的街道上，便躺滿了或死或傷的日兵。
>
> ……
>
> 若鹽澤司令以為中國人會像去年九月一樣，不等日本陸軍推進至瀋陽附近，便驚慌奔逃，那他就是大錯特錯了。

日軍在陸地上進攻閘北失利，乃在第二天，即二十九日，由航空母艦上起飛二十多架飛機去轟炸上海閘北市區，當時此為史無前例之事，阿班的記載如下：

一二八淞滬會戰，日軍轟炸上海市區。

對日本轟炸閘北一事，整個文明世界都無比震撼。各報發表社論，嚴厲抨擊此事。美、英及其他國家議會也都發表聲明譴責。其內容摘要，紛紛以電報傳來上海。日人從空中轟炸手無寸鐵之平民，乃是最殘忍的屠殺行為，激怒了整個人類。

以二十一世紀的今天去回顧此事，我們很難想像當時日軍用三十磅小型炸彈去轟炸中國城市的創舉，竟會開啟戰史上一個潘朵拉盒子。而後從一九三二年的上海到一九四五年的日本，在二次大戰中不論是在歐洲戰區或亞洲戰區，這種大規模的用地毯式密集轟炸敵方平民之惡劣行為，交戰的雙方都曾經廣泛使用過。最後是由美軍在日本的廣島與長崎擲下了兩顆原子彈，迫使日方投降。這真是始作俑者，其無後乎？日本人真是應了「現世報，來得快」這句俗話了。

㈡十九路軍在初戰階段表現優良

在本書第貳編第二章第三節〈解析八一三戰役的開場與收場〉中，我將說明日本海軍陸戰隊之戰力為何薄弱，遠不及其正規陸軍的原因，在此不多言了。

一二八開戰初期，在二月十四日日本東京政府所派遣的陸軍登陸上海參戰之前，我十九路軍對付日方海軍陸戰隊之戰績優良，令我方民心大為鼓舞。但是知情者如蔣中正先生，當然心知肚明其中之關鍵所在。他的日記有下面的評述。

二月八日（在洛陽）：

> 聞滬戰，倭寇攻擊甚烈，我方尚能支持，而世人不測（察），以為（我方）真正勝利。其實倭之海軍陸戰隊在陸上與我陸軍作戰，其技自窮，而非我軍之戰鬥力為勝過於倭，但我十九路軍忠勇可嘉。

因為早有這種認知，蔣先生已著手編組援軍以支援十九路軍。即在二月一日決定將八十七師（王敬玖師）與八十八師（俞濟時師），即原來的中央警衛軍第一師與第二師合成第五軍（軍長張治中），於二月八日組成，二月十日投入上海戰場。此為日方第一次上海派遣軍登陸前四天。

㈢頒發全國防衛計劃

《蔣總統秘錄》（一九二〇頁，第八冊一五四頁）記載：「二月一日　蔣總統在徐州召集軍事會議，討論長期性、全面性的全國防衛計劃。」

在簡介此「全國防衛計劃」之前，容我先指出此記載的一個錯誤，並說明此錯誤之影響何在。首先，這個計劃並非在二月一日於徐州的會議所決定。承蕭教授指出，根據蔣檔記載，以及蔣日記，蔣夫婦是在一月三十一日由浦口搭火車北上，二月一日上午抵達河南開封。即在此時蔣已過了徐州，當天應該不會折回到徐州去開會，況且蔣日記也沒有二月一日在徐州停留以召開此軍事會議之記載，也就是說《蔣總統秘錄》所說於二月一日召開的徐州軍事會議並不存在。

這並不是一個小錯，事關這個「全國防衛計劃」是各軍系共同商議而得，還是出於蔣先生所主導的中央軍系之構思？這個計劃因為在一二八事變結束後並未實施，而在五年半後，即一九三七年秋天所展開的八年抗戰中又未予實現，所以無人注意及此。其實將此計劃與一九三六年十月在洛陽會議中所得之抗戰三個指導原則作比較，可以看出不論在戰爭指導原則、大戰略及戰術方面，這兩個計劃都是南轅北轍，大不相同的。

如果這個「全國防衛計劃」是出於蔣先生及其中央軍系智囊團之手，而不是得之於全國各軍系開會的妥協方案。那麼對研究戰史的同好來說，在此四年半之中，中國的抗戰計劃在蔣先生主導之下，何以有此根本性的大幅度改變？乃是一個甚為有趣的題目了。以多篇拙作之推論，我認為八年抗戰中我國取勝的必要條件是在全盤作戰計劃中，於大戰略設計上取勝。如果依照一九三二年所制定的「全國防衛計劃」去實施抗戰，我敢斷言我方必敗，容我分析於後。

根據我軍方之資料，此計劃是在二月四日，蔣先生在洛陽致電給時在南京的參謀總長朱培德上將，以軍委會之名義下達的。其概要如下：

第一防衛區——黃河以北。司令官張學良（東北軍）、副司令官徐永昌（晉軍），統率東北軍及晉綏軍。

第二防衛區——黃河以南。司令官蔣中正（自兼，中央軍），副司令官韓復榘（西北軍），指揮魯、豫及蘇皖北部之部隊。

第三防衛區——江蘇南部及浙、閩，司令官何應欽（中央軍）、副司令官陳銘樞（粵軍）。除指揮第十九路軍及第五軍之外，並由江西抽調五師增援淞滬，隸屬指揮之下。另由湖南調二師及由廣東出兵一部入贛，監視中共匪軍。❻

第四防衛區——廣東、廣西。司令官陳濟棠（粵軍），副司令官白崇禧（桂軍），統率粵、桂部隊。

預備區——四川，司令官劉湘（川軍）、副司令官劉文輝（川軍，不過佔有西康），應準備五師以上兵力，集中鄂東待命。

此五區兵力總計為二百四十萬人。

四「全國防衛計劃」與「抗戰指導三原則」之比較

---

❻ 此處自江西調五個師，即將原來用在該地區剿共之軍隊改調往上海。淞滬戰場位於此防衛區內，此區內之中央軍是由何應欽將軍所指揮。

這個「全國防衛計劃」因為一二八事變之迅於結束，未克實現。此處我之所以要加以記錄，是要讓大家明瞭，在五年半後八一三事變時，中國全盤作戰計劃之三個原則，亦即在四年半後一九三六年十月的洛陽會議中所決定的計劃，與這次一九三二年二月四日之計劃大不相同。

洛陽會議所決定的三個原則，一是採取持久戰；二是改變敵人進攻武漢之進軍軸線，要日軍在佔領北平以後，不會沿著平漢鐵路從北向南打武漢，而是由我方在上海挑起大戰，誘使日軍沿著長江由東往西去仰攻武漢；最後是放棄平原地區，以西北及西南之山區為退無可退之國防線。

把一九三二年及一九三六年所制定的這兩個作戰計劃作比較，可發現幾點不同之處：

1.在指導原則上，一九三六年是要打持久戰，一九三二年並不是。

2.在戰爭軸線上，一九三六年是要引誘日本由東向西去仰攻武漢。而一九三二年則期待日方由北向南打，以黃河南岸之瀧海鐵路一線為雙方主力決戰區。此即蔣中正自任為第二防衛區司令官之原因。

這是合乎中國戰爭南方抵抗北方之往例，此即南宋之抗金名將韓世忠「守江必先守淮」的名言。只是在鐵路已經開通以後，以隴海鐵路取代了淮河，以及用津浦鐵路取代大運河之戰略地位而已。

仁按：一九四八年的內戰中，蔣先生在徐蚌會戰（淮海戰役）中之布置，即在東西向的隴海線上自東往西一路排開，布置了李延年兵團兩個軍、黃伯韜兵團七個軍、馮治安兵團兩個軍、邱清泉兵團五個軍。其中黃、邱兩兵團之戰鬥力最強，是主力兵團。

可是在南北向的津浦鐵路上，除了駐在隴海與津浦交點之馮治安兵團兩個軍之外，另外只有孫元良、李彌及劉汝明三個兵團，各兩個軍。此種把主力兵團由東向西，沿著隴海鐵路作出一字長蛇陣的排列，便是期待敵軍自北向南進攻也。

此已是題外話了，在此要指出的，即是一九三二年制定的「全國防衛計劃」乃是蔣先生的一貫思想。反而是一九三六年制定的三個指導原則，對蔣先生來說是一個新的思維，是「外來思想」。

3. 一九三六年是要放棄平原地區，主動誘敵深入去西北及西南山地決戰。而一九三二年則是敵人打到哪裏，我們就在哪裏抵抗，完全是被動的。

因此，在比較這兩個全國防衛計劃之後，對研究抗戰史的同好們來說，下一個問題是，在此四年之中，即從一九三二到一九三六年，包括蔣先生在內，我國軍界在全面抗日的大戰略設計方面，為什麼，也是怎麼樣才會有如此重大的戰略思想改變呢？

目前我正與一批同好們在著手撰寫一部抗戰史，在相互討論這個命題時，我發現大家可以分成兩派主張。與我看法相同的人，認為一九三六年所制定的抗戰三個指導原則是由蔣百里上將所創議；與我意見不同者，則認為此三原則乃是為國府服務的德國顧問群，先後以塞克特上將與福根豪森元帥為首，向蔣先生提出的建議。

主張出自蔣百里之手者，認為在實行此三原則之細部規劃方面，必須是深知中國戰史之史例，以及熟悉中國山川地理環境者方能看出其關鍵處，此皆非德國顧問之所長也。例如在北路堅守潼關不出，讓日軍無法攻入陝西，以保障四川北部之安全。又如堅守三峽與宜昌之間的石門要塞，以保護四川中路，這都不是外國人容易觀察到的地方。當然，還有一個可能就是蔣百里與德國顧問們是英雄所見略同，曾分別向蔣先生提出己見。

蔣百里曾去德國研軍事，長於德文及德語，又與德國顧問們甚為熟悉，當時他以國防大學或陸軍大學校長的身分，是我國軍事學的權威人士。因此在他與德國顧問們交換意見時，雙方互相影響，甚至蔣百里借德人之口，把他的意見由外銷轉回到內銷，利用遠來的和尚會念經的心理去向蔣先生建言，也是可能的。

只是至今為止，我還沒有看到過蔣百里與德國顧問們往來的資料。希望有興趣的同好可一同研究。

至於我個人為何主張是出於蔣百里之手，一方面是因為我對德國顧問群的材料所知甚少，二方面是因為我少年時曾聽聞有關姚琮中將的故事，順記於此。

㈤姚琮代替蔣百里向蔣中正進言之故事

在一九三六年十二月的西安事變中，蔣百里遭遇過兩個階段的差別待遇。事變初起時，蔣百里與其他被捕的軍政要員一起被拘禁在新城招待所，成了階下囚。張學良在拘禁了蔣中正先生後，屢次想與蔣先生談話，都被其嚴斥，深以為苦。

張將軍乃延請蔣百里為座上賓，把他從新城招待所請回自己家中居住，並說服蔣將軍作為說客去向蔣中正先生代言。西安事變和平結束後，蔣中正先生回到南京，蔣百里也隨之脫險。

父親在一九五〇年代告訴我，自西安事變後，蔣先生對蔣百里心中有了芥蒂，誤會他當初是偏向張學良者，因而頗為冷落蔣百里。此時蔣先生身邊的幕僚群有一位姚琮中將，出身保定軍校，是蔣百里的得意門生。父親說蔣上將有關改變日軍進攻武漢的軸線之建議，便是由姚將軍代為向蔣先生進言。

父親會告訴我這個故事，是因為姚將軍常來我家作客。我當時只是一個中學生，父親並不是在灌輸或培訓我有關中日抗戰史的資料或研究，只是隨口講講我見到的姚老先生之生平大事而已。❼但這

❼當時先外祖錢倬（逸塵）先生是一個小型社交團體「九老會」的會員，姚將軍也是，其他還有于右任、賈景德、陳含光、張昭芹等一共九位老先生。一九五〇與六〇年代，其成員們是限於七十歲以上者才能參加，到了一九八〇年代父親參加時，改為限於八十歲以上者。九老會每人每個月輪流作東一次，因此每九個月就有一次會輪到先外祖在我家請客，姚將軍便會來參加。只見他笑容可掬，完全看不出是位宿將。父親說，姚將軍出自名門，不但是詩文高手，而且寫的一手宋人黃庭堅書體的好字，是蔣中正書法的代筆者之一。

段有關姚琮中將代替蔣上將進言之故事，因為我在蔣中正日記中並沒有找到這一類佐證，目前只能說是待考了。

㈥蔣中正在軍事方面主導

一月三十一日國府遷都洛陽，蔣夫婦、林主席、汪院長及一批要人，包括馮玉祥在內，從浦口搭車，經過徐州、開封等地，於二月二日到達洛陽。自此之後，一直到二月十二日，蔣再回到徐州，十三日回南京。

臨行之前，蔣與何應欽、顧祝同、朱培德等將領會面，面授機宜。離開南京北上後，蔣則用電報與前線諸將領聯絡，予以遙控，不過蔣中正日記並沒有提起這些電報的往來。

如前文所述，二月十二日於徐州獲得汪院長之授權後，蔣才在十三日回到南京，公開出面指揮作戰，其日記說：

二月十三日　星期六：

> 上午到浦鎮（浦口），與敬之（何應欽）、真如（陳銘樞）談話，主張滬事和緩，勿使擴大，以保國家元氣。

二月十四日　星期日：

> 上午入京，在陵園會客，決定警（衛）軍全部加入（作戰），如倭軍無和平誠意，不肯退讓，則與之決戰。以此意轉告外交當局，令其自動決定方針也。

也就是說，二月十日到達上海的第五軍（即警衛軍）此時尚未全部投入參戰。請注意，二月十四日到十六日之間，便是日本「上海派遣軍」在植田謙吉中將率領下，以兩個師團之兵力，大約四萬餘人，登陸上海之時間，也就是前文所說淞滬戰役第二階段開始之時。此即在第一階段戰事中，蔣先生多為住在洛陽，利用電報去遙控戰情。

㈦自一月二十八日到三月二日的戰鬥經過

一二八事變是由日本海軍鹽澤幸一少將所挑起。日軍初戰失利時，日方仍設法讓海軍來處理局面，由日本本土增調數百名海軍陸戰隊到上海支援，仍然不見效。日方乃在海、陸兩方面增兵。

在海軍方面，日方以長江艦隊為主力，組成了新編第三艦隊，在鹽澤原有的十艘軍艦之外，另外加派了四十二艘，以野村吉三郎中將為司令官。這是變相處分了鹽澤少將盲動開戰之罪責，剝奪他在上海地區海軍作戰部隊之最高指揮權。

至於陸軍方面，日方曾兩次組成「上海派遣軍」，每次各有兩個師團，皆是由日本政府內閣決議後下令從日本本土派出。不過在兩次派兵時，各師團皆未全體出動。此因各師團本來在日本本土皆有駐守之地區，必須留下留守部隊，以及一些支援性的單位並未渡海遠征。

日本的一個常備師團在編制上應有兩萬四千人，四個師團則為十萬人。可是因為並非全部出征，所以在戰史上對日方兩次出兵的總兵力記載，至少有兩種說法，即在七萬人到十萬人之間，再加上數千名海軍陸戰隊，及五十二艘軍艦船上的海軍人員，本文中則大略估為十萬人不到。

一九三二年日本常備師團共有十七個，其中有一個常駐台灣，兩個常駐韓國，四個常駐中國東三省，即在其本土只有十個。一二八事變中，日方出動了其中的四個，不可謂之不多也。

承戰史專家周珞先生提供雙方之作戰經過如下，我先抄錄於此，在下文中則與蔣日記相對應，再擇取若干述之。[8]

一月二十八日，日方之陸戰隊二千多人，亦使用英製之裝甲車，以進攻我閘北守軍，日方失利。

一月二十九日，日本航空母艦之艦載機出動，轟炸上海華界市區，炸毀我國之商務印書館等民間建築。

今日，蔣先生任軍委常委，下令十九路軍全軍挺進上海，南京之防務交由屬於中央軍的原警衛軍之八十七師及八十八師接防。（按：此二師部隊是蔣的嫡系，只聽命於蔣者。）

一月三十一日，日第三艦隊開赴上海助戰。

二月一日，日艦炮轟南京，八十八師（俞濟時師）請命赴上海抗日。

二月二日，日軍攻吳淞炮台，我方守軍為十九路軍翁照垣旅，雙方血戰。

二月四日，軍委會頒布「全國防衛計劃」。

二月五日，八十八師集中於昆山地區。

二月五日，日本內閣會議議決，派出第一次「上海派遣軍」共兩個師團，以其中之第九師團長植田謙吉中將為司令官。

二月六日，我軍八十七師二六一旅開抵昆山。

二月七日，應陳銘樞上將請示，蔣中正調一營炮兵赴昆山以增援十九路軍。

[8] 周珞先生是戰史專家，尤其精研中日雙方在作戰時所使用的武器與裝備。此處所述一二八事變雙方戰鬥之大要，即為周兄所提供，在此言謝。周兄本行是土木工程專家，系出名門，其祖父是武漢大學創辦人周鯁生博士，為國內外極負盛名的國際法專家。

二月七日，蔣中正調第一師（胡宗南部，由河南省南下）及第七師（王均部）赴上海以增援十九路軍。（可是在三月二日戰事結束時，均未及參戰。）

二月十三日，日軍之混成二十四旅團偷渡蘊藻濱及曹家橋一帶。（按：此即日方之第一次上海派遣軍之先鋒部隊開始登陸上海地區。）

二月十四日，我八十八師及八十七師合組成第五軍，由張治中將軍出任軍長，參戰。並由十九路軍之蔡廷鍇軍長統一指揮。❾

二月二十一日，調第十四軍（衛立煌部）第十師（李默庵），第八十三師（蔣伏生）入浙，第十八軍（陳誠）由贛州增援上海。❿

二月二十二日，我第五軍在上海廟行鎮會戰中擊破日軍之第九師團，第二階段之滬戰結束，中勝日敗。

二月二十三日，第九師（蔣鼎文）集中杭州以增援上海，此亦為中央軍，今日，日本政府閣議增派兩個師團赴上海，是為第二次「上海派遣軍」，以白川義則大將為司令官。

❾ 此即在文中所述二月十四日蔣日記所說的「決定將警（衛）軍全部加入」之命令已實施也。但此處戰史之記載頗有混淆之處，即第五軍及第十九路軍之防線布置，有些史籍如《蔣總統秘錄》之記載為十九路軍在右翼、第五軍在左翼，可是依照後文，即：日方在三月一日迂迴我左翼之側背是擊破十九路軍之陣地。依我軍撤退之路線去看，因為第五軍是撤向杭州市，第十九路軍則是撤向嘉定及昆山一帶，我認為我軍之布陣應該是第十九路軍在左翼，第五軍在右翼。總之，待考。

❿ 此等皆為中央軍，而陳部自江西調來，當是蔣把「剿匪」之部隊轉用於抗日。在三月二日上海戰事結束前，這些增援部隊尚未趕到前線。

三月一日，日本第二次派遣軍登陸長江沿岸之瀏河口，迂迴我左翼之十九路軍陣地之側背，蔡廷鍇軍長乃下令全線撤退。日軍攻取上海市區，戰役結束，日勝中敗。

在一二八事變之戰鬥中，我軍參加戰鬥的為十九路軍（三師共三萬三千人）與第五軍（兩師共兩萬兩千人）。日軍在陸地上為海軍陸戰隊數千人及陸軍四個師團（海陸總兵力在七萬人到十萬人之間）。至於雙方傷亡人數，目前我查到的資料有兩份，互有出入，併記於此。

《蔣總統秘錄》之記載為，中方死亡人數：十九路軍一千四百十三人、第五軍一千五百六十七人、其他死亡合計四千零六人；負傷人數合計為七千七百零六人；平民死亡一萬一千餘人；失蹤及負傷為四千三百多人；毀壞民宅一萬六千戶。日方日軍死亡為

張治中部第五軍趕赴淞滬參戰。

五百九十一人；負傷為一千一百七十三人。

由蕭如平教授所提供，採自國史館所藏「蔣中正秘檔」之記載為，中方：十九路軍傷亡官長五四二員，士兵八一八四員；第五軍傷亡官長三四九員，士兵五〇二九員。

(八)小結

一二八事變起初是一個小型地方性衝突，當時中日雙方的中央政府都沒有意願在此時此地展開全面決戰。可是在開戰之初，蔣中正誤會日方將要全面進攻中國，乃一面遷都洛陽，一面在二月四日由軍委會頒發了「全國防衛計劃」。到了二月中旬以後，不論在滬之第一階段及第二階段，因為我軍表現優良，乃使日本政府被迫兩次派出「上海派遣軍」，每次兩個師團，赴上海參戰。

此時日本之常備師團只有十七個，駐守本土者為十個，日方派出了其中的四個，已可謂傾舉國之力了。如果中方再予增兵求戰，則日方勢必又得再加派第三次的「上海派遣軍」，即是把五年半後的八一三戰役給提前到一九三二年開打了。

這是中日雙方政府在當時都不予樂見之事，因之在三月二日我軍撤出上海之後，中方不再增兵反攻，而日方亦不再追擊以求擴大戰果，雙方乃予停戰。也就是說蔣中正先生與汪精衛等人力主之「以戰求和」之方略已為奏效，接下去就是雙方如何和談，也就是雙方的較量由軍事轉向外交，而且英美法義四國乃出面聯手干涉矣。

三、和戰之間息息相關的局勢

(一)中方對和戰有兩派看法

一二八事變初起之時，上距九一八不過四個多月，此時中國朝野，不分軍民，皆欲與日本一決雌雄，以雪我失去東三省之國恥。加以在第一階段之戰事，我軍（以十九路軍為主力）表現優良，更使人心振奮，民心士氣可用。

此時中國高層之黨政軍人士可分兩派，今舉例言之：

1. 主戰派：陳銘樞、馮玉祥、李濟琛、孫科等人。

2. 以戰求和派，以蔣中正為首，汪精衛、何應欽等人皆採此種主張。

即蔣先生這一派是主張與日本人打一仗，但目的是為了求和，而不是要打到底。

結果在第二階段，我第五軍在二月二十二日於廟行鎮打了一場硬仗，打敗了日本上海派遣軍之主力部隊第九師團。一時人心更為大振，原來本已是主戰之陳銘樞上將（十九路軍之領導者）等人更加主張乘勝追擊，擴大戰事。這使原本主張打贏了就見好收場的「以戰求和派」更為尷尬的了。

也就是說，一二八之戰在軍事上中日雙方之間的局勢變化，時時刻刻會影響到雙方內部各自在外交方面相互因應之對策。本章即在研究蔣中正先生在此事件中所採取的外交方針，至於因之對其在五年半後於八一三戰役中所採取的外交政策之影響，則在本書中另文予以研究之也。

㈡蔣中正在一二八事變中外交方針的兩個原則

蔣中正處理一二八事變的外交方針可以歸納成兩點，此即：

1. 以戰求和。

2. 邀請國際（英、美、法等）干涉。

此由下述蔣日記可證也：

一月二十八日：

下午往訪季新（汪精衛），與之商談外交方針，確定：

一積極抵抗。

一預備交涉。

彼即贊同。

此即為前文所引述者。此示在開戰當天，蔣中正先生與汪精衛兩人都共同主張我方將要採取以戰求和之原則。在一月二十五日，即此日之前三天，行政院長孫科與外交部長陳友仁已向國民黨中央辭職。蔣先生本人則在前一年十二月二十五日已辭去所有軍政職務，宣告（第二次）下野，此時當然不宜自己出面組閣。因此在上文後接著在日記中寫道：

彼即贊同，並有願任行政院長之意。余再勸之，彼乃允就，晚即開會通過。

此示汪是在與蔣商定解決一二八事變之外交方針為「以戰求和」之後，才答應出任行政院長的。汪內閣新任外交部長為羅文幹先生，政務次長為郭泰祺先生。在中日交涉一二八《淞滬停戰協定》時，郭先生為中方之代表，在五月五日亦為簽字者。

(三)蔣先生成為外交方面局外人之十餘日

一月三十日下午林森（國府主席）、汪兆銘（行政院長）及蔣中正、馮玉祥等國府要人都離開南京，渡長江到埔口，並在第二天，即三十一日坐火車向洛陽進發，國府乃告正式遷都。眾人在二月二日到洛陽。

1.二月三日蔣在洛陽，其日記說：

上午往西站訪汪（兆銘），談作戰計劃與彼我二人中以一人赴浦口指揮外交事，余以余為便，汪或有見解，故余任其自決。

仁按：因為外交權屬於行政院及外交部，汪先生時任行政院長，當然不會輕易交出來。

2. 二月四日（在洛陽）：

今日汪欲赴蚌埠，與之談外交方針，只要不喪國權，不失寸土，日寇不提難以忍受之條（件），則我方即可乘英、美干涉之機會，與之交涉。余反對強硬，致生不利影響也。並明告對日交涉，注意其軍事途徑。

仁按，此示：

(1)此時外交權在汪院長手上，蔣先生只能提出建議。

(2)蚌埠在津浦鐵路上，比洛陽要離京滬靠近些。汪先生是文人，要離洛陽去靠近前線，當然不是為了參與或指揮軍事上之作戰事宜，應當是與雙方外交交涉相關矣。

(3)從一月二十八日到二月十四日，初戰是我方佔優勢，其原因為日方以兩千名海軍陸戰隊與我十九路軍三萬三千人對敵，雖然日方佔了海空軍之優勢，在陸地上卻無法取得勝利。因之我方之民心士氣大為振奮，乃反而對日方強硬起來的了。

(4)此時日方已組成「上海派遣軍」，用了兩個師團（為四萬餘人）的正規陸軍，在二月四日自日本出發，十天後，即二月十四日到上海登陸。

(5)我方此時未必已經偵知日軍此種行動，可是蔣先生的判斷是正確的，即日本外交服從軍事之需求。因此中日外交交涉不能只注意外交方面，而忽略日方的「軍事途徑」，即其軍方也。

(6)蔣先生外交主張之第二個原則在此日之顯露，即「英美干涉」也。

3. 二月十一日（由鄭州往徐州）：

晨接汪電，即乘車由鄭（州）開徐（州），經開封，乃知第二師尚在戰爭也。終日思慮，對日無良法。戰無可戰條件，和亦國人反對，如不戰不和，國家與人民被害，日重一日，此時無人敢主張言和而一味要戰。無智識、無程度之人民，是非不分，利害不明。吾故日治民智之國易，治民愚之國亦易，而治半智半愚、一知半解之國實難，唯有待亡而已。

仁按：

(1)此時一二八滬戰仍在第一階段，即日方之上海派遣軍尚未到達與登陸。內行人如蔣先生，在前引之二月八日之日記所說的，心知肚明，即日方到此時為止，只使用了海軍陸戰隊而未投入其正規陸軍，因此我方實為「戰無可戰條件」。可是到那一天為止，民間只見到十九路軍與第五軍（二月十日趕到戰場）在上海戰場表現優良，卻不知道他們的對手只是兩千名日本海軍陸戰隊。試想以我軍五個師（五萬五千人）去對敵日軍二千人，此還不是其正規軍，日軍怎麼會是我軍之對手？因之國人沉迷在初戰獲勝之狂歡中，「和亦國人反對」的了。所以蔣先生乃有「無智識、無程度之人民，是非不分，利害不明」之三嘆也。

(2)此時乃是汪先生在徐州（即津浦線上），請蔣先生（時人在洛陽與鄭州，即在平漢線上）經開封由西向東，經過隴海線，從河南到了江蘇，去和汪先生會合。此即蔣在二月十一日才從內地的陪都洛陽被邀請轉移到東方比較靠海的徐州，向淞滬戰場靠近。

(3)此示當時蔣先生在外交方面並非當家作主的人。

4. 二月十二日（在徐州）：

上午與季新（汪）談話，彼以馮（玉祥）、李（濟琛）之陰謀為可怪，與外交之艱難為可悲。余以決心為黨國犧牲之精神勉之。並自願赴京負責對軍事、外交處理一切。彼甚贊成。余乃於晚間由徐南下。

仁按：

(1)關於馮玉祥與李濟琛二位上將在此段時期之言行，容我在後文討論之，此處暫且不提。

(2)此即汪先生在自己試過去辦理中日停戰交涉碰壁之後，乃同意把軍事、外交處理一切之權責交付了給蔣先生。

(3)在外交方面，是從二月二日在洛陽蔣先生要求汪授權給他未獲准之後，經過了十天，終於如願。

(4)在軍事方面，這也是蔣先生第一次獲得授權回到南京去負責淞滬戰事。

(5)此即從一月二十八日開戰起，國府在一月三十一遷都洛陽後，一直到二月十二日，蔣先生在外交方面是個局外人，不在決策圈內。而且在二月四日到十二日的這段時間裏，汪離開了洛陽去了徐州，蔣汪之間不曾見面會商。一直要到二月十二日，蔣應汪之電請從洛陽去了徐州商後，才獲得汪之授權以處理一二八相關之軍事及外交事宜。

(四)蔣回南京後即刻出面主持軍事與外交事宜

二月十二日在徐州獲得行政院長汪精衛的授權後，蔣先生乃在第二天，由津浦線從徐州南下，回到南京，並開始出面指揮上海之戰事。蔣日記之相關記載如下：

1.二月十三日（在南京與浦口）：

上午到浦鎮，與敬之（何應欽）、真如（陳銘樞）談話，主張滬事和緩，勿使擴大，以保國家元氣。下午過江，入京，電令蔣（光鼐）、蔡（廷鍇）須全盤計劃確定後，方能總攻擊也。晚宿浦鎮。

仁按：

(1)此為蔣日記在一月二十八日之後，第一次明白記載他對戰場上的將領們下達命令。尤其是蔣光鼐與蔡廷鍇均為十九路軍之將領，並非屬於中央軍張治中的第五軍，此當是蔣中正與十九路軍精神領袖陳銘樞上將先談好後，才去下達此命令也。又：當時我方作戰序列，在張治中與蔡廷鍇兩位軍長之中，是以蔡為總指揮，即由蔡指揮張的。

(2)日軍由植田謙吉中將所率領的「上海派遣軍」兩個師團，於次日，即二月十四日開始登陸上海地區，並且在十六日完成登陸行動。

2.二月十四日　星期日（在南京與浦口）：

上午入京，在陵園會客，決定警（衛）軍全部加入。如倭軍無和平誠意，不肯退讓，則與之決戰。以此意轉告外交當局，令其自動決定方針可也。

仁按：此示：

(1)即警衛軍（第五軍）雖在二月十日已趕到上海戰場，至十四日尚未全部加入作戰。

(2)外交當局（指外長羅文幹與次長郭泰祺等人）與蔣先生並非密切配合。在此段時期中，蔣日記並沒有召見他們的記載。

3. 二月十五日（在南京）：

電汪（兆銘）回浦鎮議事。

4. 二月十六日（在南京）：

早起過江，與汪（兆銘）商談諸事。馮（玉祥）、李（濟琛）與滬上孫（科）、陳（銘樞）等內外聯合，反對中央也。且主張電令各處挑釁，與日軍艦戰鬥，是義和團為救國辦法，可嘆。下午商定外交方針，仍以一面交涉，一面抵抗為原則。……晚宿浦鎮。

仁按：

(1)關於馮、李、孫、陳等之事誼，請見後文。

(2)此示在外交方面，雖然在二月十二日於徐州獲得汪先生以行政院長身分之授權，但是一直到二月十六日，蔣仍須汪之出面參預，才能指揮得動也。

5. 二月十七日　星期二（在南京）：

上午訪汪後，會客，日間與岳軍等詳談對日問題。今日倭寇忽又欲雙方撤兵，不知其誠偽何如？陳真如（銘樞）之愚詐，誠不可及也。

仁按：

(1)此為張羣（岳軍）之名字第一次出現在這段時期內的蔣日記之中。張先生時任湖北省主席，是蔣的親信，後來在蔣復出之後，成為蔣陣營對日外交的核心人士。

(2)此時日方之「上海派遣軍」已完成登陸動作。

(3)由第二天之蔣日記可知，此次日軍所提停戰撤兵條件為「哀的美敦書式」，提出了我方不可能接受之條件。

6.二月十八日　星期四（在南京）：

上午與各同志商議外交問題，下午會客。據報九時倭寇參謀長田代（晥一郎）與十九路軍代表在中日文化協會，商量撤兵停戰事，及至晚間乃知倭寇所提者為哀的美敦書式之提案。欲使我國廢棄吳淞獅子嶺炮台，殊為可恨。余主張以雙方撤兵以前，不能有任何條件也。汪接余函來會，現不悅之色。

仁按：

(1)此時日方兩個師團（四萬多人）之正規陸軍已登陸上海地區，日本陸軍費時十天從日本本土運來重兵，不打一仗是無法向其國內交待的。可是日方不能片面主動進攻，破壞當時已有之休兵狀態，乃提出一個無理而且必然將被我方拒絕之要求，以謀重啟戰端。

(2)日方此時沒有預料到的是從十九日打到二十二日，日軍在廟行鎮與我軍決戰，其進攻又為失敗。

(3)由此段日記可知，當時我方有兩個陣營，即：

①強硬派，他們主張打就打到底，絕不與日方妥協，以陳銘樞（率領十九路軍）為代表，其成員包括馮（玉祥）、李（濟琛）、孫（科）等人。

②中間派：以蔣先生為代表，主張「以戰求和」，先打一仗，打勝後才退後談和。

因此在日軍提出無理要求，中日勢必打一仗的情況下，汪接蔣函來開此決定和戰之會議時，「現不悅之色」也，即汪是希望就此停戰言和的了。也就是說同為「以戰求和」，蔣比汪的戰意要濃厚些，此即在要戰勝到何種程度即可退後談和，軍人之蔣比文人之汪要強硬的多了。

7. 二月十九日（在南京）：

上午與汪（兆銘）談話，余主張一面對倭寇抗議，一面對各國亦提抗議，以國際公約為據，對中國不平等條約以倭寇行動為例，應宣告放棄。

仁按：

(1)在日軍增兵四萬餘人之前，上海陸地上的日軍原來只有兩千多名陸戰隊，不足以掀起大戰。因此列強對一二八之戰也採取了坐壁上觀，看好戲的態度。

(2)日本正規陸軍兩個師團登陸上海地區後，使得上海地區不但戰雲密布，而且也使各國在上海之兵力相形見絀。須知這上海除了日本在虹口有租界外，還有法租界、英租界及公共租界（以英美兩國為核心）。況且在三次英日密約之中，長江流域一直是被英國視為其勢力範圍。此密約在一九三二年時雖已廢止，但是習慣成自然，使英國認為日本大軍進入上海，是破壞了列強在該地區之生態平衡。

(3)蔣先生看出了這一關鍵點，乃提出他處理一二八事變在外交方針的二個重點，即：

①以戰求和。

②邀請國際干涉。

亦即在日軍增兵之後，其中第二點（即②點）已為時機成熟而水到渠成的了。

8. 二月二十日（在南京）：

今日以個人名義密問英、美態度，中國決作長期抵抗之意示之。

仁按：

(1)此示當時我國之「外交當局」，對蔣先生之「邀請國際干涉」不能同意，因此蔣先生只能以「私人名義密問英、美態度」，而不能以正常的外交管道為之也。

(2)此即蔣先生在上海地區擴大戰事，以謀國際干涉中日之戰，使中國免於單獨和日方作雙邊談判，要變成多邊談判，以謀取得比較有利於中方之條件，此計謀乃在一二八事件中得逞也。

(3)可是在一九三七年的七七與八一三兩次事變中，蔣先生故技重施卻未能奏效，此相關之討論，本節以篇幅所限，容我在另文以申論之可也。有關七七與八一三的拙作之中，即：

①〈七七事變為什麼不能和平解決〉（見本書第壹編第二章）。

②〈解析八一三戰役的開場與收場〉（見本書第貳編第二章第三節）。

我已對此點稍予說明，在即將另章之中則將之與一二八事變之外交處理方針相互連接，使大家明瞭蔣先生在一九三二年的一二八事變與一九三七年的七七與八一三之中，其所採用的「以戰求和」之方針是吾道一以貫之的了。

9. 二月二十二日：

今日警衛軍（第五軍）第一、第二師（即八十七師與八十八師）在廟行鎮擊破倭第九師（團）之主力，擊斃其三千餘人，俘獲三四百人。從此士氣已穩，陣腳已固，非敵增加三師以上兵力，不能擊退我軍也。……已令第一師（胡宗南部）動員南下。

仁按：

(1)此即此次會戰之第二階段結束，日軍敗績，而且是由中央軍之第五軍建功者。

在第一階段，即日軍援軍到達上海之前，是由我十九路軍與日方之海軍陸戰隊交戰，我方勝利。但是當時我方之十九路軍有三師（三萬三千人），日方之陸戰隊只有兩千多人。

在第二階段，日方增兵兩個師團，其中的第九師團為建制之常備師團，是其主力，因此派遣軍司令官由此師團之師團長植田謙吉中將出任。至於另外一個師團是為了因應此次作戰需要，臨時編組而成的，是由第三、第五、第十二及近衛各師團的一部分拼湊而成的。日本的兵役制度是依照各地戶口去徵兵編組部隊，也就是說與我國的兵制相同，即各部隊在正常情況下是由同一地區出身之兵員組成的。在我國自清末便有湘軍、淮軍、楚軍等名稱，入民國後則有湘、桂、晉、粵、浙、滇、川等軍系，這都是由此等部隊官兵的省籍而得之稱號。日本則有大阪部隊、東京部隊等等稱呼。因此，這次日本上海派遣軍的兩個師團之中，主力當為第九師團，另一個由四個師團中各取一部而臨時編組之師團，不但缺員甚多，兵力不足，且其戰力當不如久為建制之常備師團的第九師團也。此外這兩個師團的編制當為各有兩萬四千人，然派赴上海者皆為不足額也。

(2)因此在二月二十二日，我第五軍擊破了日本第九師團之後，這次一二八事變的第二階段乃告結束。按我軍第五軍下轄兩個師，當為兩萬兩千人。

以我軍兩萬兩千人去打敗日本正規陸軍兩萬四千人，這真是一個令人刮目相看之戰績。無怪乎蔣先生在這篇日記中之喜出望外，洋洋自得也。

(3)日本內閣在第二天，即二月二十三日決定再行加派第二次的「上海派遣軍」，以曾任關東軍司令官的前陸相白川義則大將為司令官，率領第十一師團及第十四師團再次增援上海戰區。

日軍建制的師團長為中將軍階，大將則是「軍司令官」的階級。因為把兩次「上海派遣軍」加起來有了四個師團，而且其中的三個，即第九、第十一及第十四都是常備師團，因此必須派出一位大將軍階的司令官以便指揮這三個中將軍階的師團長也。當時日本全國的常備師團只有十七個，此兩次派出了三個，加上那個臨時雜拼成的一個（其成員仍是由另外四個常備師團中抽調而得者），在這次一二八事變中，日本陸軍出動了其常備兵力的十七分之四，大約為十萬人不到。如前文所述，如果扣去派駐在本土之外的七個師團，只以日本本土來說，這兩次「上海派遣軍」已佔了其常備兵力的十分之四也。

(4)我軍則為十九路軍三個師（三萬三千人）與第五軍兩個師（兩萬兩千人），加起來六萬人不到。因此當第二次日方援軍趕到上海之後，我方除非也相對應大量增兵，否則以現有之兵力去對抗，當為必敗者也。

(5)蔣先生在此篇日記說，除非日方增派三個師團，無從打敗我軍，其估算並不差太遠。只是他增派之援軍為第一師（胡宗南師），加上原有的兵力為六個師，即六萬六千人，比起日軍四個師團（十萬不到）仍為相形見絀矣。

10. 二月二十三日　星期一（在南京）：

我警衛軍八十八師（即原中央警衛軍第二師，師長俞濟時少將）以新練之兵，竟能耐此重大之損失，固守廟行鎮，得到最後之勝利，固為可嘉。而旅長錢倫體以下，死傷官兵二千餘人，幾損失兵力三分之一，亦可觀矣。第十九路軍總以為未足，而自誇其勇，是武人尚未脫驕氣也。嚴電警衛軍（第五軍）與十九路軍團結一致，不可稍生意見，果能做到，可喜。

仁按：

(1)我方兩個軍協同作戰，主力決戰雖然發生在第五軍的防區之廟行鎮，可是友軍之十九路軍亦必須能固守其陣地，如果日軍突破了十九路軍之防線，則將迂迴我第五軍之背部，如此則廟行鎮也就一定守不住了。

(2)所以一二八的廟行鎮會戰是我方全體將士合力打勝的，事後外間的風言風語，各有立場去指三道四，把功勞全歸其中二者之一，在我看來，都是紙上談兵的外行話。當時二者之中只要有一方不盡全力去抗敵，我方全線就會垮下來，另外一方的友軍豈能奏功？

(五)戰勝之後我方和戰之爭執

二月二十二日的廟行鎮會戰中，我軍告捷之後，我方決策層乃有不同之反應。此時日方第二次的上海派遣軍需要在六天後才能到上海參戰，因此我方乃有喘息之時間去考慮下一步是和還是戰。

蔣中正日記：

二月二十四日（在南京）：

終日臥床，苦病。

（汪）精衛、（何）敬之、（陳）真如等來談。余仍欲以原定方針，決戰勝利以後，亦即退，以交涉途徑進行。以先示弱與和平之意，而準備仍以抵抗到底也。陳銘樞、李濟琛反對此意，若輩亡國誠所不恤，只圖一己之權利與虛榮，可嘆。但余決心與日持久抵抗，使日寇不能休戰也。

仁按：

(1)因為打贏了第二階段的戰事，強硬派的陳（銘樞）與李（濟琛）當然會主張擴大戰果去進攻上海的日軍。而中間派即本來主張「以戰求和」的蔣先生反而要「退後」，改「以交涉途徑進行」，也就是見好收場。

(2)我不同意蔣先生對陳及李之批評，我認為這是他們雙方對中日國勢與交戰情況的判斷不同。陳與李認為此時中國可以與日本全面攤牌，而蔣則認為「戰無可戰條件」。也就是說，中國的第五軍及十九路軍在二月二十二日聯手打敗了日本的第九師團，贏了一場戰役，可是中國的國力已經足夠強到可以打敗日本而取得全面戰爭之勝利嗎？

顯然，蔣先生與陳、李、馮（玉祥）等人在此時，對這個問題的看法是不同的。

我認為雙方的幾位都是愛國抗日的民族主義者，以他們一生的事跡，與後來在八年抗戰中間各自的表現去看，他們之中沒有一個人是「投降派」的漢奸。可是在一九三二年的此時，這兩派各為主和與主戰者，哪一派的主張是正確的呢？我個人認為蔣先生的看法是對的，當時中國的國力並不夠去和日本全面作戰的，當然這只是我個人的看法而已。而且一如前文所述，如果按照一九三二年頒布的「全國防衛計劃」去實施全面抗戰，把雙方主力決戰定位在隴海鐵路一線，期待日軍自北向南進攻，在黃淮平原上中日展開決戰，我判斷中方必敗。因之在一九三二年的一二八事變中，中方不予把戰事擴大，以後見之明去看，我認為蔣中正先生的主張是正確的。

此後，一直到三月一日，日軍第二次「上海派遣軍」登陸之後，大約有五六天的時間，中日雙方在上海是不戰不和的局面。

三月一日，日本登陸長江沿岸的瀏河口地區，向我軍左翼陣地之側背迂迴，並擊破我十九路軍之防線，我軍乃在三月二日退出上海地區。至此時戰事乃以日方獲勝而告結束，以後則是在英美法義四國出面干涉之情況下，中日兩國經由外交途徑而談和。

當時的情形是，只要不是日方獲勝，不論是雙方打成平手的僵局，或是中方獲勝，中國政府因為民心之抗日，是不可能去達成和議的。也就是說蔣先生以戰求和的決策，是要在打贏後就退後以求和，此計之難以實現便是在華軍打贏了以後，國人更不肯退讓以求和的了，這就是二月二十二日廟行鎮之役我軍獲勝之後的局面。

因之，除非中國要像八年抗戰一樣打一個全面的抗日戰爭，否則一二八事變要和平收場，只有一個可能，就是日軍獲勝的了。

可是這一次在一二八事變中，蔣先生「以戰求和」的策略之所以能夠奏效，在華軍戰敗之後，日軍不予追擊是因為：

①日方知道華軍仍有續戰之能力，華軍雖敗，仍未潰散，戰力仍在。

②日軍駐上海之將領服從天皇之命令，在獲勝後適時停止戰爭。

可是在一九三七年的八一三戰役中，這兩點都不存在。

四、一二八事變期間蔣馮之間相互批評之分析

(一)蔣中正與馮玉祥離合之簡述

蔣中正與馮玉祥兩位將軍在一九二八年北伐成功之後，義結金蘭，成為結拜兄弟。

當時國民政府只有四個集團軍，如下列：

1. 第一集團軍，總司令蔣中正（即中央軍）。
2. 第二集團軍，總司令馮玉祥（即西北軍）。
3. 第三集團軍，總司令閻錫山（即山西軍）。

4. 第四集團軍，總司令李宗仁（即廣西軍）。

一九二八年七月六日，四位總司令及國民黨要員們一起在北平西山碧雲寺孫中山先生之靈墓前祭告北伐成功，此時是這四大軍系合作之蜜月期。隨後這四個大軍系展開一連串的內戰，肇因於戰勝後需要裁減軍力。蔣先生主政的國府乃提出編遣計劃，要從全國總兵額兩百萬人以上減留為八十個師（一百二十萬人），而各軍系為了自保，乃先後舉兵與蔣先生的中央軍抗爭，大致如下：

1. 一九二九年二月桂系舉兵，五月兵敗，李宗仁、白崇禧二位上將出國，桂軍退保廣西省。

2. 一九二九年九月在湖北宜昌之張發奎軍（粵軍）有異動，十月西北軍攻入河南，十一月中央軍收復洛陽

北伐時期的蔣中正（中）與馮玉祥（左）、閻錫山（右）。

（河南），張發奎軍亦自湖北退回廣東。

3.一九二九年十二月唐生智部（湘軍）在鄭州叛變，第二年一月，唐敗退下野。

一九三〇年春，三、四月間晉軍（閻錫山部）、西北軍（馮玉祥部）共同擁護汪精衛（國民黨改組派）起而反抗南京之國民政府（由蔣中正先生任主席）。

因為閻馮與汪結合，這次中原大戰並不是像其他的國民黨各軍系之間的內戰那樣，只是純粹的軍事衝突，在政治方面，也有了以汪領導的政治勢力，藉著閻馮的武力支持，去挑戰蔣在國民黨的「法統」地位也。

中央軍及閻馮軍乃展開中原大戰，閻馮軍合計在八十萬人以上，其中西北軍則有六十萬。此時西南方面，李宗仁、張發奎之桂、粵軍亦起而響應閻、馮，率兵攻入湖南，陷長沙而進窺岳州，至七月方被中央軍擊退而回到廣西之桂林。

自一九三〇年五月起之中原大戰，雙方各自出動數十萬之兵力，血戰成為平手的僵持局面，至九月十八日，東北軍在張學良率領下入關，進入華北去支持中央軍，閻馮軍乃戰敗。汪精衛出國，閻、馮下野，各自交出兵權。

這是在一九二八到一九三〇年之間，蔣中正與馮玉祥這兩位上將由結拜兄弟變為反目成仇，一度爭鬥到你死我活的經過。

一九三一年的九一八事變發生之後，國府取消了對閻錫山與馮玉祥兩位上將的通緝令，不久之後，在十二月裏蔣先生第二次下野。後來在一九三二年一月二十九日，即一二八事變發生後的第二天，蔣先生與馮玉祥同時出任國府軍事委員會的常務軍事委員，此時兩人為平起平坐。到了三月十八日，蔣先生乃獲任為軍委會之委員長兼參謀總長，而馮玉祥則出任副委員長。

即到了一九三二年蔣、馮兩位又成為面和心不和的同事。

馮玉祥上將死於一九四八年，即在一九四五年抗戰勝利之後，及一九四九年內戰結束之前。當時馮先生以國府水利部長之身分赴美國考察，歸程取道歐洲，乘坐俄國郵輪行經黑海途中，於欣賞電影時，因失火而被燒死。這場離奇的意外事件，至今猶為一個謎案。

蔣先生則在一九七五年逝於台灣台北，比馮將軍晚了二十七年。

在一九三〇年中原大戰中雙方反目成仇之後，終馮將軍一生，他對蔣先生迄無好評。俗語說的好，「相罵無好言」。下文先記述蔣、馮兩位在一二八事變的那段時間內，雙方有關於對方的言辭，再予評析。

(二)一二八事變期間蔣日記寫到馮玉祥的六條記載

我先逐條抄錄自一九三二年一月二十八日起，到五月五日為止，蔣日記中提到馮玉祥將軍的六條記載，並予評析。

一月三十一日蔣馮兩人同搭火車，從南京對岸的浦江，經過徐州與開封而到洛陽。蔣日記並未寫出馮的名字為同行者，而馮在其著作中則記載了兩人同車去洛陽之事。

仁按：

(1)馮玉祥關於遷都洛陽的評述，可見其《我所認識的蔣介石》之三十一頁。他說：

> 蔣介石的辦法是一面破壞十九路軍的抗戰，一面準備逃難，他決定遷都洛陽。

(2)關於「破壞十九路軍的抗戰」之指控，容我在後文評析之。在此我先研究一下，蔣先生主張遷都洛陽是否為了他個人要「逃難」的呢？

(3)在攻取上海市華界之後，日本東京軍部及上海派遣軍之人員都有人主張擴大戰果，去進攻南京。可是派遣軍司令官白川義則大將遵照昭和天皇之密令，乃停止戰事。由此可見蔣在當時主張遷都洛陽，並非杞人憂天，庸人自擾之事也。

(4)可是這並非表示蔣之遷都是為了他個人要「逃難」，想遠離上海戰場。相反的，在一月三十一日離開南京，二月二日到達洛陽之後，蔣本人在二月三日即在洛陽西站向汪院長提出要求，讓他回南京去負責外交事務，而被汪婉拒。此後一直要等到二月十二日應汪之召請，蔣從鄭州去徐州赴會，在此會面中，蔣再次要求回南京，並獲得汪之授權回南京去處理一切軍事及外交事宜。蔣則在十三日即從徐州南下去南京，並且在三月二日滬戰結束之前，蔣本人一直留在南京。由此可證，蔣之主張遷都洛陽並不是為了他本人想遠離南京的了。

下列為蔣在此期間的日記中有關馮玉祥的記載：

1. 二月三日（在洛陽）：

又與任潮（李濟琛）談計劃，命令中應注意人事，如馮（玉祥）出，則各軍必恐不安，何能禦敵耶？五時又與汪談話，並對馮勸告。

仁按：

(1)此處不論在背後談到馮先生，或是當面向之「勸告」，蔣在日記中並無任何對馮有不敬或攻擊之語氣。以此與馮筆下對蔣之用語去相比照，可見此二人風格與器度之不同也。

(2)在近代史中，各軍系之將領每有多次得失起落之經歷，舉其大者，蔣中正曾下野三次，其餘如閻錫山、李宗仁、唐生智、陳濟棠等等皆然。可是只有馮玉祥將軍在一九三〇年中原大戰後離開了西北軍，終其生，十八年內一直不得重掌軍權。在此期間，他舊部西北軍之屬下，武將官至集團軍總司令或文職做到省主席者，前前後後共有宋哲元、秦德純、韓復榘、孫桐萱、劉汝明、張自忠、馮治安、孫連仲、鹿鍾麟等等，真可謂之所在多有，可是其中竟然沒有一人歡迎他回到軍中去，這真是一個值得研究的題目。其實後來在八年抗戰期間，蔣先生曾兩次委派馮先生去擔任戰區司令長官，其目的都是希望他去管理舊部，以便督促他們抗日。可是兩次都沒有奏效，馮先生在任都不能長久，原因是其舊部皆不願意接受其領導也。

由這一段日記中，蔣先生對李濟琛上將所說的：「如馮出，則各軍必恐不安，何能禦敵耶？」真是點出了馮先生難以東山再起的主要原因；即在他御下太過嚴厲，他的舊部都怕他的了，只有對他敬而遠之也。馮先生不能自知此短，反而一直責怪蔣先生排擠他，乃對蔣多有怨言矣。

試想，蔣的敵將如閻錫山、唐生智、李宗仁、白崇禧、陳濟棠等等，在一度失勢後都各自能夠東山再起，重掌兵權，難道是蔣先生對此每一次都是樂觀其成的嗎？並非如此，這是因為他們每一個人都有其得軍心之道，所以他們個個才得能重新掌權，其中有些案例並非蔣所樂見，蔣也拿他們無可奈何的了，只有忍之也。

我認為馮先生之在失去兵權後，不得再回西北軍，其主要原因並非在於蔣先生之大力排斥，而是其舊部望之生畏也。

2. 二月七日　星期日（在洛陽）：

友人來電，均以不增加援隊於上海相責難，乃知反宣傳之大，必欲毀滅余歷史，使余不得革命也。孫科在滬自設政務委員會，擅置部長，運動十九路（軍）反對中央。且藉其兵力赴杭，組織政府，其肉誠不足食也。馮玉祥造謠欺詐，唯恐不亂，如不除害群之馬，實無以立國也。

仁按：

(1)此時中央正在重新編組成軍以援救十九路軍，此即第二天在二月八日組成，並且於二月十日趕到上海參戰的第五軍，下轄兩師，共兩萬兩千人，由張治中將軍擔任軍長。

(2)此二師中八十七師原來為警衛軍第一師（師長王敬玖）、八十八師則為警衛軍第二師（師長俞濟時），皆為中央軍之精銳部隊。

(3)孫科、馮玉祥等軍政要人對第五軍馳援十九路軍當為知情者，卻還要在外間攻擊蔣先生不派軍援助十九路軍之抗日，蔣先生乃怒斥之為「造謠欺詐，唯恐不亂」的了。

(4)當時滬戰還在第一階段，日方之第一次上海派遣軍要在七天之後才趕到上海登陸。以十九路軍三萬三千人去對抗日方兩千餘名海軍陸戰隊，在兵力上已佔優勢。

只是我軍在械備上不但比不上日軍，而且日軍佔了海空軍的優勢，可以用轟炸及艦炮射擊去支持陸地作戰，由下文可知，十九路軍向中央要求支援的是一個炮兵營，而蔣先生亦立予支持。

我方因此一時並不需要在人員上去派援軍，而是要得先在戰略上決定是和還是戰，如果要與日方決戰，才需要增兵一舉去消滅這批日本海軍陸戰隊也。

(5)十九路軍是廣東部隊，孫科是中山先生之長子，也是廣東人。自從蔣中正這位浙江人出掌軍政大權之後，國民黨中的廣東人，不論是文士如胡漢民、汪精衛、孫科等人，或武將如陳濟棠、張發奎、陳銘樞等上將對蔣先生皆為心中不服者也。

(6)十九路軍及孫科、李濟琛、馮玉祥等人在此時都是主戰派，他們結合在一起，不論是支持孫科在杭州另組政府，或在上海之力主決戰，都是在與「以戰求和」的蔣先生與汪精衛等人大唱反調也。

3. 二月十二日（在徐州）：

上午與季新（汪精衛）談話，彼以馮（玉祥）、李（濟琛）之陰謀為可怪，與外交之艱難為可惡。余以決心為黨國犧牲之精神勉之，並自願赴京負責對軍事、外交處理一切。彼甚贊成，余乃於晚間由徐（州）南下。

仁按：

(1) 此日為蔣先生獲得汪精衛行政院長之授權，由洛陽回去南京以「負責對軍事、外交處理一切」，此即蔣先生得以重回南京之日也。

(2) 馮玉祥與李濟琛主戰，對「以戰求和」的蔣與汪來說，都是異類。

(3) 兩天後，即二月十四日，日方之第一次上海派遣軍到達上海，滬戰進入第二階段。

4. 三月二十四日：

馮玉祥來電，赴泰安養病，其必又要造反也。

仁按：此時上海戰事已告結束。

5. 四月八日：

……反動派如何處置，對國主派、孫（科）、陳（銘樞）、馮（玉祥）、閻（錫山）派、共產派、官僚派（研究、交通、安復各系）、輿論與金融各界，軍隊如何整理，反側如何安置？廣東如何掌握？改（組）派如何感化？皆應確定方針。

仁按：

在三月十八日蔣先生出任軍委會委員長，結束了第二次下野，在此東山再起之時，蔣對重掌軍政大權之後的工作對象列了一個清單，馮玉祥將軍也名列其中。同為中原大戰的敵將，馮只列為個人，而閻則加了一個「派」字，含義不同矣。此示，蔣已瞭解馮將不得重回西北軍，即馮此時已無「派」可以供其領導也。

6. 四月十四日：

觀察近情，上海和會如果解決，反動派馮（玉祥）在魯（山東）叛變，胡（漢民）逼陳（濟棠）在粵叛變中央之（陳）炯明第二。……閻（錫山）逼張（學良）下野，如此閻（錫山）、馮（玉祥）據北平，叛逆亂中樞，胡（漢民）陳（濟棠）據兩廣，反動聯合，在滬造亂，此為可能之事，如不預防，必有近憂，何以防之？唯在攻守與進退，以及和戰而已。」

仁按：

(1)此為蔣先生心目中當時最壞的打算（Worst case Analysis），此等狀況並未出現。不過由這篇日記可以觀察到蔣先生心目中的敵人名單。

(2)馮在山東泰安，蔣認為「其必又要造反也」，以上述之日記去看，蔣是擔心馮（玉祥）與閻（錫山）聯手，以九一八失土有責之罪名逼迫張學良下野，進而佔取華北，即把一九三〇年中原大戰之結局翻轉過來的了。

以上六條是蔣日記在一二八事變中寫到馮玉祥將軍者，由此可知蔣知道馮在外間「造謠欺詐，唯恐不亂，如不除害群之馬，實無以立國也。」可是蔣先生一直下不了決心，沒有「除害群之馬」，終馮將軍一生，蔣都下不了手。

即使馮在泰安隱居讀書，蔣始終認定「其必要造反」，而且頗為擔心他與閻錫山再度聯手奪取華北，可是明知如此蔣仍下不了手，他這種性格與毛澤東先生去明爭暗鬥，焉得不敗呢？

在一二八到七七之間，在一九三五年的《何梅協定》之後，東北軍的于學忠部與駐守北平的中央軍之兩個師（黃杰師與關麟徵師）都被日方逼迫退出了河北省。華北的軍政大權是由宋哲元的二十九軍（西北軍）及閻錫山之晉軍分別掌控。此即把馮玉祥換成了宋哲元，蔣先生在一九三二年四月十四日所擔心的華北局勢已然出現。因之，蔣先生在一九三七年的七七事變後，立刻派遣四個師的中央軍北上保定，便是要打破這個局面也。不過蔣先生所派出的四個師都是第二中央軍的部隊，即是由中央所收編的地方部隊，此為孫連仲部隊（原西北軍）、高桂滋師（原東北軍）及龐炳勳軍團（原西北軍）。此舉當是蔣先生要安山西軍及二十九軍之軍心，以示蔣先生在七七事變之際，並無意願要進取華北也。

㈢蔣中正與十九路軍之間的複雜關係

前節已引述馮玉祥上將對蔣的指控說：

> 蔣介石的辦法是一面破壞十九路軍的抗戰，一面準備逃難，他決定遷都洛陽。

有關「逃難」部分的指控，我已在前節予以證明為誣告，現在來研究一下馮將軍的另一項指控，即在一二八事變中，蔣先生曾否破壞十九路軍的抗戰？此可分成人與事兩方面去討論。

從人的因素去看，十九路軍的指揮系統是：

1. 最高層為軍委會委員兼防衛區副司令官兼京滬警備總司令陳銘樞（真如）上將，下轄
2. 十九路軍總指揮蔣光鼐將軍，下轄
3. 十九路軍軍長蔡廷鍇中將，下轄
4. 三個少將師長。

此與參戰的中央軍第五軍之指揮系統去比照，即為：

1. 最高層為軍委會常委蔣中正上將，下轄
2. 軍委會委員兼軍政部長兼防衛區司令官何應欽上將，下轄
3. 中央軍校教務長兼第五軍軍長張治中將軍，下轄
4. 兩個少將師長。

在這個對照表中，雙方的最高層即蔣中正與陳銘樞兩位上將，除了各領參戰的一軍之外，也各有其政治關係與和戰之主張。

蔣先生是浙江人，主張「以戰求和」。

陳銘樞是廣東人，主張全面抗戰。

國民黨中的廣東人，不論右派的胡漢民或左派的汪精衛對浙江人的蔣中正在黨中崛起，都很吃味。而蔣對黨內的廣東人之排外，喜歡搞小圈圈的地方主義也很感冒。

其次同為廣東人的陳銘樞及前行政院長孫科兩相湊合，為了主張全面與日開戰，陳以武力支援孫在杭州另組政府，擅派部長，與蔣及汪大唱反調，使蔣在日記裏一再大罵陳是陳烱明第二，還要食孫之肉，真是咬牙切齒，痛恨不已。

可是真正在上海作戰的雙方將領，是前述第三及第四階層的十九路軍與第五軍的兩位軍長與五位

師長們。他們彼此之間並沒有高層的政治恩怨以及主和主戰之不同。他們身在戰場，只能同心合力去打勝仗，因此才締造了二月二十二日的廟行鎮會戰，我第五軍擊敗日本派遣軍主力第九師團之佳績。

前引蔣二月二十三日之日記說：

……嚴電警衛軍與十九路軍團結一致，不可稍生意見，果能做到，可喜。

即可作為明證，此示蔣先生下令第五軍必須支持十九路軍，而雙方也能團結去打敗日本第九師團。此示蔣先生是知兵者，不會把廟行鎮之勝利全歸功於第五軍也。

也就是說在中央軍與十九路軍之間，在最高層的領導人之間因為政治恩怨，彼此之間是有悲歡離合，可是在戰場上作戰的全軍官兵則無此等分際的。

以上是就「人」的因素言之，以下則就事論事。

此次滬戰可分三階段。即以前述者，在第一階段為自一月二十八日至二月十四日，我軍主力為十九路軍三萬三千人，以之去對敵日軍海軍陸戰隊兩千人，在兵力上佔了絕對優勢，吃虧的是械備不及日軍，以及日方有海空軍助戰。

在此階段，蔣先生對十九路軍的支援，是應其要求，派遣了一個炮兵營去上海助戰，詳見下文。仁按：此時全中國只有三個此種炮兵營，所以蔣先生答應陳銘樞上將此要求，並非小事的了。另外，在一月二十九日復出後，他即下令中央軍之八十七及八十八師接防南京，使十九路軍得以全軍集合到上海參戰。

在第二階段，為二月十四日至三月一日，此時第五軍已投入戰場。我軍之防線為十九路軍在左翼，第五軍在右翼（關於此點，《蔣總統秘錄》亦有誤記，不知何故。）日軍的第九師團攻堅，採取中央突破之戰術，結果攻不下我第五軍八十八師錢倫體旅在廟行鎮所死守之陣地，反被我方擊破。因之在此階段，十九路軍只是我軍之配角，第五軍是主角，是輪到十九路軍去支援第五軍的了。

接下來的第三階段，即三月一日，日軍第二次上海派遣軍在長江上的瀏河口登陸。這一次日方學取了教訓，不再強攻，而是利用海軍之優勢沿長江上溯，以迂迴我軍之左側背，擊破了我軍左翼十九路軍之陣地，我方之前敵總指揮十九路軍軍長蔡廷鍇中將乃下令全線退卻。此時第五軍在右翼，當然無法改調左翼去作支援，乃向右旋轉，退向杭州。而左翼之十九路軍則向南京方向退卻，退到昆山與嘉定一帶。

在蔡廷鍇下撤退令時，我預備隊第四十七師（中央軍原第一師，師長胡宗南）已開向第一線去支援十九路軍，可是蔡之撤退令已下達，只得也隨十九路軍後撤的了。

所以就戰事的經過來說，十九路軍需要蔣中正先生及中央支援的，是在第一階段作戰中的炮兵助戰，關於蔣先生的因應措施之資料，承蕭如平教授賜告，在此言謝。

在事變之中，蔣對十九路軍支援可分三方面，此即：

1. 令中央軍兩師接防南京，使十九路軍得以全體能結集於上海地區。

2. 第五軍之組建。

3. 調一營炮兵支援。

今依當時各參預其事的將領之間的往來電報，簡述如下，即：

1. 關於組建第五軍赴上海參戰之事宜：

二月一日張治中電蔣介石請示，以軍校學生援滬。（按：張當時為軍校教務長）

二月三日蔣介石覆電張治中，囑其請示何應欽。

二月五日張治中請示何應欽。

二月六日何應欽請示蔣介石可否以張治中率第八十七、八十八師援滬。（請注意，此非當時張所建議的軍校學生）

二月八日蔣介石電覆何應欽：「中甚贊同，希即委任。」

仁按：此時蔣在陪都洛陽，何在南京，張在蘇州中央軍校。

2. 關於派遣一炮兵營赴滬參戰之事宜：

二月七日陳銘樞（防衛區副司令官）電請朱培德（參謀總長）、何應欽（防衛區司令官及軍政部長）請調一營炮兵支援。

二月八日朱培德電蔣介石請示是否可派炮兵一營援滬。

二月八日蔣復電：「准照拔，已電何部長調山炮一營歸十九路軍指揮。」

以上則是就「事」去看蔣中正支援十九路軍的經過。

四小結

由蔣日記去看，蔣是把馮玉祥當作敵人，一個「勢必又要造反」的「害群之馬」，但是蔣並未對馮本人口出怨言，或加以污辱性的描述，相比起馮在文章裏所加諸蔣的責罵，蔣的為人是要寬厚得多。

以本章中本人對一二八事變的研究，我認為馮將軍在其大作《我所認識的蔣介石》中，對蔣先生所加的指控，即：

1. 蔣破壞十九路軍之抗日。

2. 蔣主張遷都洛陽為了他要「逃難」。

都是誣賴式的指控，並非事實。

此外，馮將軍在該書中每每喜歡以小故事去感動讀者。我認為以他的位階之高，在討論軍國大事的時候，應該要從全局去作論評與分析，那種小人物的瑣碎小事，賺人同情或眼淚，是不應該成篇累章地去一寫再寫的了。我認為作為一個國家級的領導人，馮玉祥上將的器度及見識都是不夠格的了。

五、結論與感言

(一)本文未及評析之處猶多

在本文中我分別評析了蔣中正先生在一二八事變中，於軍事及外交兩方面所扮演的角色，並且解釋了馮玉祥對蔣先生所提出來的兩項指控，都是錯誤的誣控。

下面的論題則為：

1. 在一二八事變中，蔣所主張的外交方針：擴大戰事，以戰求和，一面抵抗，另一面則為邀請各國干涉，「以戰求和」之計奏效。此種經驗在蔣中正於一九三七年處理七七事變及發動八一三戰時的影響何在？

2. 《一二八淞滬停戰協定》內容對中國的利弊何在？以及為什麼蔣先生在一九三七年處理中日衝突時，仍然想要故技重施，仿效此協定的呢？

3. 蔣先生在一九三二年三月十八日獲任軍事委員會委員長兼參謀總長，亦即結束了第二次下野而東山再起之後，他所採取的行動，即：

(1)組成他在軍事、外交、特務等方面的幕僚群，亦即廣求人才的一番努力。

(2)由其二次下野「失敗」的經驗，使他本人領悟到在「沒有組成小團體之前，不宜重掌政權」。因此蔣先生在此段時間內成立了力行社（即後來團派之核心小組），與在教育界授權陳立夫招賢取士

（即形成CC之前奏）等事宜，對國民黨及中華民國政壇之影響，實為深遠。此甚至到了一九四九年遷台以後，晚至一九八八年蔣經國先生去世，貫穿兩蔣時代，方才煙消雲散也。

以上各點只是舉例言大者。如果細讀一九三七年三、四、五月的蔣日記，讀者當可發覺第二次下野以及九一八與一二八兩次事變，對蔣先生在思想與行事方面之影響，實為重要的了。不過以上所舉之各個論題的分量，各自皆可以為之寫一專文，本文已覺冗長，在此我只是點出這些命題來，作為拋磚引玉而已。

㈡蔣先生不能多用直言之士

在一二八事變期間，蔣先生在軍事方面，因為上海戰區是他的地盤，以及參戰的十九路軍及第五軍在作戰方面皆聽命於他，因此不論在二月十三日以前於洛陽之暗居幕後，到二月十三日回到南京後之登上台前，他都是我方作戰的指導者。

可是在外交方面，他始終不能說了就算，這使他領悟到必須加強這方面的人才培育，以便他本人能掌控對日之關係。以他在這段時期的日記去看，他將要重用的對象為張羣（岳軍，時任湖北省主席）以及蔣作賓（雨岩）兩人。後來在蔣先生繼汪精衛出任行政院之後，張出任外交部長，蔣作賓則任駐日公使。以後見之明之說，史實證明此二位都不是諤諤之士，而是完全聽命於蔣先生者，非諍臣也。這是蔣先生用人的風格所致，也是他的一個重大缺點，就是他不能多用直言之士。在蔣先生身邊，一個人最多只能做到「機諫」，而難當面犯其鋒芒也。

在閱讀蔣先生於一九三二年的一二八事變期間的日記，讀到了他當時廣納人才，招賢取士的各篇記載時，因為他所提到的各人，多為我少年時所知或所曾拜見者，以今已所知他們各人日後在蔣先生手下仕途之起伏，與當時為蔣先生識拔時個別所獲之評鑑去作比照，真是令我感慨萬千，因為此非本文之主題，遂在此不多言了。

㈢俄日之間誰是中國的第一號強敵？

一二八事變造成了蔣先生之東山再起，亦即九一八迫使蔣先生第二次下野，而一二八又使得他重掌軍權。也就是說他當時的「先安內後攘外」的政策，在九一八之後使他成眾矢之的，因之下野。可是發生在他地盤中的一二八之戰，又非得由他出面才能調得動軍隊並且指揮這些軍隊去打仗。日本之步步侵略中國，對蔣先生來說，真是「成也蕭何，敗也蕭何」的了。

在我看來，蔣先生的「先安內後攘外」之政策，並不能僅僅看成國共內戰，而是在他心目中，俄共與日本這兩個中國的強敵，對中國的威脅及中國分別與他們相互之間的利益衝突，孰大孰小、孰重孰輕、孰先孰後之選擇。亦即國人當時多以日本為第一號強敵，而蔣先生則以俄共為深入骨髓之害，日本只是肌膚之病。

中國身處俄、日兩大強鄰之旁，從晚清的李鴻章之海防與左宗棠之塞防兩種主張之爭論起，一直到今天，中國在國防上之假想敵仍為此兩個強鄰，而且在二者之中孰輕孰重，仍無定論，更何況是抗戰之前的中國呢？

解析八一三戰役的開場與收場

一、前言

中國八年抗戰的第一槍是在七七事變時打響的，可是造成中日全面戰爭的是八一三淞滬戰役，從七月七日到八月十三日，只相差了三十七日。

因為國際對七七事變的反應冷淡，而中國政府在蔣中正委員長的領導下堅決拒絕與日本單獨談和，一心要求英、美等國家參預談判，以調停中日戰事，並且希望各國保證和約之實施，所以蔣先生乃在八月十三日派兵攻擊上海日租界之駐軍，希望重演五年前四國調停一二八中日戰役之故事。結果中日雙方在上海血戰了三個月，一直打到十一月八日國軍撤出上海戰場，並且全軍崩潰、踉蹌大敗為止，而蔣先生所盼望的國際干涉則始終沒有實現。

這是雙方傾全力以赴的大型決戰，我軍在抗戰初期便將中央軍的全部打擊兵團，即二十個德式裝備之整編師投入此役，而且損失殆盡，戰史學界對此之批評甚多。本文之宗旨在說明：

1. 這是一場戰略正確，但是戰術有錯誤的戰役。

2. 蔣先生過於期望爭取國際干涉，因此犯了兩個重大戰術錯誤：

(1) 把戰場擺在上海市區打巷戰，使得我陸軍暴露在日海軍八吋艦炮之射程內，蒙受了重大損失。

(2)在十月二十八日及十一月五日兩次拒絕前線將領之請求，沒有及時下令撤退，以致錯失戰機，造成了我軍之潰敗。

3.至於戰史學界所指責的，也是蔣先生在戰役結束後，我方在河南開封所召開的軍事檢討會議中自責的，即他在兵力分配上忽視了我軍右翼，因此被日軍乘虛而入。我不同意這個說法，將在本節中詳加分析。

中外研究八一三戰役的論文甚多，對此三個月戰事的經過，我並沒有特殊而且新穎的見解，因此在本文中不多贅言，只是著重於其開場與收場。我既沒有實戰經驗，也非職業軍人，本文只是一個喜歡研讀戰史者的書生之見，紙上談兵，寫出來以供大家參考而已，敬請指教。

二、戰略正確而戰術犯錯的八一三淞滬戰役

(一)七七與八一三的相互比較

七七事變是日本挑起來的，八一三之役是我方主動攻擊而造成的，這兩個事件的性質與規模大不相同，茲製成下表予以說明，使大家明瞭造成八年抗戰的真正原因是八一三之役，而不是七七事變。

	地點	日期	使用兵力	傷亡人數
七七事變	北平附近，戰事並未涉及北平城內。	起於一九三七年七月七日，終於同月二十八日北京失陷，為期二十二日。而且是打打停停，邊談邊打。	開戰時，日方為天津駐屯軍一個旅團加一個炮兵聯隊，大約五千人。結束時，日軍已增兵兩個師團以上，合計約五萬餘人。開戰時，我軍參戰兵力為二十九軍一個團（吉星文為團長），結束時我軍為二十九軍兩個師。	不詳

八一三之役	備註
上海及其附近，戰區包括上海市之日本租界及華界。	兩地一北一南，相差千里以外。
起於一九三七年八月十三日，終於同年我方在十一月九日下令棄守上海。為時大約三個月，血戰不斷。	
開戰時，日方駐上海之陸戰隊為六千人。其後屢次增兵，結束時，日方在上海戰區使用二十五萬人，金山衛戰區則為十萬人，合計為三十五萬人。我方在開戰時使用中央軍兩個師，約兩萬餘人，其後亦屢次增兵，在結束時，總共使用九十多個師，總兵力七十五萬人。	此即七七事變是由日本天津駐屯軍之中下級軍官所挑起來的。八一三之役則是我軍委員命令張治中上將所指揮的八十八師（師長孫元良）與八十七師（師長王敬玖）主動攻擊日軍所挑起來的。
日軍約五萬多人，華軍約二十五萬多人。	

(二)戰略正確而戰術有錯誤的八一三之役

戰史學界對八一三之役的正反兩面批評都有。陳誠上將是我軍方面力主此戰役為正確之措施的主張者。他的著眼點是在因為這個戰役，使日軍進攻武漢的軸線從對日方為應有的由北向南，改為對日方大為不利的沿著長江由上海由東向西打。此即八一三之役的戰略目標是正確的，我同意此論點。可是我們即使同意這個戰役的大戰略是正確的，我方在戰術上是不是有錯誤呢？我認為仍然是可以商榷的。

對八一三之役我方的表現提出批評者則指出：

1. 我軍選擇上海市區作為戰區是個錯誤，此因其多在日軍八吋艦炮射程之內，使我陸軍損失慘重。

2. 我軍把中央軍的主力打擊兵團——二十個由德國顧問所代訓及裝備的整編師，加上相當於一個軍的德式裝備之教導總團，全部投入此役，而且損失殆盡。此有違我國在抗戰中打持久戰之原則。

3.我方在中央及左翼布置了六十多萬兵力，在右翼只有兩個集團軍（大約十二萬人不到），而這兩個集團軍之間還隔了租界，我軍無法通過。因此在日軍登陸金山衛（在杭州灣）時，我方的守軍只有劉建緒集團軍（四個師外加直屬部隊，不到六萬人），無法抵擋日本的第十軍（約十萬人）。

4.我軍撤出上海時可以說是毫無次序之大潰敗。

在詳細討論與分析之前，容我先予指出：

1.我方之所以不予後撤，要在上海市區作戰，是想重演一二八之役的故事。希望因此迫使英、美、法等國為了保護自身在上海的經濟利益而出面干涉，以調停中日停戰。結果在三個月的大戰中，此事終未實現。

淞滬戰爭德式裝備的中央軍。

這是一個非軍事性的因素，若純就軍事眼光去看，我軍是應該後撤至日本八吋艦炮射程之外去和日本陸軍決戰的。

2.我軍在開始挑起戰事的時候，只使用了兩個師（即兩萬兩千人）去攻打日軍六千人。到三個月後戰役結束時，我軍總共投入九十多個師，約七十五萬人，而日軍則投入三十五萬人。即平均每個月我方增兵二十四萬人，日方增兵十二萬人。

由此可見，雙方都是陷入泥淖之中，皆為欲罷不能，互相不斷增兵而脫身不得，戰事乃節節升高也。因之此時我方把中央軍之主力打擊兵團全部投入，是因為不得不以之應對日方投入之主力師團。

3.關於我軍在右翼兵力空虛之事，雖然蔣中正先生在戰役之後，於開封召開的檢討會議中自認此為大錯。我不同意，容在後文研究分析。

4.我軍後撤時之潰敗，確為訓練不足，指揮錯誤。數十萬大軍忽然後撤，平時既無訓練，而且各部隊又分屬不同的軍系，怎麼會不亂成一團呢？這確是一個值得檢討與批評的大錯。但是造成此大錯的原因之一是在我軍前後兩次錯失了及時撤兵的機會，此為蔣中正先生所應擔負的責任，至今少有論者提及，詳見後文。

㈢一二八淞滬戰役的經驗

在討論八一三之役之前，讓我們先稍為討論一下一二八之役。

不論在政略與軍略兩方面，我方在八一三之役之中都是想故技重施，重新上演一場一二八之役的故事。在政略上，我方希望因為在上海市區作戰，迫使英、美、法等國來干涉調停中日戰事，並且把華北及華東之戰事一併予以解決。在軍略上，我方則是加強左翼，以防阻日方沿著長江溯江而上去迂迴攻擊我方之側背。這兩點都是吸取了一二八之役的教訓所得到的經驗。

不過這兩場戰役有兩點不同之處，即：

1. 一二八之役是日軍挑起的，八一三之役則是我軍挑起的。因此對國際來說，一二八之役是日本侵略我國，而八一三之役則是我方片面撕毀《一二八淞滬停戰協定》，進入日本租界去攻擊日本之上海駐軍，日方反而是成了自衛。由於這一點不同，再加上歐洲此時不但深陷於經濟大蕭條之苦境，而且因為納粹德國之崛起而戰雲密布，在上海有租界的英、法等國遂無意也無力來干涉中日戰爭了。

2. 在一二八之役時，日軍使用了十餘萬兵力，我軍則是十九路軍加上中央軍第五軍（兩個師），大約五萬多人不到。可是在八一三之役時，我軍使用了七十五萬人，日軍則為三十五萬人，因之規模要比一二八之役宏大的多。

有關一二八之後的評析請見本書第貳編第二章第二節〈由軍事及外交去看蔣中正在一二八事變中的角色——兼評馮玉祥之誣控〉，在此我只是簡述之可也，並試著去澄清一個誤傳，即在一二八之役中，我方參戰的兩個部隊，屬於粵軍的十九路軍努力抗日，而屬於中央軍的第五軍則消極抗日。這是不了解戰場實況，不懂軍事者的外行話，應予澄清。

日本自明治維新以來，便有海軍與陸軍之爭與積不相容，蔣百里上將曾經說過：「日本陸軍是世界之強，海軍也是世界之強，合在一起就不是了。」這是深知當時日本國情者之名言也。

大致來說，這是因為日本特殊的藩閥傳統之作祟。長期以來日本陸軍是由長州藩士所控制，而海軍則為薩摩藩士所控制，此兩藩素不相容，有其歷史上之恩怨。更因為日本陸軍是以德為師，而海軍則以英為師。英德兩國之立國精神與建軍文化皆為迥異，這就造成了日本陸海軍之軍中文化乃為南轅北轍，因之彼此長期輕視對方也。總之，就是因為日本陸軍與海軍之間的這個奇怪又特殊的競爭心態，才會造成了一二八事件。一九三一年的九一八事變，使日本陸軍的關東軍在中國的東北立了大功。這就使其海軍眼紅，乃於一九三二年在上海挑起了一二八之戰，也想立功。

我駐上海守軍為廣東部隊之十九路軍乃立即奮起應戰，此時國府採取了下列步驟，亦即：

1.立刻宣布遷都洛陽，此因首都南京距離戰場上海太近。

2.蔣中正委員長急令駐在蘇州之張治中將軍率領第五軍（下轄八十七師與八十八師）馳援上海。

3.我方判斷在上海擁有租界之英、美、法等國家，為了其本身的利益，不會願意上海成為戰區，也不會樂見日軍佔領上海，必然會出面干預戰事，調停中日休戰也。

在軍事方面來說，我方因為一二八之役而獲得的經驗是，將來在上海發生的戰爭裏，對我方而言，必須加強左翼。此因上海面臨黃浦江與長江，以我軍之陣線去看，我軍陣地的右面，即北臨黃浦江與東向杭州灣之間的地區是租界，中日雙方都會盡量不把戰事擴散到這個方向，以避免引起國際糾紛，因此日軍之攻擊都是沿著長江去溯江而上，以迂迴我方之左翼。這個經驗使中日雙方在八一三之役裏，都是加強長江方面之戰事。

再者，我還要釐清一個坊間的誤傳，即一二八之役是十九路軍在抗日，而中央軍的第五軍不積極抗日。

因為在一二八之役，我軍的布置是第五軍在右翼，十九路軍在左翼，由於上述地理狀況的限制，成為十九路軍防區的日軍之攻勢遠比第五軍來得劇烈得多，所以會得出中央軍不積極抗日的印象。

在八一三之役，我軍的右翼軍總司令是張發奎將軍，他的集團軍與當年的十九路軍一樣，也是廣東部隊，不但不是中央軍，而且從北伐開始，便是一貫支持左派的汪精衛先生，與蔣中正先生是敵對勢力。並且張將軍一生抗日，他是連中共都予尊敬的抗日英雄。在他的回憶錄裏，張發奎將軍自言，在八一三戰役中的三個月裏，他的防區幾乎沒有發生戰事，他成了個袖手旁觀者。由此可見，在一二八之役，張治中的第五軍不是不抗日，而是戰場狀況使之不如十九路軍打得多也。

㈣八一三會戰是我方主動挑起

一九三二年的《淞滬停戰協定》限止了我國正規軍不得進駐上海，一九三五年的《何梅協定》規定了中央軍要退出河北。

一九三七年的七七事變後，我方派中央軍四個師進駐河北保定，撕毀了《何梅協定》，因之造成七七事變不得和平解決，使華北戰事擴大。請參見本書第壹編第二章〈七七事變為什麼不能和平解決？〉，在此不贅。

至於上海方面，蔣中正七月二十八日日記說：

> 政府應照既定決心，如北平失陷，則宣言自衛，與對倭不能片面盡條約之義務矣。

第二天，北平即告失陷。

此即我方公開宣言，不再對日本片面盡條約之義務，這當然包括了前述的《一二八淞滬停戰協定》在內。日方對此並未產生警覺，因為從甲午戰爭起，到此時為止，中國從來沒有向日軍主動攻擊而挑起大型會戰之先例，所以當八月十三日我方進攻時，日方在上海之駐軍仍然維持六千名海軍陸戰隊之狀態，並未向上海增派正規陸軍。

我軍打了日軍一個措手不及，一直攻到虹口日租界的匯山碼頭，若非日軍有艦炮的支援，以及我方何應欽軍政部長之暗中阻擾（詳見後文），我方真可以把這六千名日軍趕到江水裏去。

以現已問世的資料去看，八一三之役不但是我軍挑起的，而且是久有蓄謀。在一二八之役結束之後，我方已有準備在上海再打一仗，其準備重點為：

1.以張治中將軍為首，在蘇州成立了一個預備中心。因為張將軍是陸軍官校教育長，所以這個單位對外是掛在軍校名下的。

2.由德國顧問負責：

(1)訓練及裝備了我中央軍二十個師。不過在八一三開戰時，其中只有六個師的建軍完成，且以德國之標準去看，都只是輕裝師。其餘十四個師則仍在建軍過程中便已投入戰場了。

(2)在上海與南京之間，構築了兩道鋼筋水泥的永久防線，横跨長江與太湖之間，即「吳福」與「錫澄」兩道防線。在八一三開戰之後，蔣先生命令教導總隊在德國顧問監督下，去加緊趕工以完成吳福線的炮兵陣地。（在二〇一四年內，據洪小夏博士賜告，她曾去實地參觀這兩條防線的陣地，只見堡壘雖已做好，彼此之間的坑道卻沒有完成。也就是說在一九三七年，這兩道防線是無法使用的了。）

在八一三之役，我軍退出上海之時，這兩條防線完全來不及啟用，沒有派上用場。可是我軍因禍得福，這是因為：

①我軍自上海潰敗，已失去建制，大軍毫無次序，一時無法再產生有效的抵抗。

②在十一月初退出上海時，我軍並沒有配置二線兵團以駐守這兩條防線，而是把各要塞及碉堡等防禦工事之鑰匙交給保甲村里長代為保管。等到上海兵敗的消息傳出來時，這些地方鄉紳逃命要緊，聞風先遁，於是我前線敗軍退到防線時，已不得其門而入。

③日軍追擊甚速，即使有鑰匙，我軍亦來不及臨時布防。

④不過這使我軍反而減少了損失，因為日本在杭州灣登陸的第十軍經太湖區域去攻佔位於南京之長江較上游地區。如果我方利用這兩條防線去阻擋日軍從上海向南京之進攻，反而幫助了

日方有更多的時間去完成以南京為袋底的大口袋，把我自上海撤退的數十萬大軍一網打盡。因為我方不能利用這兩條防線阻擋日軍的追擊，我方自上海撤出之大軍乃分四路轉進，此即：

1. 有一部分退入南京城，在南京失守時與城同殉，被日軍殲滅。（據交通大學之程兆奇博士賜告，宋希濂將軍在被中共釋放後所寫的回憶錄，說當時南京守軍為七萬人。仁按，其中一部分為上海撤回之敗軍。）

2. 其他則：

(1) 一部分渡長江北上，向徐州方向集結。

(2) 小部分則向南方旋轉，穿隙脫出日本第十軍之包圍圈，此多為原來配屬於我右翼軍之廣東部隊。

(3) 大部分向安徽、浙江、江西之邊境方向退出。

(五) 謝幼田與陳素農的證詞

在蔣中正日記裏，並沒有記載是他下令張治中挑起八一三戰役的，卻有蛛絲馬跡可尋。不過在查證此點之前，容我先說三個小故事。

吾友謝幼田兄是四川人，今在四川大學任職。大約在寫作此節文章的三年前，謝兄曾面告我一個故事。

在八一三之役即將開戰之時，他家是住在上海市的華界。謝兄的祖父謝持先生是國民黨元老，屬於西山會議派。謝老先生是一個堅強的民族主義者，所以在上海不願意住在租界裏。在八月十二日，他們的四川同鄉孫元良少將，時任第八十八師師長，打電話給謝持老先生，向他通報說：「明天就要打仗了，您老怎麼還在上海？」幼田兄說，他祖父乃率領家人乘汽車急忙離開上海趕去蘇州，走得匆忙，連在園子裏曬著的衣被都來不及收走。

試想，如果不是我軍主動攻擊，孫師長怎麼能在開戰的前一天就預知此事的呢？

仁按：八一三之役開戰時，孫師長所率領的八十八師，就是張治中上將帶領進攻日軍的兩個師之一，另一為王敬玖將軍的第八十七師。不過在半個月後，王將軍即升任軍長，該師由其副師長沈發藻少將升任師長，繼續在上海作戰。沈將軍的公子湘生兄也曾告訴我，他的父親晚年在台灣曾告訴他，八一三之役是由我軍挑戰，進攻日軍所引起的。仁按：在一九四九年遷台之後，黃埔二期出身的沈將軍曾出任中將陸軍副總司令，其時總司令為孫立人上將。

此外，最直接的證詞則來自下述陳素農中將的回憶錄。按陳將軍畢業於黃埔軍校第三期，在八一三開戰時，擔任八十八師的參謀長，在引用下述陳素農將軍的原文時，括號中的文字是筆者加上去的。

> 我最高當局（意指蔣委員長中正）為打破（日本）此種蠶食政策，毅然決定進攻上海日寇陸戰隊根據地（虹口日本租界），淞滬抗日戰爭就此開始。
>
> 當時八十八師，駐防京滬沿線，師部在無錫惠山，八月十二日晚十時，突接南京張治中（軍長）長途電話，命令師即行出發上海。適師長（孫元良少將）已回上海家中，只好以參謀長職位，下達全師出發。

在此處鉛印本這段文字後面，陳素農將軍用手寫了「十三日拂曉攻擊，日海軍陸戰師重創敗退回艦。」這一段文句。

據陳將軍之公子陳光渝兄面告，這是因為陳將軍鉛印本回憶錄成書出版時，台灣尚在戒嚴時期，此段史事與官方的正式說法不符，真相尚不能明白印出來也。接下去的鉛字本為「十三日大戰揭幕，……」也就是說，陳將軍手寫的一段話，明明白白寫出了是國軍主動先行攻擊日軍的真相，八一三是中方挑起來的。

其實知道《一二八淞滬停戰協定》的內容者當為明白，當我正規軍進入上海市，就是違背了這個經由國際保證實行的停戰協定，我方即使不先開打，日方也將會有理由開打的了。也就是說，當八十八師全副武裝穿著軍服開進上海市，就是我方要去打日租界的了。陳將軍手寫補充的那一段文字，只是更加明白說出此事而已。

㈥蔣中正日記中的蛛絲馬跡

自七七事變到八一三之役，蔣先生在日記中有關我方要在上海發動戰爭的訊息所在多有，可是在八月十三日那天，他並沒有提到是我方挑戰的事實，只寫了下午六時，日軍進攻我方。這些眾多的記載，可分下述各類：

1. 長江流域敵我雙方之布置。

2. 若日方佔領北平，我方為了自衛，不應片面遵守國際條約，意即要撕毀《淞滬停戰協定》，派正規軍進入上海。

3. 徵調全國各省軍隊出動。後來在八一三之役所使用的九十多個師，是匯合了全國各省的軍隊，連四川、雲南、廣西等地都派軍遠道前來參戰。

4. 在開戰前下令堵塞吳淞口，以阻撓日本海軍之行動，可是此事終未實現。

蔣先生日記在這方面的文字太多，在此只選擇一些我認為重要與相關之記載，提供給大家參考。

1. 七月八日：

預定：

四、令長江沿岸戒嚴。

仁按：此為七七事變第二天。

2.七月二十日　星期二：

注意：

五、倭寇之弱點：

乙、志在華北局部，而不敢擴大。

仁按：此即敵之不欲，乃我所欲，我方是要把戰事擴大，不僅是在華北作戰，以攻敵之弱點。

3.八月三日：

注意：

一、留何在京，何如？敬之尤為怯愚也。

仁按：此時蔣先生既然要在上海開戰，則南京終將失守。以此可知，他當時對何應欽（敬之）上將的厭惡，竟然已經一度到了想把何將軍送給日軍去當俘虜的程度，真是令人吃驚也。

據我所知，蔣先生在一九四九年大陸易手時，也一度意欲把胡宗南上將送入中共之虎口，乃嚴令當時已到了海南島之胡將軍飛回西康去。

蔣先生在這兩件事之如此用心，不但令人心寒，也值得研究與分析。

4.八月四日：

軍事能代表研究者，辭修也。外交能代表謀略者，岳軍也。

仁按：當時國軍高層中有兩派，主和者是以何應欽上將為首；主戰者則以陳誠上將為重鎮，而陳將軍在前一年（一九三六年）十月的洛陽會議中已力主在上海開戰。

5. 八月七日　星期六：

一、敵放棄漢口，是其對長江有避免作戰之意乎？

6. 本週反省錄：

三、倭寇駐漢海軍與租界撤退，此其畏我長江有備，不敢挑戰之表示乎？

7. 八月八日：

注意：

一、漢口倭軍之果然撤退，其長江各埠海軍亦撤退，是表示其不在長江作戰之意，而集中以後再行進攻之意少也。

8. 八月十日（當天在廬山）：

注意：

一、倭寇戰略，其必先攻察、綏，然後再南下乎？

仁按：此時蔣先生判斷，日方在七七事變之後，只志在取得華北，並無意在南方之上海開戰，這是一個正確的敵情研判。因此我方挑起八一三之役，確是打了一個奇襲，使日方措手不及。

9.八月十一日（在廬山）：

注意：

一、倭寇長江艦隊與倭僑全撤。

二、決心封鎖揚子江口。

三、下午聞倭艦隊集中滬市，且有八大運輸艦到滬，預料其必裝載陸軍來滬，故決心封鎖吳淞口。晚乘民生艦回京。

仁按：結果揚子江口（吳淞口）並未封鎖，我判斷是上海地區有人反對。而且日軍在此時亦並未增派正派遣陸軍增援上海。兩天後，開戰時，日方在上海之兵力即為原有之海軍陸戰隊六千人，並未增派正規陸軍來上海也。

10.八月十二日：

預定：

五、問張文白準備程度。

六、戒勿急操啟釁。

十一時到京，查吳淞口尚未實施封鎖。

仁按：此為開戰前一日，蔣先生先前幾天乃故示悠閒，遠去廬山，並在當地召見英、美大使，以鬆懈日方。張文白即張治中上將，他是第二天督軍進攻上海之主將，由此條日記可知八一三之役是我方挑起的了。

在此先插入十一月十七日日記之後的本週反省錄之一條文字如下：

乙、誤信張治中，以為巷戰與奪取虹口之準備皆已完成。……

仁按：由此可見在八月十二日「問張文白準備程度」後，得到肯定與正面的報告，蔣先生才下令進攻的。又參考前文所引時任八十八師參謀長陳素農將軍之回憶錄，張治中軍長是在八月十二日晚上十時向八十八師下達開進上海市華界去進攻日租界之命令的。

11. 八月十三日：

用戰術去補充武器之不足，用戰略去補戰術之缺點，置敵於被動。……

下午六時後，（倭）陸海軍向我上海市中心猛攻，未逞。

仁按：這天日記起首的那一段話，就是我軍挑起上海戰事的基本策略。此處蔣先生隱瞞了一個事實，即是我軍先行攻擊日軍，在下午六時日軍乃予反擊。設想一下，如果是日軍先攻，怎麼會在下午六時天將要黑時方才發動攻擊的呢？為什麼不能等到八月十四日早上再開打，而是非得在十三日黃昏就動手呢？

㈦陳誠建議擴大淞滬戰事

蔣先生在挑起了八一三之役之後，是不是一開始就準備傾舉國之力去和日本打一場大戰呢？如果是的話，為什麼在開戰時只出動了兩個師？而在三個月後戰役結束時，卻總共投入了九十多個師、七十五萬人之多呢？如果要大打出手，為什麼一開始就不多派些軍隊去進攻呢？

我認為至少在開打時，蔣先生並沒有下決心去打一場大仗。他的目的只是要在上海打仗，把戰事從華北牽引到南方來，希望重演一二八之役的國際調停而已。

此由陳誠上將之證詞可知。在其回憶錄《抗日戰爭》上冊有文曰：

八月十六日，偕熊主席天翼（式輝）赴滬視察，那時滬上抗戰部隊是第九集團軍的八十七及八十八兩個師，集團軍總司令是張治中。敵軍登陸部隊已經被我包圍，不過我軍兵力仍不敷分配，預備隊也很少。我覺得這種戰法與「十則圍之」的原理不合，因提議將三十六及九十八兩師加入攻擊，先將敵方陣地中央突破，再向兩方席捲而掃蕩。十八日晚返京請示，熊天翼於途中說：「我們應商定如何一致報告委員長？」我說：「各就所見報告，可使委員長多得一份參考資料，似可不必一致。」

後來熊的報告是：「不能打。」我的報告是：「不是能不能打的問題，而是要不要打的問題。」委員長要我加以說明，我接著說：「敵對南口在所必攻，同時亦為我所必守，是則華北戰事擴大，已無可避免。敵如在華北得手，必將利用其快速部隊，沿平漢路南犯，直趨武漢；如武漢不守，則中國戰場縱斷為二，於我大為不利。不如擴大淞滬戰事，誘敵至淞滬作戰，以達成二十五年所預定之戰略。」委員長說：「打！打！一定打！」我趁此機會建議：「若打，須向上海增兵。」隨後就發表我為第三戰區前敵總指揮兼第十五集團軍總司令，增調部隊，赴滬參戰。從九一八事變起，我誓願為抗日戰爭效命，至此乃得如願以償。

我的評析如下：

1. 照陳上將的證詞，蔣先生至少在八月十八日時的心意尚未決定，還在考慮我方要不要在上海把戰事擴大。

2.前引八月四日的蔣先生日記曾說：「軍事能代表研究者，辭修也。外交能代表謀略者，岳軍也。」

自七七事變發生以後之中日衝突，到了八一三之役開打之後，我方宜用軍事對付，還是用外交解決，此即中國對日是要戰？還是要和？是蔣先生此時必須作決定之事。

蔣先生對付七七事變以及挑起八一三之役，原意都是要以戰求和。可是如果把八一三之役擴大，就可能變成中日之間的全面作戰，一如後來的發展，造成了八年抗戰，這是與其本意未必盡相符合的，因此他必須慎重考慮。熊式輝上將時任江西省主席，並非帶兵官，蔣先生為什麼要派他與陳誠上將兩個人一齊去上海視察戰場呢？這是蔣先生的用人之道，此因熊上將是政學系的要角，與張羣是同一派系。當時陳誠主戰而張羣主和，可是張羣雖然出身於日本士官學校卻從未帶兵打過仗，所以蔣先生派了熊上將代替張羣去上海觀察戰情。

果不其然，從戰場回到南京以後，兩位上將的報告截然相反。熊反對打下去，而陳則主張要增兵，把戰事擴大。可以相信，熊的報告應當與其他主和人士如張羣是先商量過才交上去的。由蔣先生輕易就被陳誠說服去看，我認為：

1.當時蔣先生雖然一時下不了決心，拿不定主意，卻是比較傾向於陳誠的主張，他也想在上海大打一仗的。

2.他派熊式輝去跑一趟，是做給主和派如何應欽、張羣等人看的，表示他本無定見，也沒有偏聽，這是一個政治性的安撫動作。

3.他要陳誠自告奮勇，請纓上火線去拚命。

由這個小動作可以看出蔣先生是一個很重政治藝術與講究用人之術者。我認為在政治方面，這是蔣先生的一個優點，但是在軍事方面去選將時，過於重視人和，反而成為他的一個嚴重的缺點。

㈧何應欽判斷錯誤以致我軍失去先機

開戰之初，我軍以兩萬兩千人去攻擊日軍六千人，如以當時雙方作戰力一比三去計算，應當有勝算。更且日方之部隊為海軍陸戰隊，並非正式陸軍，其戰鬥力甚為薄弱。

日本的海軍陸戰隊相當於十九世紀英國海軍艦艇上的槍兵，並不是像今天美軍的海軍陸戰隊，是一訓練精良且獨立作戰的軍種。在使用木造船隻的帆船時期，早期英國海軍的這些艦艇兵的任務是當敵我軍艦靠攏到近距離時，用步槍去射擊對方甲板上的官兵，例如英國的名將納爾遜海軍上將當年就是死在法軍槍兵之手的。可是在使用鐵甲軍艦以及大炮之後，軍艦已經沒有機會靠得如此之近，槍兵已無用武之地。日本海軍是效法英國海軍的，仍舊維持了這種舊制的槍兵。在海戰中既然已無用武之地，日本的海軍陸戰隊乃成為擔任基地與碼頭等海軍設施的警衛隊。在二次大戰前，上海的租界是日本海軍的勢力範圍，因此其駐軍乃由海軍陸戰隊擔任，其戰力及裝備都遠不及日本之正規陸軍，其性質大約相當於我國的保安隊。

反觀我國，在八一三開戰時，由張治中上將所率領的八十七師與八十八師都是德式裝備、德式訓練的中央軍精銳，為什麼不能一舉殲滅這六千名戰力不強的日軍呢？

這其中是有蹊蹺的，茲先抄錄蔣中正日記相關的文字，再予分析及評論。

一九三七年十一月五日，日軍在杭州灣之金山衛登陸，我軍乃在九日撤出上海。潰敗之後，蔣先生在十一月十七日之後的「本週反省錄」，對八一三淞滬會戰失敗之總因，作了四點檢討，分為甲乙丙丁。其中丙丁兩項是與張發奎上將有關的，我將在後文評析之。此處先引述甲乙兩項，其文曰：

甲、緒戰第一星期不能用全力消滅滬上之敵軍。何部長未將所有巷戰及攻擊武器發給使用，待余想到戰車與平射炮，催促使用，則已過其時，敵軍正式陸軍已在虹匯（虹口匯山）碼頭與吳淞口登陸矣。敬之誤國實非淺尠。

乙、誤信張治中，以為巷戰與奪取虹口之準備皆已完成。明知此人無用而偏允敬之之保薦，乃得此結果，此實余用人不當之過。誤國誤己，一生事業盡於此乎？

我的評析如下：

1. 何應欽上將時任軍政部長，是我國僅次於蔣中正委員長的掌握實權之軍界人物。他保薦張治中負責發起八一三戰役，率兵去進攻上海日本虹口租界。

2. 何將軍在七七事變發生後，力主和議。可是蔣先生先是在華北拒先撤出北上之中央軍，因之使得中日和局破裂，詳見前文，隨後又在上海挑起大戰，這與何將軍的主和都是相反的舉動。

3. 在八國聯軍時，慈禧太后下令清軍進攻北京城裏的使館區——東交民巷。當時掌握北京與天津兵權的是直隸總督榮祿，負責進攻的是其部將董福祥。榮祿不把火炮發給董軍，使之只能使用輕武器，火力不夠，就打不下東交民巷。因之等到聯軍入城，清軍大敗之時，使館區乃得幸而保全。史家認為榮祿此是明智之舉，因為攻擊使館與傷害外交人員是違背國際公法的不文明行為，即使在中國古代也有兩國交戰不斬來使之習慣，更何況在現代呢？如果董福祥軍攻下使館，盡殺各國外交人員，不但將使中國遺臭萬年，而且中國的賠償將更為龐大。

4. 因為清政府之一度攻擊使館區，故在《辛丑和約》中乃規定各國得在天津與北京，以及兩市之間的鐵路沿線之城鎮，派駐軍隊以保護其外交人員及僑民。這是七七事變時，日本在天津派有駐屯軍，以及日軍能在盧溝橋附近實行軍事演習的原因。

5.我判斷在八一三開戰之時，何應欽上將以及由他推薦出任我方總指揮的張治中上將，兩位都是主和的。在他們心目中，不久之後雙方必然談和，為了減少屆時我方可能要付出的代價，乃效法榮祿當年，不使用戰車及平射炮去殲滅日方的六千名海軍陸戰隊的了。在八一三開戰之前，即在一二八之後，日方已將其虹口租界的日軍司令部構築以堅固的鋼筋水泥樓房，因此我軍只使用輕武器是無法攻下的。

誠如蔣中正在日記中所說明的，等到他注意及此事，下令把戰車及平射炮送到上海前線時，日方增援的正式陸軍已趕到上海，我方因之喪失了殲滅日本上海駐軍的先機。

6.在開戰時，蔣先生先是以戰求和，此舉是為了效法一二八之役，爭取國際干涉，並非一定要打長期抗戰。到了戰役失敗後，蔣先生此時也沒有預估到會再打八年，還以為其「一生事業盡於此乎？」

7.那麼在一九三七年秋冬，中日開始作戰時，我方很少人會料及這場戰爭會延續到八年之久，而且是中國全面抗戰，舉國一致去打的，也是人情之常的了。也就是說，以歷史的經驗去判斷，我方如果有人認為不久之後中日必定言和，應當算是合乎情理的。因此在七七事變與八一三之役的那段時間裏，才會發生了下列的事情：

(1)山東省主席韓復榘為了保全自己的實力，讓路給日軍南下。

(2)上海有人反對堵塞吳淞口，以致蔣中正在開戰前雖然三令五申，而此事終未克實現。

(3)何應欽軍政部長不把戰車及平射炮撥交上海戰區之我軍在首攻時使用。

凡此等等，都是當事人或為公，或為私，有了錯誤的判斷，以為這場戰事即將結束，在打不久的前提下去做出的錯誤決定。

8. 韓復榘被處死刑，而其他犯了類似大錯的人則幸逃法網。至今數十年來，一直無人注意及此。

㈨我軍潰敗原因之評析

現在讓我們來評析與研究八一三戰役收場時，我軍大敗的原因。

首先要說明的，在蔣中正日記中可見，大敗之初，敵情不明。即從十一月八日我軍下達撤退令，全線崩潰，到十一月十六日，在這七八天裏，坐鎮南京的蔣先生與從上海退卻之各級將領，包括陳誠、胡宗南等親信在內，完全失去聯絡，其十一月十六日日記說：

> 電線久斷，消息不通以後，再得通話，明瞭戰情，則快樂莫大也。

更為重要的，當時我方對在金山衛登陸之敵軍兵力估算不夠正確，以為只有第十八師團一個師團，即兩萬四千人，而不知道實為十萬人之多。因此蔣先生對我方在此線之失敗，在此段日記中，完全歸罪於我方右翼軍總司令張發奎上將指揮錯誤。以今日所知之資料去看，此實為過責。因為當時以我右翼軍之總兵力（十二萬人不到）去抵擋日本第十軍（十萬人左右），不論張發奎如何指揮，都是必敗者也。

所以在本文中我不會引用蔣先生在十一月九日到十一月底的日記中，所寫的許多條指名責罵張發奎上將之記載。因為這是蔣先生在敵情不明之下，又在我軍大敗之餘，所說的氣頭話，不合史實也。

戰史界對八一三之役結束時，我方之潰不成軍，認為有兩個主要的原因，此即：

1. 我軍兵力配置的失誤。在上海戰場我軍結集了七十五萬兵力，在右翼只配置了兩個集團軍（大約十二萬人不到），因此被日軍攻虛。

2.我軍在撤退時完全失去秩序，乃潰不成軍。

我認為第一點雖然在事後去看確是失著，不過以下文之分析，此乃不可避免者，而且事出有因。至於第二點，此是我方的一個重大缺失，其成因為：

1.這數十萬大軍來自各地的不同軍事集團，如中央軍、川軍、滇軍、桂軍等等。各集團平時不但沒有協同作戰或集中訓練過，有些彼此之間還是宿敵，根本沒有互信，在撤退時彼此都會擔心「友軍」先行偷跑，棄己於不顧。

2.大家攜手作戰，依靠的是共同具有的抗日精神，一旦兵敗，這股士氣垮了下來，就大亂了。

3.我方在上海這個正面狹窄的地區，集中了幾十萬大軍，又配置的犬牙交錯，大軍如何能維持撤退時的秩序？

再以下文可知，我認為除了上述戰史界已提出的兩個原因之外，我軍潰敗的另外一個重要原因，即是蔣中正先生為了外交因素，錯失了兩次撤兵的時機。此可由當時分別擔任蔣先生左右手的陳誠上將與張發奎上將之證詞可知也。

仁按：在一九三七年十一月九日撤出上海時，我軍之指揮系統如下：

第三戰區司令長官為蔣中正委員長自兼，下轄三個總司令，即：

右翼軍總司令張發奎。

中央軍總司令張發奎兼。（在十月二十六日以前為朱紹良）

左翼軍總司令陳誠。（兼任前敵總指揮）

㈩有關我方右翼兵力不足之研析

一如前述，因為上海各租界位於我軍陣地之右方，因此使得一二八及八一三的戰事都集中在我軍之左翼，即沿著長江往上游延伸。因之，我軍兵力之布置當然是以中央及左翼為中心，而在右翼只配置了兩個集團軍，大約十二萬人不到，是全部兵力的六分之一弱。

蔣中正十月十九日日記：

注意：

四、右翼部隊不足。

此即在日軍於十一月五日登陸金山衛之前十五天，蔣先生已注意到此問題，那為什麼我方不予補強呢？我認為此有下列原因，即：

1. 以當時雙方戰力為一比三去看，即日軍出動一萬人，我軍出動三萬人，可以互有勝負。在上海主戰場，我軍投入七十五萬人，日軍投入二十五萬人，因此旗鼓相當。

2. 此時雙方已成勢均力敵的緊綳狀態，任何一方都無法抽調兵力去轉用到杭州灣方向，亦即我方之右翼。

3. 即使在開戰時或戰役初期，我軍在杭州灣多予配置了兵力。在此三個月中，上海主戰場之戰事日益升高，而杭州灣卻無戰事，那麼我方也會把這些多餘的閒置兵力轉用到我軍之左翼及中央去也。

所以我們要追問的，不是為什麼我方明知「右翼部隊不足」，而未予以及時補強，因為此乃戰況之所必予使然。反而是要問，為什麼日軍在長期苦戰之後，才會忽然看出了我方右翼之空虛，而且又從何處去調動了十萬大軍去打杭州灣呢？

㈩石原莞爾是關鍵人物

兵法有言，知己知彼，百戰不殆。

在八年抗戰裏，我軍高級將領許多是留學日本士官學校者，雙方多為師生在作戰，更多的是同學或學長學弟在交手。以八一三戰役去看，我方當時的顧問群是德國人，而日本陸軍則是以德為師，所以德、日、中三方面的戰術思想是一脈相承，彼此都是甚為熟悉對方打法的。

以前文所述，在一二八及八一三戰役之中，因為上海的特殊地理環境，為了避免殃及租界，兩次戰役的戰事都集中在我軍之左翼，沿著長江去向上游延伸。這種向一翼延伸的戰法，本來就是德國式的打法。在一次世界大戰中的德法之戰，德方主攻，即採用其參謀總長史里棻（Schlieffen，施里芬）在一九〇五年所制定的作戰計劃，德軍主力向其右翼延伸，向北繞過荷蘭、比利時、盧森堡，再進入法國。史里棻原先的計劃是把德方兵力配置為八比二，即八成用於右翼之延伸，二成留守其中央與左翼。戰爭進行中時，史里棻病逝，臨終前大呼三聲：「加強右翼、加強右翼、加強右翼。」

接任者為小毛奇將軍，此人是滑鐵盧之戰普魯士軍參謀長，也是普法戰爭中普軍主將的老毛奇將軍之姪子，雖出將門，卻非虎子，有點像我國戰國時代秦晉長平之戰的晉將趙括。他擔心史里棻計劃中右翼與左翼的兵力分配為八比二是為太過懸殊，乃改為七比三。此即在東線吃緊時，毛奇把西線右翼的兵力抽調一部分去支援東線，而沒有抽調其左翼者。結果是當德軍攻到巴黎附近的馬恩河時，兵力不足，而法軍在霞飛元帥臨危受命的卓越指揮下，擋住了德軍。戰史學界公認，在一戰中，德國之敗給協約國，即在不能一鼓而下巴黎，也就是馬恩河會戰是法國免於亡國之關鍵。老上海法租界的霞飛路之得名即在紀念此名將。

明乎於此，才能了解八一三之役之所以成為長期之血戰，是因為中日雙方都是採用了德式戰法，都是同時向同一方向延伸，乃成膠著。只得彼此不斷增兵，都陷在泥淖中，把戰事節節升高，雙方都只想要用優勢兵力去取勝，從兵學去看，真是乏善可陳的了。

德法在一次大戰中的膠著，是雙方採用壕溝戰。而在八一三之役中，我方則是利用上海及附近城鎮之建築物，去和日軍打巷戰。

此時上海日軍來了一個觀戰者，即時任日本陸軍參謀本部第一部部長之石原莞爾少將，此人有個外號，叫做「日本的拿破崙」。拿破崙在進攻時，喜歡忽然改變進攻之方向，例如本來攻敵左翼者，忽然改為攻其右翼。在拿破崙的時代，戰役的規模及軍隊的機動力都遠不及八一三時代。拿破崙每當改變進攻方向時，會臨場觀察敵方之應對狀態，乘其陣腳鬆動，露出破綻而突破之也。

石原莞爾到上海觀戰之時，指出華軍布陣之弱點在杭州灣，即華軍之右翼，乃建議攻其虛。可是當時在上海主戰場，日方已無力調動部隊去轉用到杭州灣，日方乃從東北及華北調兵南下，由海路去進攻金山衛。在日軍調兵南下之時，從平漢線北段，亦即使用於太原會戰中的兵力裏面去抽調了一個主力師團——第六師團（谷壽夫）南運杭州灣。此即中了我方發動淞滬戰役之計謀，使得日軍改變攻擊軸線。同時在此前夕，日軍乃加

日軍增兵登陸金山衛，造成上海失守。

強對我中央軍團之攻擊，以謀聲東擊西，使我軍抽調原來駐在右翼之杭州灣的部分粵軍去轉用於中央陣地。

我方在十月二十六日臨陣換將，用右翼軍總司令張發奎去兼代朱紹良之中央軍總司令，並把我中央軍團撤回蘇州河南岸。此時張發奎及其所屬乃向蔣委員長當面建議，我方撤出上海，可是為也在場的蔣夫人宋美齡所反對，她要求再打兩個星期，屆時英美定必出面干預戰事，調停中日休戰，此詳見下文。

張發奎隨後把原來配置在杭州灣的部分兵力轉用到蘇州河南岸，八天後，日軍登陸金山衛。蔣中正因之在日記中痛罵張發奎指揮錯誤，我認為以日本第十軍的十萬兵力去進攻金山衛，張發奎所轉用的少數兵力，實為無關大局，我軍必敗也。

我們現在用數字去計算一下，當日軍投入二十五萬人時，我軍投入七十五萬，雙方之戰力為一比三，正好打成平手。日軍在登陸金山衛時增兵十萬，也就是其總兵力成為三十五萬以上，那麼我軍的七十五萬就不夠了。如果加上傷亡的因素在內，在八一三之役將要收場時，我軍扣掉傷亡的二十五萬人，總數為五十萬，日軍扣掉五萬人為二十萬，則雙方的差距就更為懸殊了，加上新增的十萬，就成為日方三十萬，我方五十萬的比數了。

因此我方的錯誤並不在這七十五萬的兵力在左右翼的分配如何，而是在總兵力之不足。也就是說，我方應該在日方投入這新增加的十萬人之前，先行撤出戰場，放棄上海。

有關石原莞爾此人，請見第肆編第一章第二節〈雜談有關二次世界大戰史的幾點感想——兼談石原莞爾〉。

㈢曼斯坦、蔣百里、石原莞爾合論

我方的蔣百里上將與日方的石原莞爾少將在一九三七年的八一三戰役裏都表現出了優秀的將才。不過蔣將軍的才華是在決定大戰略時，事先建議我方去選擇上海作為會戰的場所，把日軍的主力吸引到此地，使日本在一九三七年冬天來臨之前，不能利用平漢鐵路直接由北平南下武漢。亦即使得日本進攻武漢的由北向南進軍軸線，改成由東向西。可是在八一三之役具體作戰時，蔣將軍並未置喙。

此外，蔣將軍也設謀，因為他的建議，我方乃決定了八年抗戰的三個指導原則，亦即：

1. 打持久戰，「不論勝也好，敗也好，就是不跟他講和」。

2. 前述的戰爭軸線之選擇。

3. 退無可退的國防界線之選擇。

至於石原莞爾，他則是在戰場上看出了我方布陣的缺失，乃建議自華北及東北調兵去進攻我軍右翼之弱點，在杭州灣之金山衛登陸，因之造成我軍之潰敗。石原是在戰術上展現了將才，與蔣百里將軍在戰略上的卓見，兩相比較，其格局及層次是低了一階。而且在戰略的布局上，石原從華北調了第六師團自平漢線北段南下的舉動，正是恰巧踏進了蔣百里將軍計謀的圈套，是贏了上海一角，而輸了整個棋局之定石，其智謀是不及蔣百里將軍的了。但是他們兩位都是難得的將才。

其實石原在日本內部為了應否北進攻俄的大戰略之爭辯中，是反對日本南進去攻打英、美、荷等國家者。以後見之明去看，他之反對掀起太平洋戰爭，對日本來說應當是正確的。只是如果日本採取了北進政策，不與英美等為敵，而是去攻打蘇俄，那麼在德日東西夾攻下，蘇聯能不能倖存？即使蘇聯能夠存活下來，並成為戰勝國之一，可是在其受了重創之後，戰後東亞及東歐是否仍然會赤化？凡此等等假設性的議題，實在是大到令人難以想像或討論的了。

我認為石原在大戰略之研究方面也有其優秀之處，只是長才未用，不能像蔣百里將軍一樣一展抱負而已。

在二戰中，德國的曼斯坦元帥設計了兩次傑出的戰略傑作，此即：

1. 一九四〇年德國奇襲法國的作戰計劃。

2. 一九四三年在史達林格勒戰敗後，德國東線全軍敗退時，曼斯坦所統率的南方集團軍違背了希特勒之命令，採取了跳躍式大撤退，穩住了整個德軍東線的局勢。不過毫無戰略修養的希特勒卻因此把曼斯坦免職，因為他違背了希特勒嚴令，放棄了錯誤的逐步抵抗、不輕易言退的命令。

如果把二戰中各參戰國的將帥們集中起來，不分敵我，一齊去作個「選美大賽」，我認為曼斯坦的將才應當是第一名，他不但可以設計百萬雄兵之大戰略，也能指揮數十萬大軍之進退，攻守兼長。

我國的蔣百里上將也應當入圍複賽，只是因為中國戰區的比重太小，而蔣將軍在八年抗戰一開始便病逝，並沒有實際率領大軍作戰之功績，所以他在二戰史中沒有得到應有的重視與地位。

至於日本的石原莞爾中將，相較之下，更是一個被埋沒的將才。對我們中國人來說，石原是一個可怕也是可敬的敵人。他之早早被迫退役，是盟國之幸，也是日本的不幸。

許多史家在討論八年抗戰史的時候，沒有看出中勝日敗的關鍵是在我方三個指導原則之正確。也就是在一九三七年秋冬時的定石棋下得好，因之決定了這盤大棋的態勢。日本投降時的簽字代表，時任外相的重光葵，在戰後以戰犯身分被判處七年徒刑，出獄後在一九五〇年代發表了他的回憶錄《昭和の動亂》。在此書中他開宗明義便說，日本之敗，是敗在軍方毫無對中國的全盤作戰計劃，被華軍牽著鼻子走。他所指出的便是本文之重點，即日軍進攻武漢之軸線選擇錯誤也。

有趣的是，中國的論者多不能有此認知，總以為八年抗戰的勝利是借重美、俄之力。請問，如果我方在一九三七年一開戰時布局有錯，使得日方能夠迅速南下拿下武漢，哪裏會有後來以四川為基地的長期作戰？而日本又怎會因為長期陷在中國的泥淖中，為了取得必須的戰略物資而南進，去掀起太平洋戰爭來的呢？如此則日本又怎會去和美國打仗的呢？中國人只看到一九四五年日本投降前夕，美國的兩顆原子彈，以及蘇俄之進軍東北，迫使日本投降，便以為日本是因此才投降的。

這些只是棋局成敗已定的收官棋，即使美國不擲原子彈，蘇俄不參戰，在一九四五年秋天，德義已經敗亡後，日本戰敗投降已為必然之事，這只是一個時間性的問題罷了。外行人看熱鬧，內行人看門道，重光葵才是懂得中日戰爭的內行人也。

走筆至此，對蔣百里上將，筆者要表示最高的敬意與無盡的懷念。

不過我也要說明的，中國在抗戰中所採取的三個指導原則，是造成中勝日敗的必要條件，即如果不是如此，中國不能取勝。卻不是充分及唯一的條件，亦即僅僅如此，中方不足取勝，也必須另有其他因素——此即盟軍在美國領導下，在西南太平洋戰區獲勝也。

㈢因外交考量兩次延誤退兵時機

一如前文所說，我並不同意我軍右翼空虛是此戰失敗的原因，這是上海戰場情勢之所必然才造成的。我方之敗，首先是因為石原少將更改了日軍進攻方略；其次是在我方沒有及時在十一月五日日軍登陸金山衛之前後撤。

由張發奎回憶錄可知，在（十月二十八日）他與其所屬將領們曾在一次軍事會議中，當面向蔣委員長提出應當立刻後撤之請求，結果未被採納。其原因是也在會場的蔣夫人宋美齡女士要求再打兩個星期，屆時英、美定必會出面干涉調停上海戰事也。結果在兩個星期之內，日軍就登陸金山衛了。

此時我方實際負責上海戰事，即前敵總指揮兼左翼軍總司令之陳誠上將，根據其回憶錄，他立刻用電話報告，請求蔣先生下令撤退。蔣先生卻告訴他再打三天，因為九國公約會議屆時將在比利時的布魯塞爾召開之故也。

這是蔣先生第二次因為外交緣故而延遲我方撤兵的時機，因之造成全軍之潰敗。為了印證張發奎與陳誠之說法，茲先抄錄我去查證了蔣中正日記中的相關文句，再予評析。

1. 一九三七年十月二十六日，蔣日記：

預定：

四、蘇州河南岸處置。

五、派張接朱任。

仁按：此時日軍佯攻我中央集團之陣地，迫使我軍撤到蘇州河南岸，而蔣先生乃撤換我方中央軍團總司令朱紹良之職位，由右翼軍總司令張發奎兼任。

隨即張為了應付蘇州河南岸之壓力，乃將其右翼軍原來配置在杭州灣之部分兵力轉用到此地。八天後當日軍進攻杭州灣時，蔣先生誤判日方所使用之兵力，以為只有一個師團，乃大為責怪張發奎此舉，並檢討自己臨陣換將之大為不是也。以今日去看，這些都是誤判，不可採用。

2. 同年十月二十八日：

預定：

一、赴松江與右翼諸將領訓話。

本日赴蘇州楊（耿光）寓，會晤各將領。……晚到松江會議，妻由滬來會，其前在赴滬途中傷勢已漸愈（癒），心始安閒。

仁按：

(1)此即張發奎回憶錄所說的那一次軍事會議，因為這是蔣先生日記中那一段時間裏，唯一一次他們夫婦兩人都出席的與「右翼諸將領」的會議。

(2)右翼軍各將領在此會議中建議，請求蔣先生下令撤退，我軍放棄上海，立刻退出戰場。

(3)此時蔣夫人在會議中發言，說再打兩個星期，英美定必會出面干預，調停滬戰。

(4)因之，蔣先生乃沒有接受各將領之請求。

(5)可是包括十月二十八日的日記在內，到十一月五日日軍登陸金山衛為止，蔣先生在日記中並無任何記載在那段時間內他們夫婦與英美兩國政府有任何商談外交干涉上海戰事之紀錄。

(6)因此我判斷，蔣先生夫婦那天只是在以拖待變，因而錯過了我軍撤退的良機。

3. 同年十一月五日：

注意：

六、今晨金山衛敵軍登陸，我軍以換防疏忽，戰場重點移於蘇州河南岸，而不注重側背之海岸與交通重地，是認識不足之過也。

仁按：

(1)當時我方誤判登陸之日軍為一個師團，即第十八師團，只有兩萬四千人。因之蔣先生認為如果我軍不換防，不將部分兵力從杭州灣轉移到蘇州河南岸，應當可以擊退日軍之登陸企圖。

(2)以今日之史料可知，日本登陸之第十軍，有三個師團，一個支隊，再加上海軍及輔助兵力，總數大約為十萬人。如此，則不論張發奎有沒有調走該區域原駐防之部分粵軍，我方仍是無法抵抗。

蔣先生在這一九三七年十一月的日記裏，對張發奎大加指責，也痛罵了負責防守太湖地區的國軍將領上官雲相、香翰屏等人，都是過責的。其十一月二十八日日記說：

預定：

一、黃光漢、香翰屏、上官雲相皆應槍決。

仁按：黃光漢為空軍將領，另外兩位則是陸軍。當日本第十軍登陸杭州灣，即沿著太湖去包抄南京，我各地守軍難擋其鋒，迅被擊敗，蔣先生乃大發雷霆也。

4. 十一月六日　星期六：

注意：

一、撤退次序。

二、南市應否死守。

三、金山衛登陸之敵，在三日之後，其兵力方能集中前進。

四、九國公約會議之運用。

仁按：

(1) 此即陳誠在回憶錄所說的，在十一月五日日軍登陸金山衛後，他奉蔣中正先生電話命令，再打三日，以等待九國會議開幕之日也。

(2) 蔣先生只計算到日軍需要三天才能把登陸部隊集中前進，卻沒有計算出日方包抄我軍右翼之側背對我軍心理所產生的重大影響，是「知彼」而不能「知己」。結果在十一月八日他下令撤兵時，我軍乃為潰敗矣。

從十一月八日我軍下達撤退令到十一月十六日，長達八天之久，人在南京的統帥蔣中正委員長與上海退軍竟然消息不通，由此可見當時數十萬大軍敗退時的混亂情況。坊間有關此段史實的記載，可見當時身歷其境的三位將領之回憶錄：(1)陳誠之《抗日戰爭》，(2)張發奎之《蔣介石與我：張發奎上將回憶錄》，(3)當時擔任第八十八師師長孫元良將軍之《億萬光年中的一瞬》。

在這三位將領中，孫師長的位階不夠高，與蔣先生並無互動，他只是寫出自己親眼目睹我軍潰退的亂象。可是張與陳兩位上將，其地位是僅次於蔣先生的戰場指揮官，與蔣先生的互動甚多也。他們的回憶，對我們去找出這次戰役中我軍大敗真相之努力比較重要。

總之，因為在十月二十八日與十一月五日兩次錯失了安然撤兵的時機，蔣先生夫婦過於寄望求取國際干涉上海戰事而終未實現，卻因此招致了我軍之潰敗。蔣先生在日記中對此一字不提，只是一味把責任推給張發奎上將，這是不公平的。

五、感言

(一)敗軍之將的將才也有高下之分

在八一三之役結束時，我軍潰敗，十一月八日蔣中正日記：

> 蘇州河南岸兵力用盡，不能不令撤退，但無非為金山衛登陸之敵牽動耳。

此後一連七天，我軍委會與上海撤退之數十萬部隊已完全失去聯絡，十一月十六日蔣中正日記：

電線久斷，消息不通以後，再得通話，明瞭戰情，則快樂莫大也。

這是非常奇怪的事情，因為上海戰場與首都南京鄰近，即使「電線久斷」，我方各個撤退之部隊指揮官們派信差馳赴南京報告，也是朝發夕至之事，為什麼會有七天之久，數十萬大軍的軍情竟然無一上報？難道這麼多的集團軍總司令、軍長、師長等竟然沒有一個人想到要向委員長打個報告？由此可見我軍潰敗荒亂的程度，真是讀之令人感慨也。

蔣中正日記十一月十七日後面的本週反省錄說：

此次戰局失敗之總因：

乙、誤信張治中……一生事業盡於此乎？

此在前文已予引用，我在此要討論的是蔣先生在大敗之餘的意志之消沉，與指揮方面之表現甚差。諸葛亮在〈出師表〉中向後主推介將軍向寵，因為先主伐吳，在白帝城兵敗之時，六軍皆潰，獨此人一師得全。也就是說，在打敗仗時仍能夠控制軍隊，使之不會潰散，才是將才。

前文中所推崇的曼斯坦元帥，就是一個敗而不亂的戰例。在此我要另舉一位德軍名將古德林上將的史例。

一九四四年六月，盟軍在法國諾曼第登陸之後，德軍在西線也開始受挫，此時德國敗局已成。有「德國裝甲兵之父」稱號的古德林上將，時任德軍的參謀總長。以他為首的一批將領們乃定計，把重兵東調去阻延俄國之進攻，而把西線的門戶洞開，以方便英美法之進擊。也就是說，在他們心目中，德國雖然一定會敗亡，可是在戰後他們也要盡量擴大英美法的佔領區，與縮小蘇俄的佔領區，以有助於德國在戰後之重建與復興。

這時西線的盟軍統帥是美國艾森豪元帥，陸軍分成三個陣線，英國的蒙哥馬利元帥所部在北面，美國的巴頓上將所部在中間，美國的布萊德雷上將所部在南面。此時盟國已決定讓俄軍去攻佔柏林，作為俄方在德軍進攻時所蒙受的重大損失之補償。當盟軍在德國西線進展神速之時，如果繼續進攻，則盟軍一定會比俄軍先打到柏林。因此艾帥乃在易北河邊上停止進軍，整補修養了兩個星期，以等待俄軍之進逼柏林。此時蒙帥及巴頓都大力反對艾帥此決定，艾帥乃截斷與其同為美軍的巴頓軍團之補給，使之缺乏汽油而不能不停止進攻。可是蒙帥所部是英軍，在補給上不受其節制，乃繼續揮軍東進，一直打到德國北邊的波羅的海沿岸，再轉向南下。因之戰後的東西德之劃分線，不是一條由北到南的直線，而是西德成為一塊倒過來的L型，西德之疆域乃大於東德，這對日後德國統一時，西勝東敗，西德統一東德是有助力的，也就是說古德林與蒙哥馬利之功勞甚大也。

由這個戰史的例子去看，如果把必定敗亡的德國在戰後之復興也看成一場不動槍炮的戰爭，按照拿破崙的名言：「能創造戰機的是上等將才，能掌握戰機的是中才，不知戰機的是下才。」那麼敗軍之將的德軍之古德林上將是上才，打了勝仗的盟軍這邊，英軍的蒙帥與美軍的巴頓上將是中才，而美軍的艾帥則是下才。

兩相比照，同樣是敗軍之將，德國的曼斯坦與我國的蔣中正，他們的將才之高下立見，真是令人不忍置評的了。

以上是就戰術層面去看，可是蔣先生在大戰略之設計上，則是一個敗而不亂的上才，我認為可與古德林相比較。此由他在抗戰初起之時，選擇重慶作為最後基地，以及在一九四九年內戰已敗之時，選擇了台灣作為退守之地，都可以引為明證也。

㈡懷念李則棻中將

清朝史家趙翼寫了一本《二十二史劄記》，有人問他此書之大要為何，他說：「一部二十二史，從何說起？」我對抗戰史的研究雖然有偏好，也有同感。更且因為余生也晚，抗戰勝利時我只有三歲，沒趕上這場聖戰，因之只能從文獻裏去摸索研討真相。這些資料，有的得之於公私檔案文書筆記，有些是得之於親友學長的口述。

有一位亦師亦友的前輩，對我研究戰史的指導及幫助極大，此即李則棻中將。將軍是柏楊先生名著《異域》中的英雄人物之一，當緬軍第二次進攻孤軍時，把孤軍包圍在拉牛山上，眼看孤軍即將覆滅之際，李則棻將軍率領一批學生急速跑步，前來援救。學生們手無寸鐵，乃是拿著長竹竿削成的竹槍，奮勇呼喊，衝鋒上前，孤軍也立刻衝下山來，前攻夾攻，乃把緬軍擊潰。在抗戰及內戰中，李將軍積功而升至中將軍長。將軍雖然著作等身，但是他告訴我，他不寫抗戰史，因為他所見到的國人相關著作，不論公者私者，很少說真話。

事隔幾十年，我今天已記不清楚李將軍對我具體的一一教誨，只是籠統記得一些原則性的指導，而「不黨不私，找出真相」即是其中之一也。不過在一九七〇年代，李將軍所說的「不黨」是指國民黨，「不私」是指何應欽將軍派的戰史觀點。此因李將軍系出陳誠一派，與何派之觀點大不同也。目前我參加了一個計劃去重寫抗戰史，有人誤以為我們所說的「不黨」是指中共，是誤會了。

如果有人在讀了本文，以及其他幾篇有關抗戰史的拙作之後，覺得尚為可取，拙見是與旁人不同的話，此應歸功於李將軍當年對我的指導。可惜的是我在軍事方面既無實戰經驗，又缺乏學養，所以只能提些書生之見，愚者千慮，或有一得，聊供大家參考而已，尚請讀者指教也。

二〇一一年九月十日於北美
二〇一二年三月三十日修正於台北
二〇一三年九月四日再修正於東莞

後記：

在研究一二八及八一三兩次淞滬會戰時，我曾注意到蔣中正先生在外交上都是採取了以戰求和的手法。在一九三二年的一二八之後中此計得逞，日軍雖然攻取了上海市的華界，可是在英、美、法、義四國聯手出面干涉之下，中日簽訂了《一二八淞滬停戰協定》，並且由四國公使共同簽字於其上，以保證此協定之實施。

在這個協定中，因為下述兩點，即：

1. 只談及上海，而沒有包括一九三一年（即前一年）因九一八而被日本侵佔的東北三省。
2. 中方答允在上海華界只派駐保安隊，而不派兵進駐。

以致引起民情之大嘩，在公布這個協定的記者會中，中方談判代表即外交部次長郭泰祺先生，竟然被在場的民眾圍毆而受傷住院。此時日方的簽字代表，即日本駐華公使重光葵先生因為被韓國志士尹奉吉先生投擲炸彈而失去一腿，重傷住院。因之這個停戰協定的雙方代表都是在醫院病床上簽字的。

其實此停戰協定對中方是有實際利益的，即包括日本在內的簽字各國都承認中國對上海享有主權。這個「一二八模式」的外交協定就是蔣先生在處理七七時想故技重施者，這是因為蔣先生對控制了平津地區的冀察政務委員會諸公（以西北軍出身的宋哲元上將為首）不放心，非常擔心他們會與日本人合作去搞「華北特殊化」，在華北成立第二個滿洲國。所以蔣先生在被動處理七七與主動挑起八一三時，起初都是想要模仿「一二八模式」去取得各國共同保證中方在華北（包括平、津）「行政主權之完整」，此在本文中已予詳述之。

以戰求和之能否成功，有一個重要的條件，即戰爭中的勝方不予追擊敗方以求擴大戰果，而敗方也不願添兵再戰以求反敗為勝。

那麼蔣先生在一九三二年的一二八之中能成功地以戰求和，是因為：

1. 日軍不再追擊我退出戰場之敗軍。

2. 我軍在上海外圍所布置的第二線兵團已到位，日方即使再戰，未必有勝算，而且我方也不再增兵再戰。

可是在一九三七年的八一三之戰中，這個情形並不存在，此即：

1. 日方追擊我軍以進攻南京，並分兵攻取太湖流域。

2. 我數十萬大軍自上海撤出時已為崩潰，並且沒有第二道防線或兵團之支撐。

因之比照一二八及八一三，一二八之所以能和平解決，而八一三之所以造成中日全面戰爭，其結果不同，有一個重要而至今猶被史家忽略的重大因素，即是一二八之日軍主將白川義則大將與八一三之主將松井石根大將對中日之間戰爭的看法並不相同。

在當初撰寫本文時，我還沒有得知下面的兩個重要資料，即為：

1. 有關白川義則大將受到昭和天皇之祕令，因之違抗其上級軍部之命令，以及否決其軍中幕僚之請求，乃在適當時機停止追擊華軍，結束戰役。

這條資訊是我從陳鵬仁兄所翻譯的〈鈴木貫太郎自傳〉中抄錄的，此乃刊登於西元二〇一四年六月號的台北《傳記文學》月刊。

2.松井石根大將在率軍出發赴上海之前，力主進攻南京，因此要求日方增兵，由原擬定之兩個師團，擴充至五個師團才赴上海作戰。這個資訊是在二〇一四年八月中，在史丹福大學的一個抗戰史研討會中間，上海交通大學東京審判研究中心主任程兆奇教授告訴我的。

就是因為在這兩個戰役中，獲得勝利的日軍主將對如何進行後續的戰局有了南轅北轍的不同看法，所以才會有了一二八與八一三之不同結局。因此一二八能以和平收場，而八一三乃造成中日全面開戰的了。

今抄錄〈鈴木貫太郎自傳〉中有關白川義則拒絕擴大一二八之戰局的相關文字如下，按鈴木先生在一九三二年是以海軍大將身分擔任昭和天皇之侍從長。在一九四五年八月日本投降時則任首相，鈴木說：

> 現在我來談談一二八事變時，我奉陛下命令前往上海時的祕辛。發生一二八事變當時，白川（義則）大將是司令官，打敗上海的中國軍隊，把他們趕走。那時沒有前進南京，在中途適當地方停止進擊和戰爭。當時陸軍各方面都批評和非難白川君為什麼不繼續追擊。軍中幕僚也主張打到南京，但白川君沒有接受。
>
> 這是因為白川君以軍司令官身分出發時，陛下指示他：早日擊破敵軍，儘快結束事件，他忠實遵守了此項指示。白川君遵照陛下意思在上海停戰，自然消除了日內瓦國際會議對日本險惡的非難攻擊。這是非常適時的處置。
>
> 爾後不久，在上海發生了朝鮮人的炸彈事件，白川君受傷致死。此時野村（吉三郎）大將、植田（謙吉）大將和重光（葵）氏也受了傷。隔年（一九三三年）三月三日是一二八事變結束的日

子，陛下對白川的去世非常婉惜並作了詩歌。陛下曾囑入江（相政，侍從長）氏將其寫在詩箋下賜白川遺族。陛下的詩歌是由我送去的。

我想這件事應該告知武官長，由武官長通知陸軍大臣。可是本莊（繁）武官長卻對我說，這件事希望保密十年，否則會引起駐滿洲和中國陸軍內部的不滿。我說，這應當保密，只要白川家保密，我是會保密的。但對於正當的事和陛下的仁慈必須進行保密，令我深感和嘆息軍紀的紊亂。此事以後似乎並沒有傳出去，今日剛剛已經過了所約定十年的時光，所以我把它說出來。

仁按：在一九三二年四月二十九日（即昭和天皇生日那天，日人稱之為天長節），白川大將為韓國志士尹奉吉先生所刺殺，重光葵同時受傷，失去一腿。

二〇一四年八月二十二日於北美

有關第五軍參加一二八戰役的討論

——答陳齡生君之批評

陳齡生在〈一個老百姓看歷史與歷史人物〉中，認為國民黨偽造歷史，假稱中央第五軍曾在一二八淞滬抗戰時赴援十九路軍。我不同意。此等大事是假造不來的，因為中日美等國官方文件中均有記載，例如《美國政府外交關係》（*U.S. Foreign Relation*）一九三二年第三冊第一百二十二頁即明言，蔣中正於一月二十九日下令第五軍之第八十七師赴援上海，參加作戰。

即使指責蔣氏不抗日的馮玉祥也不否認第五軍之參加作戰，他只是指責第五軍抗日不力，「是有分寸的動作和打仗」。

以戰爭甚激烈的二月中旬時言之，我軍的配置是第五軍、稅警團及中央教導隊負責防守江灣、廟行、大場一帶，即我軍的中央及右翼，其南方以租界為依託；十九路軍防守吳淞、寶山一帶，即我軍的左翼，其北方則以長江為屏障。日軍主力部隊第九師團自二月二十日起攻擊江灣、廟行一線，企圖中央突破我陣地，另一部分日軍則攻擊吳淞砲台我十九路軍翁照垣旅，以利其進出長江口。這兩方面的企圖均被我軍奮勇擋住，迫使日本在二月二十四日改組其指揮系統，組成上海派遣軍，加派十一及十四兩師團來上海增援。三月一日日方全線總攻擊，十一師團溯長江，繞過我十九路軍之陣地，在其背後之瀏河口登陸，迂迴我軍背部，迫使十九路軍後撤，而第五軍之左側因之暴露，受損甚重，我乃全線敗退。

此戰役中十九路軍及第五軍之表現均甚優良。一二八我軍之失敗既在日軍迂迴我左翼，登陸瀏河口之故，所以在八一三時，日我雙方均儘力向此方向延伸，日方是要故技重施，我方則是避免重蹈覆轍。考其原因，是戰場的南緣是各國租界，我軍能以之為倚託，而日軍則不能向此方向運動，因此在企圖中央突破我陣地失敗之後，只有向我左翼迂迴。

八一三戰役時，我中央及右翼以租界為倚託，共有三道南北向的防線，即是防止日軍一舉中央突破，而我之左翼延伸到瀏河口，則是因一二八之役所得之慘痛教訓。此因敵我雙方戰略戰術思想淵源相同，雙方指揮官們固然多為師生或同學，而且我軍顧問又是德人，日軍則師承德人日久，所以日人一心想引用中央突破、兩翼迂迴之德式戰法以攻我，我軍則深知肆應之道，此所以雙方能纏戰達三月之久。後來日軍之登陸金山衛，繞道杭州灣登陸，乍看上去只是一二八時登陸瀏河口之故技重施，由北方移至南方而已。其實不然，因為雙方既已在羅店至瀏河一線決戰甚久，日軍進攻軸線忽然改變了一百八十度，自北向南，確非傳統的歐陸戰法，更非德人所習用者，反而類似於拿破崙之慣技——先攻敵之一翼，把重心移向該方，然而忽然攻其另一翼。乘虛破之後，行大迂迴，襲擊敵主力之背部。此確是大出我方意外之事，而據我所知，在八年抗戰中，日人在大會戰中亦未再用此戰法。因此我們在事後檢討，容易看出八一三戰役我方戰術的錯誤，如我已指出來的我方第二線兵力不足，數十萬大軍迫擠在第一線，遂一敗而不可收拾，但在當時我統帥部言之，自然不容易判斷到日軍違背其傳統戰法，有大迂迴之舉動。

一二八淞滬會戰之所以仍為今人所注目，並不僅是因為此乃我國抗日之盛舉，而是因為率先抗戰的十九路軍後來反抗蔣中正，造成「閩變」。其實左派之力捧十九路軍，大力抹煞中央第五軍之功績，與右派之指責十九路軍未能阻止日軍登陸瀏河口，致使我全線失敗，均是因為政治問題而有的偏祖之言。

抗日戰史是我平日用心的地方，以其史料去偽求真之難，不敢自言心得為無誤，但是對陳齡生君有關一二八之役的許多論點，實不能苟同。如果以十九路軍之兵力去單獨對抗日本的二個師團，早就不能兼顧中央之阻止突破及左翼之延伸，使無第五軍之即刻增援參戰，如何會有馮玉祥所云之功敗垂成可言？又如胡宗南師之改易民服渡長江以欺敵，不但是戰史有記載，國民黨也不必假造此段史料，而且比此等更大之部隊調動，用類似手法而達成者亦多例子，中共林彪部隊在日本投降後之進入東北，即是一例。

至於陳君對拙文文句上的指責，例如國府當時避免日人藉口擴大戰事，因此隱祕中央軍參戰及調至京滬區，我只是引言其事，並非贊同其應有此顧慮。而稱張治中為「叛逆」，拙文加以引號，亦是引其觀點以言之，並非我作此稱呼。

蔣中正有無心抗日，何時才有，何種狀況及何種原因使之有或沒有的，是一個中國近代史上的大問題。國府在九一八之後到七七之前，有否全面抗戰的軍事計劃及政略方針，是另一個大問題。目前我還沒有找到這些問題的答案，也沒見到任何一個人提供了答案，但是我認為像陳君一樣的偏見，只會有害於尋找這些問題的答案，因為在沒有找之前，偏見者已論定一端了。（仁按：此文發表於一九七六年，蔣中正日記則是在二〇〇七年才完全公諸於世。）

馮玉祥說十九路軍一退，蔣中正便派人與日本訂了和約，是不明真相的外行話。先不說十九路軍一退，第五軍也垮了下來，其實淞滬停戰之達成，主要是英美之干涉，國聯之壓力，加上日本原無在上海挑戰之意，乃其駐滬海軍司令鹽澤未奉東京同意之獨斷行動，此點在原田文書（西園寺日記）一九三二年二月十六、二十三及二十四日均有記載，因此在我軍有力抵抗之下，日本乃答應無條件撤兵。不論在上海當地或在英美首都及瑞士國聯大會，中國及英美等國和平解決滬戰之努力未嘗中斷，只是當我軍退出淞滬後，日本見好收場，和議乃成。

鹽澤之所以挑動滬戰，乃因稍早之九一八事變我方不戰而失東三省，遂使之輕視我國人而貪功。日本之在英美壓力下自上海無條件撤兵，一方面固然因為我軍奮勇抵抗達三十餘日之久，另方面亦因九一八事變正受國際指責之時，不欲過於刺激在上海有深厚利益的英國，及素主中國門戶開放之美國，欲以在上海之讓步而減低列國對其侵佔東三省之不滿。

若馮玉祥之只以十九路軍之退卻與否，而言中日淞滬停戰之能否成功，且指責蔣氏出賣十九路軍抗日之成果，不但是無見識，不知外交者之言，而且十九路軍所抗戰者在保衛上海，今在戰敗後能以外交方式達到，又有何出賣之有？

關於淞滬停戰經過之文書典籍甚多，例如當時力助中國，主張「不承認主義」，壓迫日本撤兵之美國國務卿史汀生，其日記及所著《遠東危機》一書，可供參考。

——紐約美東版《星島日報》沙上痕爪專欄，一九七六年二月四、五日

仁按：在本書第貳編第二章第二節之拙文，即〈由軍事及外交去看蔣中正在一二八事變中的角色——兼評馮玉祥之誣控〉，已對一二八有了較為詳細的評述與分析，不過本文是在二〇一四年之前的三十八年所寫的，當時包括蔣中正日記在內的許多資料均未公開也。

二〇一四年八月二十二日於北美

〔附文〕

以戰求和在一二八抗戰中的運用

蕭如平

一二八淞滬抗戰是中國政府進行的一場沒有充分準備的自衛還擊戰。從領導層來講，一二八事變前夕，蔣介石處於下野地位，尚未正式復出，行政院長孫科辭職，汪精衛剛剛繼任，中央政府正處於新舊交替之際。就軍事上而言，當時不僅中日軍事實力懸殊，而且還有中共的武裝暴動，國民政府處於兩面作戰的境地。從財政上說，其時國庫空虛，連軍隊的伙食都發不出來。與其說蔣介石不想打這場戰爭，不如說蔣介石是無力打這場戰爭。正如蔣介石所說：「如果在一二八當時，我們只要有十分之一的把握，在戰局上稍有運用的機會，老實說我們會毫不遲疑的起而抗戰了。但彼時一切均無把握，徒將國家民族犧牲，於心實有不忍。」面對日軍在上海的侵略，蔣介石不得不採取以戰求和的策略。

一、抵抗已成共識

九一八事變後，蔣介石與國民政府採取在軍事上不抵抗，外交上不屈服的方針，將制止日軍的侵略寄託在國聯和非戰公約各簽字國身上。九月二十一日，蔣介石在幹部會議上表示：「日本佔領東省事，先提國際聯盟會與非戰公約國，以求公理之戰勝。」二十三日，蔣又對張學良的代表萬福麟說：

「與其單獨交涉而簽喪權辱國之約急求速了，不如委之國際仲裁尚有根本勝利之望。」然而，蔣介石完全依賴國聯，在軍事上採取不抵抗的政策遭受重大打擊。

面對內外壓力，國民黨內部最終達成了對日抵抗的共識。十一月七日，寧粵雙方在上海達成和平協議，就外交而言，雙方一致認為：「此次日本對我國並未宣戰，乃係用強盜明火打劫辦法，侵略我國領土主權，故即使我國對之極力抵抗，亦不必用宣戰方式。此次日本暴行，乃絕無理，我國有要求國聯及非戰公約各國主張公道裁制日本之權利，故外間團體有所謂退出國聯之主張，乃係一時憤激之談，宜設法勸止之。如果日軍來攻，應該抵抗，用武力來對付它，不要不抵抗。」這一協議表明，國民黨內部已確立了對日抵抗、不宣戰、不退出國聯的外交原則。

為防止日軍武力侵略上海，參謀本部於一九三二年一月初草擬了《京滬警備計劃草案》。該計劃草案不僅對敵情進行了研判，還對作戰情形進行了假設與布置。就參戰部隊而言，除第十九路軍外，第八十七師和八十八師也都在計劃之內。一月十九日，十九路軍總指揮蔣光鼐、軍長蔡廷鍇和淞滬警備司令戴戟在龍華警備司令部召開上海駐軍官長座談會，會議一致決議：對日軍在上海的入侵應採取正當防衛，武力抵抗的應對方針。

當淞滬局勢日趨緊張時，蔡廷鍇曾向京滬衛戍總司令陳銘樞請示，如日軍來侵，我軍當取如何動作？陳當即表示：「武力抵抗。」一月二十二日，上海市長吳鐵城也向外界明確表示：「中央政府早有命令，如果有人侵入內地領土，決採正當防衛，且滬市治安上之防範早已有相當準備，若遇事變，即採必要手段。」二十五日，汪精衛在勵志社發表談話，聲稱對日問題中央意見已趨一致，無論如何困難，絕以不喪國土，不辱主權為原則。此次日僑在滬暴動，中央已有應付辦法，如日方實施強暴行為，我國當局應抱定最大決心，與之周旋。二十八日，蔣介石和汪精衛共同提出了「積極抵抗，預備交涉」的對日方針。同日，淞滬警備司令戴戟對《申報》記者表示：「我軍絕不先犯人，萬一日軍來犯，我軍不能無抵抗，成敗利鈍在所不計。」可見，在一二八淞滬抗戰前夕，對日抵抗已成當局共識。

二、抵抗程度的分歧

上海為國民政府的政治、經濟、金融中心，又毗鄰首都南京，上海的得失直接關乎國民黨的政治統治。如果軍事上再不抵抗，不僅將導致政府垮台，而且還可能致使國家滅亡。然而，面對日軍的侵略，如何抵抗？抵抗至何種程度？在國民黨內部存在嚴重分歧。以孫科、陳銘樞、李濟琛、馮玉祥等人為代表，主張全面抵抗，反對與日妥協；以蔣介石、汪精衛、何應欽等人為代表則堅持有限度的適可而止的正當防衛，抵抗的目的一方面在於宣示中國政府抵抗外來侵略的決心，另一方面為談判爭取有利的形勢，以求得和平。

一二八事變前夕，國民黨內部正處於內爭之中，尤其是蔣介石與汪精衛不顧胡漢民的反對，走向合作，重組政府，進一步加劇寧粵之間的矛盾。粵方以胡漢民為精神領袖，以陳濟棠、李宗仁的實力為後盾，割據西南數省，與孫科、陳友仁等遙相呼應，並暗中聯絡馮玉祥、閻錫山等各路反蔣勢力，一面高舉抗日大旗，一面又在暗中積極籌劃反蔣活動。外交與內爭、戰略分歧與權力爭鬥糾葛在一起，這一定程度增加了中國政府處理一二八事變的難度，也迫使蔣介石不得不做出積極抵抗的態勢，不敢對日過於妥協與退讓。

在一二八淞滬抗戰前期，蔣介石的對日抵抗相對較為積極。一月二十八日，蔣介石與汪精衛會商對日外交時，正式提出「積極抵抗，預備交涉」對日政策。二十九日，蔣介石與汪精衛召集國民黨中央政治會議臨時會議，決議對日軍進行積極抵抗，國民政府移駐洛陽辦公。對此，蔣在日記中說：「余決心遷移政府於洛陽，與之決戰。否則隨時受其威脅，必作城下之盟也。林、汪皆贊同余之決心。」

二月四日，蔣介石又親自劃定全國防區，以備中日全面衝突。二月五日，蔣介石致電十九路軍總指揮蔣光鼐等人，聲稱「刻聞倭寇陸軍登陸參戰，未知果有幾何，如有二師以上之陸軍登陸，則我方應即重定計劃，須與之正式決戰，如有必要，中可親來指揮也。」六日，蔣介石同意何應欽任命張治中為第五軍軍長，率部參加淞滬抗戰。可見在一二八淞滬抗戰前期，蔣介石基本上堅持了「積極抵抗」的原則。

然而，經過十餘日的抵抗，國內外的局勢都已相對明朗。一是中國守軍無論在數量上還是在戰局上仍處於優勢；二是中日雙方在英美各國的調停下均有交涉的餘地；三是國內金融停滯，軍費困難。處此情形下，蔣介石的對日態度也有所調整。二月十二日，蔣介石和汪精衛在徐州會商對日方略，一致決定對日採取和緩態度，並由蔣介石親自負責處理軍事外交。對此，蔣在日記中說：「上午與季新談話，彼以馮、李之陰謀為可怪，與外交之艱難為可悲。余以決心為黨國犧牲之精神助之，並自願赴京負責對軍事、外交處理一切」，「主張滬事和緩，勿使擴大，以保國家元氣。」

徐州會議之後，蔣介石的對日政策開始由「積極抵抗，預備交涉」轉變為「一面抵抗，一面交涉」。二月十三日，蔣介石指示陳銘樞、羅文幹等人，表示「滬事以十九路軍保持十日來之勝利，能趁此收手，避免再與決戰為主。如日本確無侵佔閘北之企圖，雙方立即停戰。」二月十五日，汪精衛發表宣言，強調「應對國難的唯一方法，便是一面抵抗一面交涉，兩種武器兼行並用。在職者固不必說軟話，在野者亦不必唱高調。現在政府以軍隊為最後之抵抗，以外交為當前之應付，除此方法，絕無他策。我們可定一交涉原則，於不喪權辱國之條約則簽字，於喪權辱國之條約則不簽字。」二月二十四日，蔣介石與汪精衛、陳銘樞、李濟琛等人商討戰局時再次強調：「我方應仍照原定方針，一面交涉一面抵抗，抵抗得有勝利，稍稍退後，即以交涉途徑進行，交涉不得勝利，乃再力與決戰。」可見，蔣介石在抵抗程度上已做了調整，將「積極抵抗」中的「積極」去掉了，因為積極抵抗就無法進行交涉和談，自然也無法達到「以戰求和」的目的。

三、適可而止的抵抗

為了防止中日全面衝突，蔣介石極力要求不予日軍以擴大戰端的口實，強調抵抗只限於上海。二月二日，蔣得知漢口將領中有人主張用武力收回漢口租界，立即去電告誡湖北省政府主席何成濬，認為此種行動「徒貽日方口實，望切實阻止，勿得實行。」二月十一日，蔣再次告誡何成濬：「漢口日僑恐不免有挑釁行為，應嚴飭我方軍警，務需極端沉著，日兵縱開炮挑釁，終需其越界進攻時，乃可竭力抵抗還擊，萬勿倉促盲動，免中奸計。」

二月初，李宗仁與汪精衛等協商同意調張發奎部增援十九路軍。當張發奎的先頭部隊即將抵達武漢時，遭到日本武官的抗議。為此，蔣介石令何應欽致電汪精衛稱：「際此形勢緊張，該部到漢，對外不無顧慮。此以在京日領曾有我軍由北南開，或由上下開，彼海軍必炮擊之。既加追詢，難免橫阻，即盡力向其說明，亦未必置信，倘因是發炮阻渡，雙方必起戰事，則武漢要區更不免形成滬局第二矣。」蔣介石之所以如此，其目的在於將上海戰事地方化，防止戰爭的擴大。

為了防止戰爭的持久，蔣介石強調抵抗要適可而止。在蔣介石看來，中國軍隊根本不是日軍的對手，十九路軍之所以能暫時挫敗日軍的進攻，是日軍的優勢沒有充分發揮。他說：「聞滬戰事，倭寇攻擊甚烈，我方尚能支持，而世人不測，以為真正勝利。其實，倭之海軍陸戰隊在陸上與我陸軍作戰，其技自窮，而非我軍之戰鬥力勝過於倭。」所以，蔣介石在抵抗上又強調適可而止，以免激化衝突。為此，其令何應欽致電吳鐵成等人說：「日軍之暴行，凡有良心，孰能忍受？如無強弱異勢，要不能不考量情形，權衡輕重，適可而止也。此次淞滬事件，弟曾迭電商酌適可而止，蓋期早得收束，為國家多留一分元氣也。」

二月十三日，蔣介石與何應欽、羅文幹、陳銘樞商量戰事，蔣說：「十九路軍已經保持了十餘日的勝利，能夠趁此收手，避免再戰為好。」其實，蔣介石是不願與日軍在上海進行決戰，使中日衝突擴大，而陳銘樞等人則堅持繼續增援，與日軍在上海決戰。這種戰略上的分歧為陳銘樞的反蔣埋下了伏筆。

適可而止的抵抗決定蔣介石對上海守軍不可能予以全面支援，而只能是有限度的支援。蔣介石對上海守軍的支援包括部隊增援、武器彈藥補給和士兵補充。一月二十九日，蔣介石命何應欽、朱培德令南京衛戍部隊一部、第十九路軍駐南京的部隊開赴上海增援。二月六日，蔣介石同意由第八十七、八十八師，以及中央軍校教導團等組建第五軍，以張治中為軍長，率軍參戰。之後又應陳銘樞之請，蔣介石同意「調山炮一營歸十九路軍指揮」，並為十九路軍補充了兩千餘名士兵和大量的武器彈藥。然而，相較於日軍增援三個師團和一個混成旅而言，蔣介石對上海守軍的支援顯然不夠。雖然蔣介石後來從鄂、贛等「剿匪」區域抽調中央軍，但他抽調中央軍的目的不是直接參加淞滬抗戰，而是駐守在南京、杭州周圍，以防備日軍侵略的擴大。

在一二八淞滬抗戰中，由於中國的反日情緒空前高漲，所以蔣介石有限度的、適可而止的抵抗遭到了民眾強烈批評。然而，正是這種有限的抵抗使得中日雙方有可能停戰談判。

四、確立妥協的限度與方法

在抵抗的同時，蔣介石也在謀求與日交涉，並親自訂立了對日交涉的方法和妥協的限度。其方法與限度可簡要歸納如下。

首先，繼續將日軍的侵略訴諸於國際社會。一月二十九日，中國政府緊急照會美、英、法、義、比等《九國公約》簽字國，敦請各國迅速採取有效之手段，制止日本在中國領土內之一切軍事行動。同日，中國代表顏惠慶照會國聯秘書長，請求國聯按其盟約，除在九一八事變後已被引用的第十一條外，再引用盟約的第十條和第十五條來處理「中日糾紛」，以便「採取一切適當及必要之行動」。由於英、美等國在上海均有重大利益，因此其反應比九一八事變時更為強烈。

一月三十日，國聯行政院宣布成立由英、法、義、德、挪威、西班牙等國代表，外加美國總領事，共同組成上海事變臨時調查委員會，並責成該會向行政院提出有關事變的調查報告。二月十六日，國聯召開行政院會議，正式向日本政府提出在中國領土從事軍事活動時，不得忘記《國聯盟約》第十條，以及《非戰公約》、《九國公約》等相關條約義務之要求，並強調對於違反盟約第十條之規定而侵犯其他成員國領土完整，及改變其他成員國政治獨立所造成之既成事實，將不為國聯以及國聯所有其他成員所承認合法及有效。二月十九日，國聯行政院再次召開會議，就中國政府要求行政院依據盟約第十五條，將中日爭端事件提交給大會處置之事進行表決。會議一致通過主席彭庫之提議草案，即行政院鑑於中國代表之請求，決定依盟約第十五條第九項之規定，將中日爭端事件提交大會，並決議大會應在三月三日召開。這一決議，成為日軍三月三日下令停止進攻的依據之一。

其次，主張在列強的調停下由中日直接交涉。二月四日，蔣介石對主持外交的汪精衛說：「只要不喪國權，不失寸土，日寇不提難以忍受之條件，則我方即可乘英、美干涉之機，與之交涉，不可以各國干涉而余反強硬，致生不利影響也。」八日，汪精衛致電蔣介石，聲稱：「一、英美法絕不肯為中日問題與日開戰。二、我國與日單獨開戰，結果必敗，割地賠款，仍需媾和。三、英美法雖不肯與日開戰，但亦不肯使日單獨得志，必定調停辦法，日亦未必絕對拒絕。四、根據以上三點，目前第一在解決停戰問題，勿使戰爭擴大，俾早得外交途徑。五、上海停戰問題如得解決，則再由英、美、法根據照會第五項，使中日直接交涉。六、我方應付方針在確保主權，同時不強英美法以所難，亦不予日本以難堪，以期早日解決。」蔣覆電表示贊同，認為「除此六項外，並無他好辦法。」可見在訴諸國際社會的同時，蔣介石放棄了九一八事變中拒絕與日直接交涉的方針，而是強調要借助英美各國和國際社會的力量，利用外交手段與日直接交涉。

其三，主張局部解決，先謀上海停戰。在中日交涉過程中，國民政府內部也存在兩種主張，顧維鈞、宋子文等人主張必須將東北事件與上海事件整個解決，而蔣介石、汪精衛、何應欽等人主張局部解決，先謀上海停戰。二月二日，英美等國公使向中日雙方提出停止衝突的五項提議「以解決一切懸案」。對此，顧維鈞、羅文幹、宋子文等人極力贊成。二月四日，顧維鈞密電張學良，告以「此間同人今晨集議，有主張先決滬案者，弟力持不可，現得英美各國積極出為調停，正宜趁此時機解決全部懸案，倘局部先決滬案，時機一去，懸案益將棘手。」外交部長羅文幹也公開發表講話，強調：「中國領土主權是整個的。中國領土主權之完整，曾經歷次國際公約之保障，絕無在整個國家之領土主權範圍以內，東三省問題與上海問題可以分別解決之理。」然而，英美提出的五項提議，遭到日方的嚴拒，並聲明上海事件與「滿洲」事件不能混為一談。英美不得不改變其「解決一切懸案」的辦法，轉而試圖說服中國放棄整個解決的要求，先謀上海停戰。

為此，二月六日，英國駐華艦隊司令克萊提出了停戰新辦法，即日軍撤回一月二十八日原防，中國軍隊撤出閘北和寶山，退出區域由中立國軍隊駐紮，同時由中國員警協助治安。七日，宋子文召集在滬的外交委員討論克萊調停方案，決議反對單獨解決上海事件。外交委員會的決議令蔣介石頗為不滿，其於二月八日指示何應欽致電吳鐵城、宋子文等人，聲稱：「昨英海軍司令在滬會商調解，聞諸同志中多主張依據各國通牒第五條，連同東省問題整個解決，以致毫無結果，失此斡旋良機，深為可惜。」

客觀而言，顧維鈞等人關於東北事件與上海事件整個解決的主張，有利於維護東北的主權，也迎合了民間反對與日直接交涉，反對單獨解決上海事件的呼聲。然而，在英美等國無力干涉，日本又強硬拒絕下，不僅整個解決的方案根本無從進行，而且上海衝突亦無法停止。因此，蔣介石等人先謀上海停戰的主張相對切合實際，從而為《淞滬停戰協定》的簽訂奠定了基礎。

五、責難與批評

在英美法義等國的調停下，三月七日，中日達成互不展開軍事行動之諒解。十四日，中日雙方代表在英國領事館舉行第一次非正式停戰談判，並達成停戰撤軍的三原則：中國軍隊留駐現在位置，以待簽訂協定時為止；日本軍隊撤退至公共租界及虹口越界築路地帶，一如一月二十八日事變前的狀態。但考慮到容納的日軍人數，部分日軍可暫駐於上述區域的毗連地帶；由中立國人士組成的聯合委員會證明雙方的撤軍。十九日，中日舉行第二次非正式會談，對第一次達成的三原則進行補充，強調「停止中日軍隊敵對行為」，談判應「摒棄一切有政治性質之事項」，日軍撤退區域內之治安，由中國派遣保安隊負責。正式談判於三月二十四日開始，先後談判十五次，最終達成協議，並於五月五日簽字。

然而，《淞滬停戰協定》普遍遭到外界的責難與批評。負責簽字的外交次長郭泰祺遭到民眾的毆打，而行政院長汪精衛則遭到監察院的彈劾。外界對《淞滬停戰協定》的責難與批評主要集中在三個方面，一是責難《停戰協定》將上海事件與東北事件分開解決；二是責難《停戰協定》致使中國在淞滬地區喪失駐兵權；三是責難《停戰協定》沒有明確規定日軍撤兵日期，擔心日軍不撤軍。

客觀而言，外界的責難是有一定的合理性，因為在《停戰協定》中，日本基本上達到了轉移國際視線之目的，而中國方面卻做了許多讓步，不僅犧牲中國駐軍上海的權利，且將上海事件與東北問題分開處理，為東北問題的解決增加了難度。正因如此，《淞滬停戰協定》被民眾視為喪權辱國的協定。

然而，在敵強我弱，英美等國無力干涉、日本又強硬拒絕下，將東北事件與上海事件捆綁在一起整個解決的方案根本無從進行。而對於日軍不撤兵的擔心，事後證明是多餘的。畢竟外交談判沒有百分之百的勝利者。面對強敵，弱國比較合理的選擇應該是犧牲最小的代價，換取最大的國家利益，而不是「寧為玉碎，不為瓦全」，因為國家是不能任其破碎的。應該說，《停戰協定》的簽訂，基本上實現了蔣介石使衝突局限在上海一隅，防止戰爭擴大與持久的最初目標，並迫使日本做出讓步，放棄在上海所侵佔的中國領土，日軍撤退至一二八事變前的位置，一定程度上維護了中國的權益，實現了以戰求和的目的。渴望通過《停戰協定》，完全將日軍趕出上海，甚至幻想憑藉上海一戰將東北收復，顯然對《停戰協定》有失公允，也是對協定的苛求。

六、結語

一二八淞滬抗戰是九一八事變後，國民政府領導下的第一次局部抗戰。蔣介石雖是在野之身，但已實際負起領導全域的軍政責任。一二八淞滬抗戰之所以能實現以戰求和，與蔣介石的決策密不可分。在此次抗戰中，蔣介石不僅拋棄了九一八時期的不抵抗政策，也否決了不切實際的對日絕交方案。面對日軍的侵略，蔣介石一面令中國軍隊實施正當防衛，予日軍以沉重之打擊；一面又將日軍之侵略繼續訴諸國際社會，積極尋求與日直接交涉。蔣介石的應對政策既向國際社會宣示中國維護主權領土完整的決心，又表現出謀求和談的誠意，一定程度贏得了國際社會的同情與讚賞，達到將中日衝突局限一隅，防止日軍侵略擴大之目的。在全面抗戰前，中國政府基本上是採取這一模式以應對日軍的侵略。

第參編　太原會戰與南京保衛戰

引　言

在七七事變發生，日軍攻陷了北平與天津之後，日軍進攻華北可以有三條鐵路線以供運用。由東往西去計算。

1.津浦鐵路北段作戰：第一條是津浦鐵路，日軍從天津往南，向中國的山東及江蘇方向進攻，目標是徐州。在這方面因為中國的山東省主席韓復榘不戰而退，讓日軍得以長驅直入，所以中方被迫炸燬津浦鐵路上的黃河鐵橋，才把日軍擋在了黃河以北。

2.平綏鐵路作戰：第二條路線是由北平向西，經過平綏鐵路向西方去進攻中國的山西省北部與察哈爾及內蒙古，因為這個方向是遠離中國的戰略要地，所以中方不但不破壞平綏鐵路，並且在南口由中央軍的湯恩伯軍團主動出擊，挑起戰事，此在我軍戰史中稱之為平綏路作戰，日方相對應由關東軍派遣一個師團越過長城參戰，另外由華北派遣軍派遣一個師團由北平向西進攻，因此在平綏路作戰，日方一共使用了兩個師團，大約五萬人左右。

3.平漢鐵路北段作戰：在平津戰役之中，國軍把駐守平津的二十九軍撤退到河北省的保定市，此地在平漢鐵路上位於北平之南，把中央軍的衛立煌集團駐守在滄洲到石家莊一帶，把山西軍駐守在娘子關至石家莊一帶，也就是說華軍的陣線是北起保定、滄洲，南到石家莊、把西北軍（二十九軍）、中央軍與山西軍都配置在這條防線上，期待日軍由北平沿著平漢鐵路向南進攻。在這條防線，華軍完全採取守勢，不主動求戰，也就是說華軍希望吸引日軍向西方去進攻平綏路，而要延遲日軍向南去進攻平漢路的時間。

結果是日軍在平綏路方面使用了兩個師團向西打到了山西的大同以後，轉而向南沿著同蒲鐵路去進攻太原市，接著也使用了另外兩個師團在平漢路上打到了石家莊以後再轉向西，經由正太鐵路去打娘子關，再去進攻太原市。在本書中，筆者把這兩個戰役合稱為太原會戰。

本章〈太原會戰〉其重點為：

1.太原會戰發生在一九三七年的秋冬，當時華軍已在上海挑起了八一三之戰，太原會戰在華北戰場，華軍是以華東戰場為主戰場，華北為支戰場，可是日軍沒有發覺這個戰略上的設計，還是把華北作為主戰場。

2.在一九三七年，日軍並沒有制定對華作戰的全盤計劃，只有擬定了華北的作戰計劃，因此乃中了中方的計謀，沒有及時利用平漢鐵路南下去攻打武漢，反而在平漢路作戰中，在攻取了石家莊以後轉向西去攻打山西的太原。所以太原會戰對華北的局勢來說，日軍是下了一手很漂亮的棋子，可是對整個中日之戰的大局來說，日軍是取了一角之利而有礙全局，是下了一步臭棋。

3.日軍在攻取了太原以後向南挺進到楓林渡，與潼關只是一線之隔，此時華軍仍集中在上海作戰，後來負責防衛潼關的胡宗南軍尚未調到陝西，因此日軍不乘勝攻進潼關，是一個戰略上的大錯。當時日方把進攻太原的兩個師團中的主力師團（即谷壽夫的第六師團）從山西調到天津，經由海運南運去進擊浙江的杭州灣，是中了蔣百里將軍所設計的大戰略之計謀。因之改變了在中日戰爭中日軍進攻中國的軸線，這也是本節的一個重點。

4.筆者認為日本把當時全國常備軍的十分之一，即四個師團去使用在太原會戰中是因為日方有一個政治上的目的，就是打破國軍對共軍的封鎖，暗助共軍進入華北。在太原會戰結束後，共軍的朱德集團軍（十八集團軍）下屬的林彪師進入了山西的五台山，以及劉伯承師進入了山西的太行山，分別建立了兩個大型游擊基地，在抗戰八年中坐大發展，在內戰中成為華北野戰軍及中原野戰軍，對內戰的影響甚為巨大。

5.當時負責防守石家莊到娘子關一線的國軍之孫連仲集團軍收容了為數不詳的共軍殘餘，因此在娘子關大敗之後，孫連仲部也應當有進入太行山打游擊的人，但是其詳細人數不明。筆者只是指出來，希望有興趣的史家去再作研究。

6.在本文結束時，筆者有三個疑問，此即：

(1)日方之公文書對此次會戰之政治謀略，即讓路給共軍，助其進入華北，有沒有任何記載？

(2)日方與中共在事先有沒有任何聯繫？也就是說共軍在日軍讓路之後，大型部隊穿隙進入兩個山區去建立基地，是不是事先已預作安排？

(3)進入這兩個基地的共軍是全數來自十八集團軍呢？還是有一部分屬於孫連仲所收編者呢？國軍之《抗日戰史》及解放軍史都認為是前者，我則判斷進入太行山者，除了劉伯承師之外，另有一部分是後者。此因在會戰結束時，十八集團軍之駐地在五台山邊上，而孫連仲集團則在太行山邊上。而且孫部四萬人，潰散至只剩下三千人，其中「自動復員」者當甚多也。

尚請諸同好一起研究。

太原會戰的另一種看法

——日軍暗助共軍進入華北

一、一九三七年華北戰場的態勢

如果把八年抗戰看成一盤大棋，發生在戰爭初起之時，即從一九三七年的七七事變，到八一三淞滬抗戰結束的十一月為止，中日雙方相互之間展開的攻防作戰，便是在下這盤棋的定石。其布局乃決定了後來八年戰事的態勢。在這段時期裏，由國防部史政編譯局出版的《抗日戰史》角度去看，在華北發生了四場戰役，此即：

1.平津作戰：起自七月七日盧溝橋事變，經過七月二十九日北平失守，到八月四日天津失守為止。

2.平綏鐵路作戰與太原會戰：八月上旬至十一月上旬。

3.平漢鐵路北段作戰：八月下旬至十一月中旬。日軍沿著平漢鐵路南下，十月十日陷石家莊，卻將主力西進轉攻山西，十一月九日太原失守，日軍轉用其第六師團於上海方面。除了進攻山西之主力外，其餘日軍仍沿平漢線南下，攻勢停止於河南省境內，沒有到達湖北省。

4.津浦路北段作戰：八月下旬至十一月中旬。日軍自平、津南下，攻至黃河北岸，我方炸毀黃河鐵橋，雙方遂隔河對峙。

世人都以為此四場戰役是全部由日軍挑起的，我則認為第一場，即平津戰役並不是日軍主動求戰，其他三場則是全部由日方主動策劃而產生的。七七事變原本只是一個日本天津駐屯軍之中下級軍官所挑起的一個地方性的小衝突。這個事件之所以不能和平解決，變成中日八年抗戰之第一槍，是因為我方在蔣中正先生領導下，決心撕毀於一九三五年七月之《何梅協定》，派了四師中央軍進駐保定，又拒絕先行撤兵，因而造成了和談破裂。蔣先生之堅持我方有權派中央軍進入河北，是為了威懾當時主持冀察政務之宋哲元上將，使之不得與日方合作搞「華北特殊化」，脫離中央以成立偽政權也。當七七事變發生時，日方在華北之駐軍只有五千，由此可見日本政府並無侵佔華北之企圖也。

除了平津之役，日方在其他三個戰場都各自使用了五萬餘人的兵力。不過以各單位之戰力去計算，而非只從人員之多寡去看，則在此三四個月之戰鬥裏，華北日軍的主力是使用在太原會戰中。並且把晉北與晉東兩方面所投入的兵力合起來去計算，日軍一共使用了十萬人以上，佔了當時在華北戰場上全部兵力的三分之二。

我方的抗日戰史，依照國軍的傳統看法，是把平綏鐵路作戰與太原會戰當成一個戰役，而把平漢鐵路北段之作戰看成另一個戰役。這可能是因為前者在我方屬於第二戰區，而後者則屬於第一戰區。

然而我認為，在日方的盤算中，這兩場戰役應當是合為一體的，此即日軍從平綏鐵路西進去攻擊山西之大同，再由此地南下沿著同蒲鐵路去進攻晉北；以及先沿著平漢鐵路南下去攻擊河北之石家莊，再由此西向沿著正太鐵路去進攻山西的娘子關與太原，即進攻晉東，應該是同一個會戰中的分進合擊，目標是太原市。因此我將之合併成為一個單一的戰役，稱之為太原會戰。此是在一九三七年秋冬，日本在華北實施的一個大型會戰，分別在晉北與晉東各自使用了兩個主力的常備師團，合起來佔當時日本全國常備兵力的十分之一。

國軍戰史認為日軍發動太原會戰的目標有兩個，此即：

1.日軍沿著平綏線西進，是防止「我軍反攻河北」。

2.日軍在平漢線北段打下石家莊以後，把主力轉向西去攻娘子關，是要去捕捉時已進入山西結集的我方野戰軍之主力兵團。

我認為此是值得爭議者，因為：

1.我方在山西之主力為晉軍，當時晉軍並無出兵去反攻河北之可能。

2.日軍從娘子關入山西，進佔太原之後，並未在捕捉到我方野戰軍之前繼續追擊，予以消滅，反而把其中二分之一的兵力，即第六師團撤走，只留下第二十師團去長期佔領太原地區。

那麼，日軍在佔領石家莊之後為什麼要去打太原，而不繼續沿著平漢鐵路南下去打武漢呢？

首先，在日本投降之後，盟國檢查日方文件時，發現日方在七七時，竟然沒有制定與中國全盤作戰的計劃，只有攻打華北的計畫。因此日方在此階段犯了兩個戰略上的大錯，即：

1.在佔領了北平以後，沒有南下直攻武漢。

2.在攻下太原之後，追擊我軍南至楓林渡便向北方撤軍，沒有渡過黃河去攻取潼關，在當時（即一九三七年十一月），胡宗南部還在上海作戰，還沒有調入陝西，潼關的防務是空虛的。

如果只拿太原會戰來作研究，我認為日方在太原會戰中，是以政治謀略為主要考量，而不是只由軍事利益去著眼。而且日軍進攻晉北的平綏鐵路之戰，與進攻石家莊的平漢鐵路北段之戰，以及進攻太原是一個整體性的計劃，並非像我軍戰史之認為是三個或兩個戰役。我判斷，日方的政治目的是要去幫助共軍進入華北，以造成中國人內部長期之鬥爭與內耗。

這場戰役如果只從華北去看，日軍確是下了一步極有政治謀略的高招。可是從整個抗戰去看，誠如蔣中正先生在一九三七年九月裏的日記所說的「敵之弱點，以支戰場為主戰場」。日方是只贏了一個角落，卻忽略掉了整盤棋的定石。此即日軍在攻取平漢鐵路上的石家莊之後，應該在一九三七年冬天來臨之前，集中兵力南下去攻取武漢，及時把中國縱切為二，以迅速阻擋我方把華東及華中之國力西撤至以四川為中心之西北與西南之山區，去作長期抗戰也。日方在太原會戰中見木而不見林，為了取一角之利，因而有害於全局之定石者，是下了一步臭棋。使其在一九三七年嚴冬來臨之前，失去了迅速自平漢線南下攻擊武漢的戰機。再加上我軍所發動的八一三淞滬會戰，就使日方在抗戰中進攻我國的戰爭軸線變成了由東向西打，而不是由北向南打了。

本節主旨即是在研究這個三合一的太原會戰：此即將日軍在平綏鐵路作戰以攻晉北、平漢鐵路北段作戰以攻石家莊，與自晉東切入以攻太原的這三次作戰結合在一起，視為一場大型會戰——「太原會戰」，以及日軍挑起此會戰的政治謀略。此即我所判斷的：日方主動讓路給共軍，使之能進入華北，於此會戰後建立起太行山及五台山兩個游擊基地也。

作為一個紙上談兵的業餘戰史研究愛好者，本節並非依照正規的戰史體裁去寫，也不會去描寫戰役之詳細經過。我在此只是要寫出我的觀點，請愛好戰史的同好，不論是業餘的或專業的，由這個角度繼續去作更進一步的研究，以補筆者學力、能力與專業之不足，並解本文結尾時所提出的我至今尚不得解之三點疑惑。

總之，在太原會戰已經結束了七十多年後的今天，作者研究這個戰役，不在追查日軍、國軍與共軍之間的合縱連橫之是是非非，而是在探索真相，給歷史找出真實的一面而已。

二、日軍為何急於進攻太原？

日軍在一九三七年七月二十八日攻佔北平之後，有三條鐵路線可資利用，以進一步去攻擊華軍，此即：

1.由津浦鐵路南下，經過山東去進攻徐州，再南下攻取南京，此為東路。在攻下徐州以後，日軍也可以放棄繼續南下，轉向西進，沿著隴海鐵路去攻取在平漢鐵路上的鄭州。

2.由平漢鐵路南下去攻擊石家莊，再經河南去攻打湖北武漢，此為中路。在此方向，日軍也可以在石家莊西轉正太鐵路去打山西之太原。

3.由平綏鐵路西進去打山西之大同，再向西去攻張家口，這是西路，亦可以在大同南下經由同蒲鐵路去打山西之太原。

日軍在一九三七年秋冬於華北結集了十餘萬人，在上海則使用了三十多萬人，因此日方是將主力投入八一三淞滬會戰。在華北的軍力中，日軍把主力用在攻擊山西太原的一個會戰，卻不先去打東路的徐州或中路的武漢，如果只以軍事學的考量去看，這真是一個大錯誤，因為：

1.山西是由閻錫山上將統治的地區，他所率領的晉軍與中央的關係並不融洽。在一九三〇年的中原大戰中，閻錫山與馮玉祥聯合對抗蔣中正先生，雙方打成平手，最後因為張學良的東北軍入關，進入河北去支持蔣先生的中央軍，蔣先生才能獲勝。

2.在中原大戰結束後，閻錫山先生乃在一九三〇年十一月離開山西，經過天津轉到大連，受到日本軍方的保護，一直住到一九三一年八月才回到山西。

請注意，在不到一個月之後，即一九三一年九月十八日，日軍發動了九一八事變，全面進佔我國的東三省。我認為閻先生在此極為敏感的時刻離開大連，值得研究。九一八之後，國府乃取消因中原大戰而發布之各通緝令，自閻錫山、馮玉祥以下之黨政軍人士乃歸隊，全國共赴國難。閻先生乃在一九三二年二月後東山再起，重新主政山西。自從民國元年（一九一二年）起首任山西都督，到一九四九年國府退出大陸，在此三十八年之中，除了隱居大連的那十個月之外，閻錫山先生都是「山西王」。

在這十個月的下野期間，閻先生選擇去住在大連，接受日軍的保護。而且在日軍發動九一八之前不到一個月，又及時離開東北回去山西。可證日軍高層與閻先生的交情實為深厚也。此是發生在七七事變的五、六年之前，為時不久。

3. 閻先生在一九〇四年（清光緒三十年）到一九〇六年就讀於日本東京的振武學校，一九〇七年至一九〇九年就讀日本士官學校第六期，同學中有李烈鈞、唐繼堯、李根源等後來的民國名人。此即先生自二十二歲（一九〇四年）到二十七歲（一九〇九年），五年之中是在日本讀振武學校與士官學校。日軍的中高級軍官以士官生為主體，閻先生為六期生，期別甚高。

閻先生在山西長期主政，七七之前，他所掌控的軍政機構中僱用了為數眾多的日本顧問，因此日方對晉方的內情與動向也應當是熟悉的了。自民國元年到七七事變，在先生主政山西二十多年期間，他只有在北伐與中原大戰中兩次出兵華北，其餘都是「保境安民」，從未派晉軍離開山西省出境。那麼在日軍已佔領平津地區，其軍事態勢明顯優於華軍之時，晉軍不會主動出擊以謀「反攻河北」，是理所當然之事。所以我不同意國軍戰史的觀點，即認為日軍進攻太原地區是為了「防止我軍反攻河北」之原因也。

總之，在七七剛發生時，太原並非日方必攻之地，不應當是最為優先的攻擊目標。況且以日、閻、蔣的三角關係去看，閻錫山應該是日方努力爭取的一個合作對象。

那麼，在一九三七年七月二十八日北平失陷之後，日軍在華北為什麼要在八月上旬立刻就展開太原會戰呢？等到十一月中旬此會戰結束之後，華北及華中都已進入冬天，日軍就難以立刻沿著平漢鐵路南下去打武漢。所以，從軍事學的觀點來看，日方在佔領北平以後，結集十萬人以上之兵力，急著先去打太原，卻不迅速沿著平漢鐵路南下去打武漢，是一個大錯。因此，日軍之進攻太原，我認為除了軍事方面的考量之外，應當另有其他方面的考量。

開戰時，在山西境內的軍事力量有三個集團，當然以晉軍，即由閻錫山領導的山西軍為主力，人數最多；其次為中央軍，例如衛立煌的集團軍在晉東，而中共的十八集團軍（即八路軍，由朱德擔任總司令）在晉北。

隨著太原會戰的進展，衛立煌集團由晉東轉調至晉北去支援晉軍，而原來在平綏鐵路的晉軍之傅作義集團軍則南調去防守太原，與之在同一戰場協同作戰的十八集團軍隨之南調去了五台山附近。

此時國軍乃調原屬西北軍的孫連仲集團軍北上接替衛立煌集團軍在晉東之防守任務，然而孫連仲集團曾經收編了人數不詳的共軍在內。因此在太原會戰進行時，共軍有兩股力量出現在山西境內。其一是由晉北的平型關南撤至五台山附近的八路軍。另一比較小股者，其人數不清楚，乃是寄身在國軍孫連仲集團軍中的，而其位置則在太行山區附近。在孫集團中的那一股共軍兵員有多少，尚待查證。

這個共軍因素，我在本文中將加以分析，我判斷此為日方的華北派遣軍之所以急著在攻下北平之後，立刻急著去打太原，其考量是在要幫助共軍進入華北。

三、太原會戰的大致經過

我對太原會戰之發生興趣，是因一九八〇年代先父晚年講給我聽的軼聞，此是先父在轉述其老長官黃紹竑將軍告訴他的故事。在轉述這個故事之前，我們先來分析一下山西的地理形勢。

日軍從北平去打山西，可以兵分二路，即：

1.沿平綏鐵路從北平向西打，在攻佔晉北的大同之後，再南下沿同蒲鐵路去打太原，此為山西之北路。請注意，平綏鐵路與同蒲路都使用了英國規格的寬軌，因此日軍轉攻山西時，甚為方便。

2.沿平漢鐵路南下去打石家莊，再轉由正太鐵路經娘子關去打太原，此為山西之東路。此處則因為正太路是使用了法國規格的窄軌，而平漢鐵路則是使用英制的寬軌，兩者的規格不同，所以日軍在轉攻山西時比較困難。

一九三七年七七事變後，我方在平漢鐵路北段與津浦路北段成立了第一戰區，由軍委會蔣中正委員長兼任司令長官。至於在山西省，則成立了第二戰區，由閻錫山上將擔任司令長官，桂系的黃紹竑中將擔任副司令長官。

日軍對山西的進攻是先打北路，再打東路，其大致經過如下：

1.在八月上旬，日軍從北平沿平綏鐵路向西攻，此時駐在東北的關東軍也配合南攻，在長城的南口與居庸關與我軍激戰。

仁按：南口之役是我中央軍之湯恩伯軍團奉軍委會之命令，主動出擊所挑起來的。目的是吸引日軍向平綏鐵路沿線進攻，要日軍自北平向西北進攻，以減輕日軍自北平沿平漢鐵路南下去攻擊武漢之壓力。

2.九月十日，日軍開始進攻晉北大同，使用了兩個常備師團以上的兵力，兩天後，大同失守。日軍乃轉向南進，沿著同蒲鐵路去攻擊太原。因為負責防守大同的晉軍軍長李服膺中將作戰不力，乃遭我方處以死刑，予以槍決。在蔣中正日記中，他對閻軍作戰不力之指責甚多，卻沒有下令槍決李服膺，我判斷此事為閻錫山揮淚斬馬謖之舉。

3.我軍不久之後棄守也在晉北的平型關，把共軍第十八集團軍與晉軍傅作義之第七集團軍等部隊南撤，共軍轉進至五台山附近，而傅軍則接防太原。

此時我方判斷進攻山西之日軍主力應該是來自北方，乃作下述之處置。

(1)調原來在平漢鐵路石家莊附近駐防之中央軍——衛立煌之第十四集團軍，於十月一日轉移至晉北助戰。至於石家莊至娘子關一線之防務，亦即晉東，則移交給原本出身於西北軍系，現已歸屬中央的孫連仲之第二集團軍。

(2)由閻錫山長官負責晉北之戰鬥，並派遣黃紹竑副長官於十月一日至晉東之娘子關負責。

然而日軍在十月十二日以兩個常備師團（第六及第二十）為主力，大約五萬餘人之兵力，此是與在晉北使用之同等兵力，沿著平漢鐵路南下，攻佔石家莊之後，以其主力西進去攻娘子關，由平漢鐵路之石家莊西進去攻娘子關，在二十六日攻下。

在此期間，黃紹竑乃要求閻錫山調派八路軍之一部分，自五台山邊南下至娘子關附近助戰。

4.在七七事變發生時，日本有十七個常備師團。隨後迅速擴軍，把預備師團加強裝備而成為總共四十個師團。此時在晉北與晉東各自使用了兩個，合起來為四個，即佔有全國常備師團的十分之一，對日軍來說，此應當是一個主要的會戰。

5.日軍從娘子關進入山西之後，逕攻太原，在十三天後，即十一月八日攻下，我守軍傅作義集團軍乃向南撤退。

6.可是日軍卻迅速把第六師團撤出山西，經由天津轉運去淞滬戰場，即自太原至石家莊一線，只留駐了第二十師團兩萬四千人，此乃大出國軍意外之事，我方遂來不及回攻太原。據當時在晉東指揮戰事的戰區副司令長官黃紹竑中將在事後告訴先父說，太原附近地區曾經因之一度成為軍事真空狀態。這是我在戰史的文字資料中沒有見到過的記載。國防部史政編譯局所主編的《抗日戰史》第三十五頁有文曰：

太原會戰以後，國軍南撤，日軍後方空虛，十八集團軍各部隊遂開始在五台山區、太行山區正式大規模建立游擊基地，奠定其在華北成長之基礎。

此處我要指出下列各點：

1.不是「日軍後方空虛」，而是日軍曾經一度自動退出太原附近地區，為共軍進入華北讓出了一條道。

2.當時在太原附近之共軍，除了十八集團軍之外，另有屬於孫連仲集團軍之隊伍，今說明其原因如下：

在一九三六年十二月的西安事變之後，國共聯手抗日。此時在西北地區有為數頗多的共軍之散兵游勇，這是中共在兩萬五千里長征經過西北時的殘餘。

我判斷其中有一定的人數是原來屬於紅四方面軍者，此是由張國燾所領導的隊伍。在毛兒蓋會議後，紅四方面軍乃與毛澤東所領導的紅一方面軍分道揚鑣，西進甘肅。該部原來打算通過河西走廊後，經由新疆和蘇俄取得聯繫，不料在河西走廊為馬家軍之騎兵伏擊，至少兩萬多人全軍覆沒，只有一千多人脫逃去延安與紅一方面軍會合。

仁按：紅四方面軍在河西走廊被殲滅時之人數，眾說紛紜，有三個說法，即為八萬人、四萬人與兩萬餘人，待考。

這至少兩萬多人的大軍不可能都被斬殺殆盡，因此必有眾多脫隊之潰兵流落在西北地區。一九三七年七月的七七事變之前，國共既已聯手，我軍委會乃下令西北軍的孫連仲集團就地予以收編。

蔣中正日記在一九三七年七月八日星期四有文曰：

預定：

一、令孫連仲、龐炳勳、高桂滋部動員。

此為盧溝橋事變後之第二天，即蔣先生決心要在華北抗日，乃下令動員各原為「地方部隊」之「第二中央軍」北上去參戰。可是蔣先生也不放心孫連仲部隊中有被收編的共軍，擔心與孫部開赴華北參戰後，其所屬之原來的共軍分子會「復員」——即脫隊而混入民間，變成放虎歸山，乃在七月十四日的日記記載：

預定：

一、令仿魯（孫連仲）來見，北上部隊非有中央命令，不得復員。

現在讓我們來討論一下，孫連仲部隊所收容的共軍究竟有多少人？我們在此先引用中共方面的資料，其西路軍（即由張國燾所率領的第四方面軍）的下場大致如下：

西路軍除四百多人在陳雲、滕代遠接應下到達新疆外，七千多人陣亡，被俘遭虐殺活埋五、六千名，最後被營救陸續回到延安四千七百名，兩千多人流落西北各地，兩千多人輾轉回到家鄉。（李菁，〈西路軍：那段曾經被遮蔽的歷史〉，《三聯生活周刊》，二〇〇九年第二十四期）以李君所引文字，把各項數字相加，則紅四方面軍在河西走廊戰敗時的兵員總數大約為兩萬人出頭些。

假設上述所引資料是正確的，那麼孫集團所收編的共軍可能有下列兩種來源：

1. 流落在西北各地的兩千多名。

2. 最後被營救回到延安的四千七百名之一部分。此因孫部共軍在太原會戰後進山打游擊，對中共來說，這些人最後歸隊了，也算「回到延安」陣營也。

總之，目前我不清楚此股共軍之確實數字，尚需查實。不過以下述所引蔣日記去看，我認為孫部共軍不超過七千人（不到一師）。也就是說如果僅屬第一類，孫部共軍就不超過兩千餘人，如果第二類中有一部分也來自孫部，則孫部共軍不超過七千人（不到一師）。

共軍不應該只有兩千人左右。現在讓我們先來讀蔣中正日記中的兩條相關記載。

一九三七年七月十四日：

預定：

一、令仿魯來見，北上部隊非有中央命令，不得復員。

此即上文所引者，接著在七月十六日有文曰：

下午會客，仿魯北上，為收編共軍事，憤怒甚盛，但能忍者，故總未發耳。

此後一段時間內，蔣在日記對「收編共軍」事，有連篇的記載，例如：

七月十九日：

注意：

三、對共黨之收編應即解決。

七月二十四日星期六後面的「下週預定表」：

四、督促共軍之編組。

七月二十六日：

預定：

一、編組共部。

凡此等等，因為蔣先生都沒有提到孫連仲（仿魯）上將的名字，而且國府收編八路軍是在同年八月裏，因此這些「共軍」、「共部」並不一定是指孫集團所收容者，我們在此暫且不予列入本文之討論。就只拿七月十六日的蔣日記去看，在蔣中正先生與孫連仲兩人當面談話時，蔣說：「為收編共軍事，憤怒甚盛，但能忍也，故總未發耳。」可見他們兩位對使用孫部所編的共軍一事之看法不同。

〔仁按：此處「收編共軍」當指孫部所收者。因為八路軍（十八集團軍）與孫部無關，也不在同一個戰區，蔣先生此時不必也不會去與孫連仲集團軍總司令商談收編十八集團軍一事也。此時孫集團軍在河南，而朱集團軍（即共軍）則在陝北與晉北，兩者防地遠隔數百里，而且同為集團軍一級，並無相互統屬關係。蔣先生是無庸與孫將軍去商量朱集團之使用問題的了。又，承周珞兄找到資料賜告，在四方面軍潰散之部隊中，有一支部隊，即紅五軍團董振堂部，此為原來屬於孫部，而在一九三一年的「寧都起義」中投共者。在四方面軍覆滅時，董將軍受傷自殺，其部星散。〕

當時蔣先生是國軍統帥，他領導的國軍當以百萬去計算，孫將軍是一個集團軍總司令，他指揮的軍隊大約為四、五萬人。

如果他們兩位的爭執，只是為了孫將軍如何去收編或使用兩千餘人的共軍脫隊者，是不是有點小題大做，不合身分？又是怎麼可能的呢？雖然孫將軍出身馮玉祥的西北軍，並不是蔣中正先生的嫡系，又是北方人的個性，可是再怎麼樣，他總不應該為了兩千多人的芝麻小事與全軍統帥的蔣委員長去當面頂撞的呀？

因此，我認為中共方面關於西路軍（四方面軍）的下場之敘述中，至少有一個數字，即散落在民間者為兩千餘人這條記載可能是不明確的。那麼在中共建政已有六十年的今天，為什麼對自己解放軍的軍史這條記載還會有錯的呢？我認為可能的原因如下，不過這只是我個人的判斷，真相仍待查明：

1. 羞於啟齒：四方軍的覆滅對紅軍（解放軍）來說，是打了個大敗仗，總不是個體面的事情。所以在傷亡、被俘、潰逃等的人數方面少說些，以多報少，予以遮掩，也是人情之常。

2. 並不清楚：當時是「兩萬五千里長征」，紅軍是在大撤退、大逃亡的狀況下，也很難有精確的統計數字與文件保留下來，即使在建政後，時隔多年再去調查當時尚為存活者，經過抗戰及內戰，（長達十二年）人數可能減少了許多。

3. 四方面軍在覆滅之後，其殘留分子乃成為解放軍中的「非主流派」。例如建政分封之十大元帥中，只有一個徐向前元帥是四方面軍的，其餘九個都是一方面軍出身的。因此中共在撰述解放軍史時，四方面軍的歷史也就沒有得到應有的重視。大家可能馬馬虎虎，草草一筆帶過，有些數字也就不太認真去核算的了。

4.剩下來的一個原因就是本文想要檢討的，是中共方面故意隱瞞真相，要隱瞞在孫連仲集團軍中被收容的共軍人數。在此情形下，如果孫部共軍也包括了那到延安的四千七百名之一部分在內，而中共方面不予說明他們是如何獲救歸隊的，也是在隱瞞真相的了。

總之，以上四點是我個人的判斷，真相尚待查清楚。

現在，讓我們回過頭來去研究太原會戰的經過。在七月十四日的蔣日記中，雖然說他命令孫連仲集團在北上後非有中央命令，不得復員。孫部在仍能用軍紀管理時，是可以做到遵從命令去約束其所屬「不得復員」。試問如果孫部打了敗仗而散亂時，又怎樣了呢？這正是在石家莊到太原一線，一九三七年十月至十一月間孫部的狀況。

此時，日軍在戰勝了孫部之後，忽然自動撤軍，讓出通路，那麼那些原來是共軍的孫部敗兵就自動「復員」進入華北山區去打游擊也。

在《孫連仲先生年譜長編》一書裏，孫將軍提到劉伯承部（即一二九師）此時來增援之記載，其部正好八千人，卻不服派遣跑得遠遠的（見該書二二六九頁）。而在太原會戰結束後，劉部乃就近進入太行山區去建立游擊基地。抗戰結束後至國共內戰期間，則擴展成「劉鄧大軍」也。

那麼在太行山的晉冀豫邊區中，除了劉、鄧以外，有沒有其他孫部的潰兵呢？我判斷是有的。黃紹竑在十月三十一日致委員長之密電指出，孫部之四萬基本隊伍此時總計剩下來不過三千人，犧牲慘重（見上書二二五八頁）。四萬人只剩三千人，那三萬七千多人不可能全數傷亡，應當有許多「脫隊復員」者。只是我們無法估計此類潰兵之確切人數，更無從得知其中有多少是孫部所收容之共軍。

不過在幾個月後，即一九三八年三月，孫部奉調津浦線作戰，卻在台兒莊打了一場大勝仗，消滅日軍一個主力師團，可見其戰鬥力仍在。因此黃紹竑這份密電的數字是否誇大了孫部「犧牲」的人數，也是疑問。另外還有一個可能，就是像孫部這種「地方部隊」，基本上是農民軍，易散易聚。總之，在閱讀蔣中正先生一九三七年日記的部分時，發現孫部可能收容了一部分共軍，但人數不詳。在此指出，請大家再做進一步的研究。

這是我讀太原會戰史料之後的疑問，即進入五台山區及太行山區之共軍，是以十八集團軍所部為多，還是孫集團的收編者為多的呢？當然，其中的劉伯承師八千人本來即是十八集團軍，當時被編入孫部隊，理論上應當算在孫集團內，可是實際上並不聽從孫的指揮，即使不把劉師算成孫部，而計算在十八集團軍之內，現在中共及國軍之戰史都說這批共軍是來自十八集團軍，真是如此嗎？

四、黃紹竑告訴先父的故事

黃紹竑將軍在娘子關戰敗之後，被調到浙江去擔任省主席，以取代朱家驊先生，這是因為抗日戰爭既然已經爆發，浙江又位處於前線，省政當由軍人負責為較宜也。

黃主席到浙江就任時，父親是金華區行政專員，因為他不贊成黃將軍的在浙江各地廣設游擊隊之政策，乃辭職去武漢。當時國府的黨政重心，名義上應該是在陪都重慶，實質上是在武漢。

一九三八年七月，即六個月之後，父親被蔣中正先生委派為浙江省民政廳長，又回到浙江在黃將軍手下任職。自此時起，一直到一九四五年抗戰勝利之後，父親與黃將軍共事長達八年之久。

父親告訴我有關山西這次戰事的故事，是轉述黃紹竑將軍的牢騷。

黃將軍在一九三七年十月一日被派到娘子關去負責防守，原本他以為是個閒差，因為下述的兩個因素，我方認為從九月十日起，日軍的主攻即已在晉北，此即：

1.日軍在平綏鐵路方面已經使用了超過兩個主力師團，大約五萬餘人的兵力。

2.從石家莊向西轉攻晉東的娘子關所必用的正太鐵路，採用的是法國鐵路規格的窄軌，與國際通用的英制寬軌不同。此是當年造路時，閻錫山為預防外敵入侵山西而做的精心設計。因為與正太鐵路在石家莊接軌的平漢鐵路則是寬軌，所以進攻山西的日軍在打下石家莊以後，必須換乘法制的火車才能西進山西。可是平綏鐵路及同蒲路都是英制的寬軌，所以日軍在晉北攻打下大同之後，南攻太原並不像在晉東一樣必須換車。

因為第二個因素，我軍乃將主力放在大同至太原之間，以晉北為主戰場，由閻錫山上將親自指揮的了。

可是大家都沒想到日軍在十月十二日就大舉進攻娘子關，而且使用了兩個以上的主力師團，兵力多達五萬餘人，與在晉北使用的兵力相當。這一下子就把我軍打得個措手不及而踉蹌大敗，娘子關在十月二十六日失守，太原在十一月八日失守。

可是令黃將軍百思不解的是，為什麼日軍在打下太原以後就迅速撤兵？他向父親訴苦，說日本人豈不是存心在跟他搗蛋嗎？

我認為不只黃將軍一個人是百思不解的了，到今天為止，國軍的戰史學者也都沒有弄清楚這一點。我的看法是，日軍發動這次太原會戰，其考慮的不只是軍事上的需要，而且也有政治上的考慮。

抗戰前國軍已把共軍圍堵在陝北，此時日軍是要把國軍這道銅牆鐵壁打一個大洞，讓共軍可以脫困而進入華北，使得國共將來會陷入長期的內耗。太原會戰的結果正是如此，只是我國的戰史學者至今還認為共軍之能成為脫韁之馬，是因為「國軍南撤，日軍後方空虛」。我認為是因為「國軍南撤而日軍亦曾一度撤出太原附近」。國軍是敗退，當然會以為日軍好不容易打下太原，必然打算長期佔領，哪知道日方也迅即一度後撤的呢？就是因為日本在趕走了國軍以後，自動撤兵讓出一條通路，共軍才能脫困的了。

黃將軍初敗之餘告訴父親說，於是太原附近地區一時成為真空地帶，黃將軍當時或許不知道，共軍乃得因此穿隙而入華北矣。

五、小結——我的三個疑問

太原會戰之後使得共軍在一九三七年底進入太行山區及五台山區，在華北建立了兩個游擊基地，經過八年抗戰，到了勝利後的國共內戰時期，這兩個基地的共軍已擴張成為中原野戰軍及華北野戰軍，影響極大。

因為在抗日戰爭中，這兩個游擊基地並未對華北戰事產生重大影響，研究抗戰史者對太原會戰在歷史上的重要性也就忽視掉了。殊不知日軍挑起此戰的政治謀略——即幫助共軍進入華北，確是老謀深算，對國共在抗戰後的爭霸中國影響甚大也。

只由中日戰爭去看，日軍把華北的十餘萬兵力，此相當於其全國十分之一的主力打擊兵團，在一九三七年八月到十一月之間去用在太原會戰，而不是集中力量去打通平漢線，直接進攻武漢，則是一個重大的戰略上之錯誤。

我認為此是基於下述原因：

1. 日本在七七事變時，並沒有全盤進攻中國的作戰計劃，此即重光葵在《昭和の動亂》中所說的，日軍是被華軍牽著鼻子走。

2.七七事變後，在一九三七年裏，日方在華北所進行的幾個戰役，即平綏鐵路（包括太原會戰）、平漢鐵路北段及津浦路北段之作戰，雖然是由東京的參謀本部擬定作戰計劃，卻都是由日本華北派遣軍所主持的。日本人也有本位主義，其華北派遣軍只考慮其主管戰區華北之政治與軍事之利益。

3.日本當時仍然在想一口一口吞下中國，就像吃香蕉一樣。這是在明治維新時代就有的想法，在大正與昭和時代亦然。在一九三七年，日本根本並不預期因為七七而起的衝突，會演變成後來的八年長期作戰。所以在進行太原會戰時，不論是東京的參謀本部或是在天津的華北派遣軍司令部，都是只在考慮如何把華北吞下肚子去。因之幫助中共進入華北，造成國共在該地區之長期內鬥，在當時華北日軍高層眼中，比去打遠在華中的、並不屬於他們職責範圍之內的武漢，當然更為重要的了。在他們心目中，中國必然會在失去平津之後，設法與日本求和，也就是戰事不久就會結束了。

在研究了太原會戰之後，我仍有三個疑問，此即：

1.日方之公文書對此次會戰之政治謀略，即讓路給共軍，助其進入華北，有沒有任何記載？

2.日方與中共在事先有沒有任何聯繫？也就是說共軍在日軍讓路之後，大型部隊穿隙進入兩個山區去建立基地，是不是事先已預作安排？

3.進入這兩個基地的共軍是全數來自十八集團軍呢？還是有一部分屬於孫連仲所收編者呢？國軍之《抗日戰史》及解放軍史都認為是前者，我則判斷進入太行山者，除了劉伯承師之外，另有一部分是後者。此因在會戰結束時，十八集團軍之駐地在五台山邊上，而孫連仲集團則在太行山邊上。而且孫部四萬人，潰散至只剩下三千人，其中「自動復員」者當甚多也。

假設我的判斷是正確的，我們來比對太原會戰之經過，真是要佩服日軍此次戰役計劃之完美也，試看日軍所採取的進攻步驟如下述：

(1)先攻晉北，使我軍把原來在平漢線石家莊地區駐守之中央軍衛立煌集團軍急調往晉北助戰。

(2)因之孫連仲集團軍乃接防石家莊至娘子關之防線。

(3)立刻進攻孫部並擊敗之。

(4)在擊退孫部，取下晉東之娘子關後直攻太原，下之，迫使該地區之晉軍傅作義集團軍南撤。

(5)在傅軍棄守太原後，日軍也一度迅速後撤，放棄太原附近地區，乃造成該地區之真空狀態，因之共軍可以不受中央軍及晉軍之攔截而穿隙也。

(6)使本來就在娘子關至太原間，即「日軍後方」太行山邊上的孫連仲部敗軍之共軍得以借路進入山區，自動「復員」去也。

(7)使當時位置在五台山附近之十八集團軍部分共軍也能入山建立基地。

不過即使是十八集團軍之一部亦進入山區打游擊，仍是出於日軍之進攻，因為該部本來配置在晉北之平型關附近，在十月初受到日軍之攻擊而後撤至五台山附近。總之只以太原會戰這一個角落的棋局言之，日方下的如此高明；可是事後去看，日方對整個中日大戰的全盤棋局之定石，卻完全是不知不覺，連後知後覺的資格都沒有，真是下得低劣之至。

就像本文開始時所說的，在一九三七年七月到十二月之間，華北的四場戰役與華東的八一三之役，是中日雙方在下定石。當中方在八月十三日挑起淞滬戰役之後，上海的戰事逐步升高，可是日方仍然著眼於華北戰局之一隅，全力在打太原會戰。對此，蔣中正日記九月二十六日記曰：

注意：

五、平漢線軍潰敗，滄州亦已不守，北正面只可守太行（山）脈側面之陣地矣。

本日身心舒泰，對北正面戰事雖不利，但心無甚慮系（繫），以主戰場在上海也。

此即日軍愈是強攻華北（北正面戰場），則愈墮入我方大戰略設計之圈套，因之平漢線戰事雖然不利，而蔣先生反而「身心舒泰」，所以他在日記九月底的「本月反省錄」說：「敵之弱點，以支戰場為主戰場。」即是指出日方在下定石時的盲點。從軍事學的觀點去看，蔣先生是正確的。可是從事後來分析，國府並沒有注意到日軍在太原會戰中的政治謀略，即幫助共軍進入華北所造成的重大影響，也是有思考上的盲點。

如果把國、共、日當作三方面在下棋，而不是中日雙方在下棋，那麼太原會戰的結果是鷸蚌相持，漁翁得利的了，也就是說中共是此戰役的最大獲益者。

如果是只以中日雙方在下棋的觀點來看，那麼太原會戰包括了平綏鐵路與平漢鐵路北段之戰，是日軍在華北使用了四個主力師團之戰役。日方打贏了此戰役，只是在棋盤上爭了一個角落之上風，可是卻把整盤棋給下糟了。日軍因此失去了在一九三七年嚴冬來臨之前，沿著平漢鐵路南下去攻取武漢，去把中國一切為二，去遮斷我國把華東的國力後撤入四川之通路，使得中國能支持長期抗戰。那麼日軍這場太原會戰在大戰略上真是犯了見木而不見林之大病的了。

二〇一一年七月三十一日於舊金山
二〇一二年二月二十九日再修於台北

第二章

南京保衛戰失敗的原因

引　言

本書的宗旨在於：

1. 研究抗戰是如何開始。

2. 中勝日敗的原因何在。

以上兩點與一九三七年的南京戰役並無關係，卻與稍前發生的八一三戰役關係重大。八一三淞滬會戰是由一九三七年的八月十三日打到十一月九日，之後我數十萬軍潰敗，日軍追擊，乃在十二月十三日攻進南京，並展開屠殺。八一三與南京保衛戰實際上是同一個戰役，因此本書乃稍稍予以討論南京保衛戰，不過從軍事學的觀點去看，南京保衛戰實在是乏善可陳，本章所收集的幾篇文章多是筆者在一九七〇年代，於美東紐約的《星島日報》沙上痕爪專欄中所發表的，不論從資料的蒐集與觀點的成熟度當然都不及本書中所收集的，在二〇一〇到二〇一四年所撰寫的其他各篇文章，之所以沒有加以刪除，一方面是敝帚自珍，二方面是所言者稍稍亦有可取之處，尚請讀者指正。

論我軍抗戰在上海南京之戰術錯失

——答李小雲批評之一

「蔣中正、唐生智等守土有責者，不能守住南京，是有責任的。」

「國軍有失土之責，日軍有不人道的屠殺之罪，是不相關連的兩回事情，並不是中國失守一城，日軍在佔領後必然應該屠城的。」

這兩段話錄自拙作〈不是人話〉，讀者李小雲女士寫了〈說句公道話〉替黃君辯護，她說「阮大仁先生認為南京大屠殺，蔣中正不應當負責任。」又說：「南京有高城，有深池，而且經過半年時間布防，最後不到一夜時間就被人攻下，我們自己守城的指揮官不戰棄城而逃，不應當受到檢討？不應當受到批評？」她並且認為造成日軍在南京屠殺我軍民的原因是：

1. 南京城內形勢大混亂，軍民不分。
2. 南京城牆有數丈之高，人民不易逃生。
3. 長江天塹水深數十丈，兩岸數里之遙，老弱婦孺無法游水逃命，加之天寒地凍，飢寒加交溺死江中。

不論是檢討我方之責任，或是造成日軍大屠殺的原因，李女士的立論皆有可以商討處，因篇幅故，我分成三篇文章答覆她，此文在討論蔣中正先生及我軍統帥部在京滬作戰方面所犯的戰術錯誤，以軍事學的觀點予以檢討。

此次南京戰役與稍前的淞滬抗戰是一體的，今日批評南京會戰，我軍被日軍包圍而遭殲滅者，以及讚美淞滬會戰我軍能英勇抵抗日軍達三個月之久者，都是只看到一隅，殊不知前者之失，實乃後者所造成，而且陰錯陽差，因錯誤而使我軍主力得以免於受殲。

日軍攻陷南京，登上城牆。

就戰術言之，國軍統帥部犯了下述的錯誤：

1.淞滬會戰時，我軍第二線兵團只有第十集團軍劉建緒的四個師配置在浙江的平湖，乍浦一帶，其用意既在屏障我淞滬大軍的右翼，然而與主力之間的空隙太大，致被日軍鑽隙在金山衛登陸，且登陸之敵軍分兵二路，一以壓迫劉軍，另一則迂迴我淞滬主力之背部，造成我大軍之潰退，因此劉集團未能達成屏障主力的任務。

2.前述配置的第二個錯誤，是自上海至江陰間，我軍竟然沒有第二線部隊，孤注一擲地集中在上海前敵，正面狹窄，數十萬大軍前後相逼迫，一旦同時後撤，遂相互交錯而潰敗。且我左翼軍在瀏河至羅店間只有一道防線，縱深全無。觀乎此會戰，雙方爭奪最凶者在此地，兩個月之間，此線易手達數十次之多，實因我軍不能不奪回此線，以阻止敵軍突破我左翼軍，迂迴我中央軍之意圖，日軍因此企圖之失敗才改在右翼突破。敵軍能如此方便地改變進攻軸線，是因為其有制海權與制空權。此點顯示我軍選擇上海作為與敵決戰地實欠考慮，因為地近海岸，我軍雖佔內線，但是不能阻止日軍海上運輸，反使日軍有外線分進合擊之優勢。

關於淞滬會戰我軍應否將全國精兵投入，苦守三個月之久，其戰術是否錯誤，此乃中外戰史學者及軍事專家紛爭不決的問題。而且因為上海在我國工商政治外交民心宣傳等方面地位之重要，又於國際干涉中日和戰有關，加以當時九國公約會議即將召開，則我統帥部於制定淞滬會戰之戰略時，所考慮者或非軍事一端而已。

然而就軍事學言之，我軍在第一線集中了數十萬之兵力，而第二線兵團只有在右翼的尾端配置了四個師，是不可思議的戰術錯誤。（仁按：此文寫於一九七五年底，到了二〇一二年筆者撰寫〈解析八一三戰役的開場與收場〉一文時，關於此點的看法，拙見已與之不同的了。在此之所以未予刪改，只是存真，記述本人在一九七五年之看法，請讀者諒鑒。）

3.在京滬之間，我方構築了兩道國防工事，即吳福線（自長江邊的福山南伸至太湖附近的吳縣）及其西之錫澄線（自長江邊之江陰南伸至太湖附近的無錫）。此是一二八淞滬抗戰後至七七事變前，我方依據德國顧問建議而興築的，號稱東方馬奇諾防線。此經之營之多年的龐大國防工事，因淞滬會戰我方戰術之錯誤，未能發揮一絲功用，實在可惜。此比起李女士所提出的南京城防工事未能用上，錯誤要大得太多了。然而淺見以為，戰史學者固然有指出此點者，但是尚未看出我軍因此而不幸中之大幸處。

關於吳福線及錫澄線，我方所犯的錯誤有三：

(1)既已構築兩道國防工事，則當配置防守兵力。如前述，我軍集中全力在淞滬前敵，後防無人，等到第一線潰敗，日軍啣尾急追，我敗軍未及進入已築好之陣地布防，敵追兵已至矣。比照作戰經過，敵我兩軍同於十一月十九日一前一後同一方向到達吳福線，十一月二十六日到達錫澄線，此證明我方未能利用兩線工事之原因在我敗軍未及整頓布防也。

(2)此二線工事之構築，北倚長江，南倚太湖，在太湖之南則無工事，此次日軍右翼尾追我主力，突破二線。而其左翼則迂迴太湖之南，由吳興、廣德、宣城、蕪湖至采石磯渡過長江而攻下浦口，完成包圍南京我軍之目標，截斷我南京守軍沿長江西撤之退路。此示即使吳福興錫澄二線能發揮防守之功用，亦不足以阻止敵軍之攻擊南京。

(3)因此我軍未能利用二線以擋住日軍右翼，是不幸中之大幸，否則損失更慘。因為長江自蕪湖北向至南京，東折至上海，形成一個大口袋的袋底。我淞滬大軍潰退時，部分右翼軍及全部中央兵團是經崑山、吳縣、無錫之路線撤退。因為日軍急追，而且沿長江迅速攻破我防線之北端，迫使我主力南旋，撤向皖贛邊境，遂脫出前述的大口袋。如果我軍能利用吳福線及錫澄線擋住日軍之右翼，而其左翼則迂迴太湖之南而截斷我主力撤出大口袋之途徑，則受殲滅者將不只於我南京之城防軍矣。若此數十萬大軍全數受殲，抗戰能否持久實是疑問。

綜合此三點，我方於京滬方面戰術構想根本有錯誤，以吳福線及錫澄線之構築，明顯地是要屏障南京，然而工事不延伸到太湖以南，則是在替日軍製造大口袋，南京是袋底，長江及防線工事是袋邊，吳縣至蕪湖間則為袋口，日軍左翼捷足先登佔此袋口，我軍將全軍覆沒。

以上所評述各點，為國軍統帥部在京滬作戰方面之戰術錯誤，蔣中正先生身為最高統帥，自當負責。

今之論京滬抗戰者有下述的兩點矛盾：

1. 讚揚我軍淞滬抗戰三個月之英勇，猛烈評擊南京迅速棄守之錯誤。殊不知後者實乃前者所造成。南京之迅速失守實因國軍過於集中於上海前敵，死守三個月之久，致使後防空虛。又如我軍過於注力於瀏河至羅店之爭奪，加以不能防止日軍利用海運來突然改變進攻軸線，遂使我右翼被奇襲所突破，而致大軍潰敗。則今日盛讚淞滬浴血抗戰及死守羅店瀏河者，實乃不明兵學者之言。

下文將評述南京會戰我方受殲滅的主因之一是撤守太晚，因政治及宣傳理由而守死地，這十三個師的城防軍犧牲的非常冤枉。

2. 許多左派人士聲稱中共領導抗戰，但是又把他們心目中我國在抗戰中的錯失歸之於蔣中正先生，這是不公平的。例如他們認為南京棄守錯在蔣氏，淞滬抗戰英勇則功在民心士氣，這是不通之論。若我軍統帥部要棄守上海，或戰場線指揮官即當時兼任第三戰區司令長官的蔣中正先生像唐生智一樣地「不戰而逃」，上海能守得住三個月嗎？而且南京之城防軍大多為上海撤下來的敗軍，士氣低落，戰力殘破，若依左派觀點，可否說南京之不能守，是因民心士氣低落呢？

本文是我平時讀戰史及研究抗戰的心得，紙上談兵，並無成說可採用，所以寫出來，一是答覆李小雲女士的批評。即我認為要檢討蔣中正、唐生智等我軍指揮官在南京會戰之錯失，不能只看南京城高池深，或日軍攻城的那幾天我方之措施，京滬抗戰固然是一體，而南京除了城池之外，其軍略地理及敵我作戰狀況等均須考慮。因此要檢討一事，必先知其經過大要，研究過後才能提出檢討，李女士是學歷史的，當不以我直言為罪。寫本文之第二個理由是拋磚引玉，望高明指正。第三則是抗戰史事為我平日最關切者，然而公正之論固然難得，即使左右派主觀言論，夠水準而肯下功夫者亦少，多半大而化之，憑直覺而發言，如是則隨作者之喜好，不顧史實，不但真相難明，而且不論作者與讀者均無受益之處，反而有違李小雲女士期望大家愛護海外論壇區地之美意。

——紐約美東版《星島日報》沙上痕爪專欄，一九七五年十二月三十日、一九七六年一月一日

國軍在南京會戰覆滅之原因

——答李小雲批評之二

淞滬戰役後，唐生智仍欲防守南京，因而不願意平民出城逃亡而影響軍心。事實上，在十一月二十六日敵軍右翼突破錫澄線，自東面長驅直入，及十一月二十七日，敵軍左翼出現在太湖西南方，有迂迴南京南方之企圖時，我軍就應該不戰而棄守南京，在敵軍未縮緊口袋之前，南京守軍應該沿長江而南向采石磯、蕪湖撤退，設法與上海退下來的主力會合。而上海退出，沿長江西撤之我軍應該在江陰附近，即十一月二十六日左右渡江北撤，不應該撤向南京而與該城同殉。因此唐生智的錯誤，不在棄守南京，而在棄守得太晚，十二月十三日，日軍合圍後，他才下令突圍，為時已晚。

李小雲女士說南京有高城深池兼有國防工事，唐生智不應該一夜之間棄守。這是外行話。

南京城擴建於明太祖時，自此之後，沒有一次圍城而守得住的，自明成祖靖難事變起，經過清軍南下，太平軍攻取及曾國荃之攻入「天京」，到抗戰日軍佔領及中共渡江「解放」，防守南京者無不敗。即使在明太祖擴建城池之前，中國戰史上沒有南京圍城不下的紀錄，軍事學家認為此因南京城的地形之故，只要攻擊者佔有城外之高地，便有甕中捉鼈之勢。

防守南京最成功的是太平天國，一共守了十一年又四個多月。但是細讀戰史，太平軍所以能久守南京，是因採取以攻為守的戰略。先有英王陳玉成兩度擊破圍城清軍的江北大營，而後有忠王李秀成之經略江浙，分清軍之勢，屢次為南京解圍。清軍的對策是肅清蘇州、杭州、常州、蕪湖、安慶等地的太平軍，使南京成為孤城。一八六四年農曆四月，清軍攻取蘇州與常州，南京開始陷入孤立無援狀況，李秀成馬上主張突圍，然而為天王洪秀全否決。五月三十日清將曾國荃完成南京包圍，六月十六日清軍攻下南京。

自太平軍與清軍在南京纏戰十一年的史例去看，當南京成為孤城，無外援壓迫圍城的敵軍，則必不可守。而日軍此次攻擊南京之先分途攻下蘇常與蕪湖等地，亦是攝取戰史教訓之舉。

以百年前攻城武器之差，守將李秀成將才之高明，及曾國荃頓師城下多年之疲兵，南京在孤立無援下，清軍合圍後十六日便能達到十一年苦戰未能有的戰果，可見李小雲女士所謂的高城深池，實非防守南京所能依靠者。

此次我大軍先受創於上海，而後主力又潰退向皖贛邊境，我軍已無在外方解救南京圍城的力量。此已如太平軍失去外圍城市後之狀況，南京不可能守了。當如忠王之定計，守軍及早突圍，若像李小雲女士或黃興智君所希望的固守，唯有全軍受殲，一如太平天國之下場。

其實唐生智犯了洪秀全同樣的錯誤，想憑藉城防工事固守，失去突圍戰機。日本在十二月十三日合圍，唐氏同日下令突圍，為時已晚。若唐氏如李黃二位之希望，憑著高城深池固守，或可如太平軍之守住十多天，仍無補於我軍之受殲。

以不可守之南京，蔣中正先生集結十三個師去防守，唐生智在十一月下旬不敢棄守，乃基因於政治及國際宣傳、民心號召，只因該城是中國首都，不能不戰而退。然而普法戰爭及二次大戰，法人不守巴黎，名城乃得保存。反觀希特勒之堅守柏林，既無補於戰局，又傷德人元氣。

然而三十多年後的今天，猶有評者如李黃二位之力言應久守南京，可見當時國軍若先予棄守，必為國人不諒解。其實這種不知兵學者的橫議，以為寸土尺地皆不可失，誤事實深，而十三師的兵力因之平白犧牲掉，實在是我軍的一大損失。

毛澤東之不守延安，避與胡宗南部決戰，在兵學上是正確的，可惜國軍在南京會戰時不能如毛澤東之可以無顧忌，放手去幹，而終於猶疑不決，以致全軍覆沒，成日軍之功。

前文評論了我軍統帥部在南京上海方面抗戰的戰術錯誤，本文則集中在評論南京會戰方面我軍覆滅的原因。

如前文所述，長江自蕪湖北向至南京，東折至上海，形成一個大口袋的兩邊，南京恰在袋底，兩面臨江。若攻城者來自西北兩面，長江是有利於南京城防的，古稱天塹。若攻城者來自東南兩方面，則南京乃是背靠長江，成為兵法中的死地。

就長江沿岸的要塞言，南京東依江陰，南靠采石磯，歷史上渡江而攻南京者多先取此二地。國軍布防，其工事構築如前文所述有二，即吳福線與錫澄線，皆南北向亙於長江及太湖間，後者更以江陰為終點。則其用意是在防守日軍由上海西攻，即防守南京的東面。然而國軍並未判斷到日軍迂迴太湖之南，由吳興西至宣城，北上經蕪湖而在采石磯渡長江，進圍南京，佔據長江北岸。

這一點戰術錯誤對我軍受殲滅言，甚為重要。因為唐生智下令突圍後，我城防軍中的三個軍（各屬一師）及教導總隊（相當於一個師）即因向江北突圍，方向錯誤而受殲。反而是一小部分我軍在板橋鎮至秣陵關間南下突圍，恰好鑽在日軍的空隙中而逃脫至皖南。因此國軍在防守南京時，只重東面，派兩師兵布防江陰而未重視南面，讓日軍在采石磯輕易渡江，截斷我軍西北兩面之退路，是戰術上的一大失著。

此係唐生智或蔣中正先生之錯失，即首都衛戍司令部或國軍統帥部之錯，我無資料鑑定之，總之二者之中必有一是。

我方既判斷日軍由東面來攻，則南京是個背水陣的死地，自當準備渡江撤退之工具，唐生智卻下令各部隊破壞渡江工具，要堅壁清野（見鈕先銘《還俗記》），此是一個莫名其妙的戰術錯誤。固然戰史上有置之死地而後生的史例，但是有其客觀條件，以南京城防軍的主力係上海敗軍，戰力殘破，唐生智應該未慮勝，先慮敗的。

然而首都衛戍司令部在城防計劃中並無整體撤退計劃，事先又下令破壞渡江工具，聲言死守六個月，臨時下令突圍，各部隊擠集江邊，紛紛向江北突圍，方向錯誤，又為大江所阻，遂一齊為日軍殲滅，言之痛心。這是唐生智的錯誤，蔣中正先生不應負責。

我方的另一個錯誤是事先未予疏散平民，不過按之戰況，亦不能過責。因為：

1.上海潰敗是在十一月九日，南京陷落是在十二月十二日，戰局轉變得太快。上海會戰時，不論官民均以能持久戰，擋住日軍達三個月之久而振奮，很少人有遠見要撤出南京，這倒不是國軍存心坑害人民。

2.以我方交通能力之薄弱，一時無法撤出數十萬之軍民，除非如某些評者說的，在九一八之後即開始疏散沿海之居民，撤向內陸以備戰，則以五六年之時間或能有些效果。然此乃北起山海關，南至廣州灣的大疏散，要把中國人口整個重新分配過，以中共在承平時期，建政已二十五年（此文成於一九七五年），尚未完全做到。要「假統一」，在抗戰前政令不出長江中下游的國府在五六年裏去做到，是有點不切實際的。

3.無人能事先料到日軍有大屠殺的暴行。自南京陷落後，其他城市的我國人民在日軍來攻時，每每自動疏散，多少是因此大屠殺前車之鑑。

因此未事先並及時全面疏散南京的平民，雖然是我方的錯誤，但是此錯誤在事後是比較明顯的。至於唐生智下令禁止出城逃生，以下令時日軍已經合圍，且其屠殺並限於城內看去，此命令造成混亂是有的，但若要說是此使大多數平民遭受日軍殺害，很難證明。

——紐約美東版《星島日報》沙上痕爪專欄，一九七五年十二月二十七、二十八日

第三章

日軍在南京的暴行

- 引　言
- 不是人話
  ——評意圖替日軍洗脫南京大屠殺罪責的黃君之言
- 日軍在南京暴行原因之各種說法
- 鈕先銘的僧衣
  ——兼為徐青雲女士釋疑

引言

一九三七年十二月，日軍攻取南京以後，展開了大屠殺。在二〇一四年的今天去回顧及研究這個事件，可以用王鼎鈞先生的一句話來作概括，此即「『南京大屠殺』受難人數有爭議，大屠殺確有其事。」❶在本章所收的幾篇文章中，筆者採用了戰後南京軍事法庭所認可的數字，即是三十萬，這也是今天中國官方所採用的數字。不過東京大審所採用的數字為二十萬，該法庭定罪南京大屠殺日軍主將松井石根大將時所採用的數字為十五萬，也就是說遇難人數確實難以認定。

日軍屠殺的對象可分軍人及平民，平民的數字當然難以計算，即使軍人，照道理應該有一個大概的估計，可是我方的守軍有許多是由八一三之戰後撤的部隊，其間傷亡及潰散者甚多，所以明確的人數也難以計算。今舉下述兩例：

1. 宋希濂將軍在晚年回憶當時我方守軍十三個師的人數為七萬餘人，仁按：如果是足額，應該在十四萬人以上。

2. 參與守城的八十七師師長沈發藻將軍晚年在台灣告訴他的公子沈湘生博士說，當時他本人率領兩個團在南京城外布防，其副師長率領一個團駐守城內。當日軍進攻時，沈將軍率部想退回城內，卻

❶ 王鼎鈞回憶錄四部曲之三，《關山奪路》第一二二頁。

被宋希濂所部拒絕開城門而未果。將軍乃率部繞城而走，到了下關覓船渡江，得以率所部逃脫。此事是湘生兄面告筆者的。

由以上二例可知，即使以軍人論之，我方在南京城中遇害之人數也是難以精確計算的了。筆者認同程兆奇博士的主張，此即南京大屠殺是一個性質問題，而不是人數問題。（按：程博士現任上海交通大學戰犯研究中心主任。）

不是人話

——評意圖替日軍洗脫南京大屠殺罪責的黃君之言

一九三七年十二月十二日，日軍攻下南京，開始屠殺中國軍民，延續到十二月二十日，又從事全城有計劃的縱火暴行。旬日之內，日軍殺害了中國人約三十萬人，造成了舉世驚駭的南京大屠殺。當時隨軍採訪的日本記者們對此也有指責，或加以報導的。例如大阪《朝日新聞》曾說：

日軍此次作戰雖佔優勢，但軍隊本質已壞，無法救治。無論上海、南京、蘇州、杭州、日本官兵紀律之壞無可言狀。遇見女人，不問老幼，任意姦淫，強姦之後，加以慘殺，逢到壯丁，更是一律殘殺，種種殘酷行為，全無人道。到一城鎮，任意劫掠，搶了東西還要放火燒房子，上行下效，無法約束，這實在是日本的一個大隱憂。

東京《日日新聞》則有題名為〈紫金山下〉的報導，敘述日軍兩個准尉向井和野田比賽殺害中國人的故事，有文曰：「十二月十日，兩人在紫金山下相見，彼此手中都拿著砍缺口的軍刀。野田道：『我殺了一百零五人，你的成績呢？』向井道：『我殺了一百零六人！』於是兩人同作狂笑。哈哈！向井先生多殺了一個！可是很不幸，就確定不了是誰先殺達到一百之數的？因此他們兩人決定這次是不分勝負，重新再賭誰先殺滿一百五十名中國人！十二月十一日起，比賽又在進行中。」

日本記者當時的報導並未引起其國內的注意，但是英國記者田伯烈在《曼徹斯特衛報》的報導，廣泛引起各國的憤慨，連日本的盟國德國的官方通訊社隨後也自上海發出通訊，說日軍司令承認在南京屠殺中國人，但是一般少壯軍官所為，彼不負責。

事後有關南京大屠殺的書籍，我已讀過的有：

1.國際紅十字會南京難民區報告（*Document of Nanking Safty Zone*），詳記日軍侵入難民區內所作之暴行，並舉出有名有姓的受害者與日軍暴行經過約數百件案例，及向日本人大使館及日軍將領抗議，促使其約束部屬，防止暴行擴大之文件多種。

2.徐淑希主編的 *Japanese War Terror in China*，地點包括了南京、上海、杭州、蘇州、蕪湖等，暴行包括了搶劫、濫炸平民、集體強姦、屠殺平民及戰俘等。以上二書均是英文本。

3.日軍刀口餘生的紐先銘在南京鷄鳴寺當了幾個月和尚，他是留日及留法的職業軍人，對所見所聞的陷城情形與日軍暴行均能分析。一九七一年在台出版了《還俗記》，描寫他的見聞。

抗戰時風行的《大江東去》，是小說家張恨水的名作，個中主角便是紐氏。張氏在書中依據紐氏的見聞，對南京大屠殺有片斷的描寫。此書我亦讀過，但是是小說體裁，不能列為日軍暴行的證據。其他零星的短文，如戰後在南京主持審判日本戰犯的石美瑜、參加審判的宋書同等，近年均撰有關南京大屠殺的簡短回憶文章。我亦曾讀過。

下述的書本我耳聞過，但是在本文寫成之前沒有讀到。

1.郭歧寫的《圍城血淚記》，抗戰時在西安出版，記載他自南京逃生的經過。郭歧今日尚健在於台灣。

2.美國籍的大學教授史邁士寫的《南京戰禍寫真》。

3.英記者田伯烈寫的《日軍暴行記實》。

以我讀到過的有關中日戰史的書籍與論文，凡是提起南京大屠殺的，即使日本人自己寫的，也責怪日軍。例如日本投降時的外相重光葵，在他回憶錄《昭和の動亂》第三十六頁有言曰：「攻入南京的先頭部隊中島師團在南京的暴行，轟動了國際視聽，使日本聲譽一落千丈。」

東京的《朝日新聞》報在遠東國際戰犯法庭公布了暴行證詞之後，發表社論說：「彼時舉世皆知南京暴行，日本報紙對於南京事件之真相並無隻字登載，回憶及此，不勝慚愧。」

戰後日本史家替戰犯翻案的甚多，例如替主持攻擊菲律賓之本間雅晴、攻擊馬來亞之山下奉文兩人「伸冤」者不少。但是因南京大屠殺而被盟軍處死的戰犯們，如松井石根（時任華中派遣軍司令官，主持攻擊南京的日軍統帥）、谷壽夫（第六師團長）及酒井隆（時任職務未詳，但為盟國處死是應中英兩國共同要求，因其在南京大屠殺後，又經手了血腥攻佔廣州及香港的日軍暴行。）等，日本史家至今尚未有人為之呼冤的。這種即使日本人自己都認為罪有應得的戰犯，是我們中國人恨之入骨的，著名的政論家張季鸞先生在一九三七年二月二十八日《大公報》寫的社論——〈為匹夫匹婦復仇〉，是我們中國人應有的心聲。

現在有人竟說：「十二月十二日夜，日本兵自雨花台第一批攻入中華門的只有三千人，即使每一個日本兵屠殺十個中國老百姓，也不過三萬人而已。四十萬人之死有半數是人群擁擠爭相逃命，自相踐踏而死，以及十二月十二日夜，守軍撤退，搶奪民間財物，軍民互相殘殺而死。其他半數是淹死在長江中。」

這話出自一個中國人之口，還是人話嗎？

紐先銘在《還俗記》裏面以目擊者描寫十二月十二日夜，軍民撤守之混亂，擁擠爭路是有的，守軍搶奪民物則未提起。何況不論軍民，當時脫生的阻礙是如何游泳渡過長江，還有人會去搶身外之物的財物，增加游泳時的負擔嗎？

至於日軍屠殺，延續了十多日，當時參預者不僅是第一批入城的三千人，總數有五萬多人。日軍十二月十二日入城後，集體屠殺我軍民，以我寫此文時手上現成的資料所顯示者即有：

1.十二月十四日夜，在長江邊大灣子殺害我軍被俘官兵二萬餘人。

2.十二月十六日下午六時，在中山碼頭以機槍射殺難民五千餘人。

3.十二月十八日夜，將我被囚幕府山的軍民五萬七千餘人以鉛絲紮綑，驅集下關草鞋峽，用機槍射殺。

說三十萬中國人是半數自相殘殺而死，半數是自己落水淹死，日本軍人可沒暴行的黃君，是何居心？良心在哪裏？

黃君要深文周納地詬責蔣中正，請不要同時替日本人洗脫南京大屠殺的罪名。

中共在南京設立了紀念館，陳列日軍大屠殺暴行的資料，這是對的，三十萬中國人不能白死，前事不忘，後事之師。

蔣中正、唐生智等守土有責者，不能守住南京，是有責任的，但是日軍的屠殺又豈是中國軍民事先所能料到的？何況土地被敵人佔領時，人民不可能每一處都全部撤走的。南京失守前，國際紅十字會即已設立難民區，許多無力出走的貧民寄望於託蔭其間，不料日軍毫不尊重國際公法，照樣進入難民區虐殺中國人，雖在各國使館、教會及外僑屢次抗議之下，日軍仍不加約束其部屬之暴行，這種情形要蔣中正負責，實在離譜。

黃君的邏輯是，蔣中正失地，而且事先未撤走人民，致使他們落入日軍手中受到虐殺，罪在蔣氏。照此推論，凡曾在淪陷區而未受虐殺的中國人都應該高呼日軍皇恩浩蕩了，因為蔣中正把他們送給日本人去虐殺，而日本人居然刀下留情，豈不是皇恩浩蕩？

國軍有失地之責，日軍有不人道的屠殺之罪，是不相關連的兩回事情。並不是中國失守一城，日軍在佔領後必然應該屠城的。

黃君寫的蔣介石逝後談，由之一寫到了之七，其間於史料之徵集、判斷與運用頗有可以商榷之處，然而我忍而未言，因每一個人均有發言權，只有聽任讀者們自行評估之。十月二十一日及二十日海外論壇刊出他替日軍洗脫南京大屠殺罪行的話，使我忍不住了。他說有人把血債算在日本戰犯身上是皮毛之言，他又問南京三十萬無辜軍民之死，誰是劊子手？是日本人？是唐生智？是蔣中正？

這些話用心何在？要詬罵蔣中正，寧可替日本劊子手說話，真令人心痛與憤怒。

希望黃君只是未曾研讀過中外關於南京大屠殺的資料，信口開河犯了錯。否則明知三十萬人大多數死於陷城之後，有日方及外僑拍攝的電影與照片，有外僑、外國記者及中國刀下餘生者的證詞，甚至日本人如重光葵者自己承認的罪行為證，鐵案如山，任何人要替日本戰犯翻案，都是泯著良心說話，而出於一個中國人之口，說的話真不是人話了！

事關民族之大仇，國家之大恥，我不能不罵黃君，罵得也不能不重。平日研讀抗戰史料，每及日軍在華之暴行，尤其是南京大屠殺，真是咬牙切齒，恨猶未已。國府「以德報怨」，對日寬大，已令我不快，但是仍處死了谷壽夫、酒井隆等戰犯而為南京死亡的三十萬同胞報仇。若黃君者要替這些戰犯洗脫，嫁罪於蔣中正，真是令人憤怒之極！

黃君要罵蔣中正，儘可找別的事情去罵，替日本劊子手洗脫罪名是在幹什麼？

——紐約美東版《星島日報》沙上痕爪專欄，一九七五年十一月八、十日仁按：此文成於一九七五年，本人時年三十三歲，猶在壯年。今已七十有餘，已入老年，重讀此文，乃覺得「不是人話」四個字罵得太凶了一點，因此把原文中的黃君之名字隱去的了。

二〇一四年十一月記

日軍在南京暴行原因之各種說法

這是答覆李小雲女士的第三篇文章，也是這系列中的最後一篇。

李女士認為日軍南京大屠殺的原因有三：

1. 南城內形勢大混亂，軍民不分。
2. 南京城牆有數丈之高，人民不易逃生。
3. 長江天塹，水深數十丈，兩岸數里之遙，老弱婦孺無法游水逃命，加之天寒地凍飢寒加交溺死江中。

第一點理由不成立，因為即使軍民不分，日軍亦無理由加以屠殺。我軍在放下武器，失去抵抗力之後，敵人只能拿作戰俘對待，不應該加以虐殺。李女士之意思若軍民能分開，則日軍只會殺中國軍人，不殺平民。然而一切證據顯示，日軍在南京是不分男女老幼一律虐殺的，尤以對待婦女之獸行最令人髮指，再是軍民不分，敵人總不致於把婦女當作化裝的我軍看待。

第二點理由不成立，因為日軍在抗戰時佔領的中國城市有城牆者甚多，例如北京城也甚高大，日軍入城時，大多數人民並未離城逃生，為何日軍不加屠殺？

第三點理由也不成立，即使不是冬天，風和日暖，要能游水橫渡長江的人也不多。況且抗戰中我國失守的城市旁沿大江大湖者甚多，例如同是長江沿岸各大城，自上海至宜昌者皆曾淪陷，人民一樣不容易游泳渡長江逃生，為何日軍未再如在南京之進行大屠殺？

在我所閱讀過的抗戰史料及專著中，曾有下述試圖解釋日軍進行南京大屠殺的說法，但是都是論者的推測之詞，並無日軍戰犯的自白支持其立論。

一說：部分日本戰史學者持此說。他們認為首先進入南京，展開屠殺的中島今朝吾師團是由朝鮮士兵及台灣士兵所組成的，不如日本人之有軍紀。我認為這個說法的漏洞是，參加屠殺的並非一個師團，而且各部隊中下級軍官及士官們均手沾血腥，這些人是日本人，而且是受過嚴格軍事教育的日本人。

二說：日軍入城的有五萬多人，憲兵只有十七人，且根本不執行憲兵任務，可知其有意作惡。採此說者為中國部分戰史學者，例如魏汝霖等。我認為此說的漏洞是，假設日軍憲兵人數足夠的話，即可阻止屠殺。但是軍隊風紀的維持，各部隊可自行組成糾察隊，並非必須依靠獨立的憲兵力量。

三說：參考日本人近代與外國交戰的紀錄，甲午戰爭中有旅順屠城的紀錄，此說乍看上去，言之成理。但是此說的漏洞有二。一是若因日人民族性之故，則何以八年抗戰中只有南京一地的屠殺規模最大？二是以中國歷史看去，吾人亦常有屠城之史例。清軍攻下南京，消滅太平天國之後亦有屠城三天的紀錄。又如《冊府元龜》將帥部暴虐類記載的中國古史上軍人的殘暴行為，今人讀之，雖已事隔千年，仍然為之心寒。若有人引之而說中華民族是殘暴的民族，吾人必不心服。說日人生性好殺好淫，是以偏概全的指責，而且即使是實，也只是造成南京大屠殺的必要條件，而非充分條件，不能解釋何以大屠殺發生在當時的南京。

四說：套用日語，可名之為「終戰」說。即日軍上下認為攻取南京後，戰爭已經結束了，中國必然屈辱求和。比照中外戰史，在最後勝利時屠城者例子甚多，羅馬軍之於迦太基，成吉思汗之於花剌子模國的玉龍傑赤城，曾國荃之於南京等便是此類例子。而按諸日方當時的戰略，按兵不前，不進擊長江中游，以及政略方面之通過德國駐華大使陶德曼之迫和中國，則此說頗合情理，也能解釋日軍高級軍官縱容部屬屠殺之心理，即認為上海血戰之後又攻下了南京，中國屈降在即，不妨讓軍隊痛快一下。

五說：套用日方術語可稱為「懲膺暴支」說。日本在戰前多年來歪曲事實，渲染中國人在亞洲大陸虐殺日僑事情。例如我曾在美讀到日本官方出版的英文刊物，記載殷汝耕漢奸政權的冀東保安總隊，七七事變後反正，在河北通州殺盡日軍及倭僑時之情形，其規模較南京屠殺為小，但是使同一民族者為之痛恨則一。日方這種宣傳對其在南京屠城者之心理影響程度多深遠不清楚，然而由二次大戰太平洋戰場中，日本軍民之「玉碎」而不投降，據少數被生俘者自述是畏懼美軍殘殺俘虜，因而寧可自殺一事看去，日積月累的宣傳效力是很大的。

六說：因我軍在上海抗戰三個月，日軍損失慘重。攻入南京之日本部隊是參加上海戰役的單位，而在南京被俘之我軍也大半由上海退下來的，因之日軍有積恨而行屠殺。

以上是我曾讀到過的書籍文章中嘗試解釋南京大屠城的成因者，困難的是參預其事的日本軍人並未有自供，這些都只是推測之辭，而其成因之真相恐怕永無揭曉之日，吾人只能以情理研討之。

——紐約美東版《星島日報》沙上痕爪專欄，一九七六年一月二十八日

鈕先銘的僧衣

——兼為徐青雲女士釋疑

鈕先銘是南京大屠殺中脫生的幸運者之一，是歷史的見證人。

李小雲女士在〈說句公道話〉中，說國軍的「軍長、師長都換上了便衣逃走了，最後連鈕先銘先生（《還俗記》的作者），一個小軍官也換上了便衣逃走了。哪裏來的便衣呢？當然是從老百姓搶掠來的了。」

我在答覆李女士時，未提起鈕氏的便服問題，因為此與淞滬抗戰全局無關，非我三篇文章主題所在。徐青雲女士在〈說句公道話讀後〉中，對李女士想當然耳的指責國軍官兵搶奪民衣頗為憤怒，她問：「難道中國軍人連一件便服都沒有嗎？是不是鈕先銘的《還俗記》裏讀到他的便服從老百姓那裏搶來的呢？」

其實鈕先銘先生在《還俗記》裏對他便服的來源有很清楚的交待，李女士想當然耳的猜測是錯的很離譜的。此事有關中國軍人的軍譽，以及鈕氏個人的名譽，應當解釋清楚。

鈕氏出身江蘇世家，其尊人鈕傳善先生是有名的富商，鈕氏本人畢業於日本士官學校，又再去法國進修軍事，南京城陷時擔任國軍教導總隊少校工兵營長，抗戰中積功升至少將，抗戰末期負責陸軍方面的對日情報工作。

不論以鈕氏當時的家境及階級職務，說他沒有一套便服是有點過分的。鈕氏逃入永清寺求和尚庇護時的衣著，據《還俗記》四十四頁記載如下：

「一套軍服連鞋襪都是軍用品，當然得徹底的脫去，就是內裏所著的汗背心襯衫和短褲，那些都是我從法國穿回來的舶來品，豈是一個和尚所應穿著？」

「最可惜的是那件羊毛衫……」

「年輕的和尚將那些我脫去的衣服一捲隔牆就拋了出去。人到了喪失自衛的能力時，欲想保存一件毛衣而不可得。」

而和尚在剃度他時曾說：

「在你要求僧衣之前，已有許多人來要求過，當然都是老總們，我們都拒絕了，生怕將來會受到連累。」

可見至少在當時的永清寺附近，國軍官兵雖然有人想換穿便衣者，尚未到強搶的地步。而以鈕先銘在永清寺待了下來，與那幾個和尚共度了三個多月的困苦，則他的僧衣絕非強搶的，否則和尚不必一定為他剃度，收容他，而且在日軍幾次來搜查時冒著生命危險替他隱瞞。

在城陷潰亂時，我不敢說沒有軍人強搶民衣的事，但是以我所讀到過的史料，包括《還俗記》在內，有不少描述日軍虐殺我方軍人與警察的記載，而這些俘虜仍是穿著制服的。當時到底有多少軍人換了便服，有多少仍著軍服？我相信是一個無法追查清楚的事。但是李女士要以軍人換穿便服一事來指控造成混亂，認為我方軍民不分而使日軍加以屠殺，是說不通的。因為先有混亂，才有軍人潰散，在局面安定時，軍人沒有理由要大規模逃亡。而日軍屠殺了三十萬中國人，不分男女老幼，又何曾存心要分清楚我方的軍民？日軍總不致於把襁褓中的中國嬰兒與七八十歲的老婆婆當作化裝的軍人吧？

鈕先銘身歷南京大屠殺之事，在此次討論中既由我提出，因而寫此文替他避難於和尚廟中僧衣的來源作個說明，一來解除青雲女士之疑問，二來為鈕氏洗清聲名。

——紐約美東版《星島日報》沙上痕爪專欄，一九七六年二月十二日

第肆編 有關中日戰史

引　言

我的寫作生涯可分三段時期，在本書《放聲集》的總序中已有說明。有關抗戰史的著作，是我在第二段時期（一九七二年到一九八二年）以及第三段時期（二〇〇三年以後）所發表的，因為這兩段時期相隔了三十多年，不論在文章的水平及資料的蒐集與運用方面，都有明顯的差異。上述第一編及第二編的文章，大多是在第三段時期所發表者，至於本編中所收的各篇文章，如果是在第二段時期所發表者，筆者都會把此文刊出的時間予以註明。這些文章對筆者個人來說，是有情感的價值，收錄為拙作全集的一部分。可是從內容去看，當時年輕，用詞造句不免好鬥，例如我指責黃君有關南京大屠殺的說法為「不是人話」，由今天去看，是罵得太凶了一點。

本編中所收的拙文，因為不能歸之於第一編與第二編的主題之中，所以自成一單元，成為離群之馬，其實這些文章所討論的題材，有許多是到今天還被大家所關注的，例如：

1. 是國軍抗日還是共軍抗日？
2. 史迪威將軍的優點及缺點。
3. 胡宗南將軍有沒有抗日？
4. 第一次北緬戰役失敗的原因。

凡此等等，都是到今天還有爭議性的題材，我寫出個人的觀點，謹供大家參考。

雜談有關二次世界大戰史的幾點感想

——兼談石原莞爾

平日好讀二次大戰有關的史料，在寫了紀念蔣百里先生的拙文之後，觸動了文思，信手寫此文以記一些雜想。

一、二次世界大戰是在哪一天開始打的？

第二次世界大戰是在一九四五年（民國三十四年）九月二日結束的，那一天日本代表團於泊在東京灣的美國戰艦米蘇里號上簽下降書，由盟軍西太平洋戰區統帥，美國的麥克阿瑟元帥代表盟國接受日本的投降。

這一天是二次世界大戰結束的日子，是中外史家所公認的。可是二次世界大戰是在哪一天開戰的？卻是各國的史家各說各話，至今沒有定論。為什麼呢？因為這場大戰名為全世界的，卻是有了歐洲、亞洲與北非三個戰場，而且各有計算開戰日期的方法，其中又以兩個主要的戰場，即歐洲與亞洲的算法不同。

㈠亞洲戰場

日本之侵略中國及朝鮮，遠自一八九四年的甲午戰爭開始，以後逐步蠶食。中日之間紛爭不斷，很難找出一個特定事件或時間作為大戰的起點。目前中國史家有兩派主張，少數派認為應該以一九三一年的九一八事變，日本佔領中國的東三省為起點。多數派則認為應該從一九三七年的七七事變算起。這是一般人何以稱此次中日大戰為八年抗戰的原因，即從七七事變到日本投降，正好為時八年也。

然而中日之間，自七七事變起到一九四一年的珍珠港事變為止，雖然打了四年仗，雙方卻都沒有向對方宣戰。

一九四一年十二月八日（亞洲時間），日本偷襲停泊在珍珠港中的美國太平洋艦隊，同一天進攻英屬的香港。中國及英國立刻作出反應，我國在八日向日德義宣戰，英國也在同一天對日宣戰。倒是美日之間，則是在第二天，也就是十二月九日相互宣戰。而德國因為與日本結盟，雖然並未參加日本攻擊美國的軍事行動，也立刻向美國宣戰。

以國際法的觀點去看，中日兩國之間至此時方才正式進入交戰狀態。在此之前，自一九三七年的七七事變至珍珠港事變的四年中間，中日是不宣而戰的，不算數的。這種照著西方人所訂定的遊戲規則去寫中日戰史的說法，自難為當事人的中日兩國史家所接受。因此戰後中文與日文的著作，大多以一九三七年的七七事變為中日開戰之起點，可是英文的著作，不論是西歐還是美國史家的著作，都把二次大戰之起點訂定在一九三九年九月一日，此乃德國入侵波蘭，英法向德國宣戰的時候。

這一方面是因為歐美史家重歐輕亞，在二次大戰史討論上以歐洲戰場為重，另一方面也是因為德國進攻波蘭是在一九三九年，是在先，而日本進攻珍珠港在一九四一年，是在後的原故。

㈡歐洲戰場

德國希特勒政權是極右派反共的法西斯，德國又是一個位於中歐的陸權國家，因此以蘇俄為假想敵。可是德國要東向攻俄，必須借道兩國之間的波蘭，而在第一次世界大戰結束時，戰勝的英法美等盟國為了削弱德國，把德國的東普魯士之部分地區以及上西里西亞工業區割給了波蘭，又為了防止德國奪回此地區，英法便與波蘭簽訂條約保證其中立及其領土的完整。這使得德國在東向時不得不與位在其西邊英法交戰，因而必將陷入兩面作戰的困境。

其實在戰前希特勒的大戰略是想要聯英攻俄的。他的藍圖是在未來的世界裏，德國佔據歐亞大陸，而英國控制海洋，英德聯手去統治世界的。當時英國也有人主張聯德制俄，可是英國的主流力量是反對聯德的，所以逼的希特勒先與蘇俄簽訂《德俄互不侵犯協定》，聯手瓜分波蘭，以打通其日後攻俄的衢道。此時英法基於前述保證波蘭中立的條約義務，向德宣戰，歐戰乃告開始。而也因為德國先穩住了俄國，德軍在向東征服了波蘭之後，才能掉轉頭來向西去與英法聯軍交戰，在打敗了聯軍，法國投降之後，又掉轉頭向東去打俄國。這也就是說在歐洲戰場，正式宣戰與戰事開打的日子是相符合的，這與亞洲戰場的中日大戰兩者相差四年是不同的。因此當大家把兩個戰場的戰爭合稱為二次世界大戰時，便產生了問題；若以國際法的觀點去看，歐洲開始於一九三九年的德波之戰，亞戰則晚在一九四一年十二月日本進攻珍珠港，那麼二次大戰開的日子當是以一九三九年九月德國進攻波蘭之日為起點。可是中日之間至此早已打了兩年的大戰，使中日的史家難以接受這個論點。

二次世界大戰已經結束了七十年，中外的史家卻對這場大戰開始的日子迄今無法得到公論，便是因為西方史家是以各國宣戰之日為準，而東方史家則以中日實際開打的日期為根據的。

二、各國各自為戰的世界大戰

二次大戰的兩個交戰集團，分別是由德、義、日所領導的軸心國集團，與中、美、英、法、蘇所領導的同盟國集團，依地理位置去分劃，戰事可分三個戰場，即：

1. 亞洲戰場——下分三個戰區，即：

(1) 中國戰區——主要交戰國是日本與中國。

(2) 印緬戰區——主要交戰國是日本與中、英、美，此為一個次要戰場。

(3) 西南太平洋戰區——主要交戰國是日本與美、澳。

2. 歐洲戰場——下分兩個戰區，即：

(1) 東線——主要交戰國是德國與蘇俄。

(2) 西線——可分兩期：

①一九三九年九月開戰時，主要交戰國為德國與英、法、比、荷等國家。不過德國進攻法國的戰爭只打了幾個星期，德國大勝，法投降。英軍撤出法國，比、荷被佔領，其王室及政府出亡英國。因此在一九四〇年之後，雙方除了打海戰及在英國上空打空戰之外，陸軍隔海對峙，戰事乃為沉寂了四年之久。

②一九四四年六月，英、美、自由法國等聯軍在法國諾曼第登陸後進攻德軍。主要交戰國為德國與英、美、法等。另有義大利戰區，主要交戰國為德、義與美、英。

3. 北非戰場——主要交戰國為德、義與英、美，是個次要的戰場。

由上列各戰區的主要交戰國名單去看，德、日這兩個軸心國之間並無軍事上的協同作戰，而盟軍之間，除了美國因為本土並非戰場，能派軍去一些戰區參戰之外，其他中、俄、英等主要參戰國都是在其本土或殖民地作戰的。

這場戰爭名為世界大戰，可是在軸心國方面，主要是德、日兩國在打的，義大利及其他的小國如匈牙利等出力不多。而且德、日兩國是各自為戰的，他們的戰區相距非常遙遠，這樣子的結盟根本不具有任何實質性的軍事意義。

至於同盟國方面，因為戰區相隔太遠，因之各國也是各自為戰的。美國的本土並非戰場，得以扮演了後勤中心，以裝備物資去援助盟國。美軍直接參戰而投入了大部隊及海空軍的，只有歐戰的西線、北非戰場及西南太平洋戰區，其他中國及印、緬兩個戰區，美軍投入了小部隊及參謀顧問團，以及少量的空軍。

不論是以一九三七年的七七事變，或是以一九三九年德國進攻波蘭為二次大戰的起點，美俄兩個大國當時都是置身事外，保持中立的。一直要到一九四一年，兩國才分別因為受到軸心國的進攻才起而應戰。

美國人一向有孤立主義的思想，亦即門羅主義。而美國本土與歐亞大陸都是遠隔重洋，在當時並未受到歐亞戰事的威脅。因之美國在珍珠港事變之前多數人民是反戰的，羅斯福總統及其領導的政府雖然很想助英抗德，也只能利用《租借法案》去提供美援，而不能直接出兵。戰後不少史家認為美國政府為了要在歐洲參戰，才會利用禁運等手段去壓制日本，其目的不在其表面上的理由，即要日本自中國撤兵，恢復七七事變前的狀態，而是要逼日本動手攻擊美國，使美國能藉口德、日、義三國結盟，而可以在與日宣戰時，同時參加歐戰以拯救當時岌岌可危的英國。

支持這個論點的證據之一，即是美國之所以被捲入這場世界大戰，是因為受到了日本之偷襲珍珠港。可是在參戰後，美國一直是重歐輕亞，反而是以德國為主要敵人，日本則是次要敵人，在打敗了德國之後，美國才全力東向去打敗日本。

俄國的情形與美國不同，其位於德、日之間，而德、義、日三國皆由右派反共的法西斯政權主政，因之俄國很可能成為德、日夾攻的目標。可是在一九四一年德國攻俄之前，俄國卻能置身於大戰之外。在亞洲，讓中國去替俄國打頭陣，擋住了日本人。在歐洲，卻能誘使德國先西進去攻打英、法。俄國是怎樣做到的呢？在歐洲，因為波蘭問題，俄國可以高枕無憂。德軍在東向攻俄之前，必然要先打波蘭，而英法又與波蘭有條約義務，必然向德宣戰，因之俄國不必擔心比英法先與德作戰，更且可以火中取栗，與德分瓜波蘭。只是史達林沒有想到德軍能在幾個星期中就把英法聯軍打敗，法國那麼快就投降，而希特勒居然在解決英國之前，敢冒兩面作戰的危險去攻俄罷了。

那麼俄國是怎樣在亞洲戰場，誘導日本南下攻華，不是北上攻俄的呢？

三、九一八事件後日本是要南下還是北上？

俄國橫跨歐亞大陸，因此在歐洲及亞洲都進可以攻，退可以守。

在一九一七年三月革命之前，十九世紀裏俄國是由沙皇的帝俄所統治的，此時已是強國。當時英國是世界上的超級霸權，在此英、俄爭霸的時代，英、法在地中海區域力挺老大的土耳其奧圖曼帝國，與其聯手打了一八五三年的克里米亞戰爭，共同與帝俄交戰。英法的目的是阻止俄國海軍通過土耳其所控制的兩個海峽因之能由黑海進入地中海。在東北亞英國於一九〇二年與日本結盟，英國暗助日本打贏了一九〇四年的日俄戰爭，此後一共訂了英、日三次祕密同盟，到了一九二二年才予廢止，為時長達二十年之久。英日同盟之所以終止，是在一次世界大戰結束之後，歐洲英俄、英德爭霸世界之態勢大變所造成的。

此即在一九一七年的十月革命之後，俄國帝制崩潰，俄國陷入了長期內戰，對英國來說一時已不足為慮，在美國倡議之後，英國乃轉而與美國聯手，以壓制此時已經坐大的日本。

因此在一九一九年的巴黎和談時，英國基於在帝俄崩潰前已對日本所作的承諾，支持日本對山東問題的主張。到了兩年多後的樸資茅斯會議，此時俄國已國勢衰落，英、美乃聯手壓制日本，限制其海軍的擴充，並且迫使日本把山東交還給中國，由中國付款贖回。這當然使日本人極為不滿，此是造成日本在二次大戰中進攻南洋英美屬地的遠因。即是英國在俄國赤化以後，改變聯日制俄的政策而成聯美制日，使得日本與英、美有了利益衝突。日本乃轉而倡言大東亞共榮圈，提倡亞洲人聯手對抗白種殖民主義的了。

在一九三〇年代，俄國在共黨長期執政之後又告崛起，此時已在一次大戰結束多年以後，日本及德國已漸為極右派反共的法西斯思想所主導。而此兩國分別在東北亞與歐洲，都與俄國相隔不遠。俄、日之間隔著中國的東北（此時日本久已佔領朝鮮半島），而俄、德之間則隔著波蘭。

不論是中國的東北或波蘭，當時都不足以成為實質的緩衝區，因為中國及波蘭都是積弱之國，沒有足夠的自衛能力，必須借助於其他強權的支助，因此對該等地區鄰近的強國如日、德、俄來說，如自己不下手取得，恐被他人捷足先登也。

九一八事變時，西方在太平洋地區已只剩下了兩個強權，即英、美兩國。

在一九〇二年到一九二二年的二十年中間，即英、日三次同盟時，雙方以黃河為界，英國保有長江流域及其南方的政經利益，而日本則取得黃河流域及其北方的政經利益。易言之，在一九三一年日本染指中國的東北，英國並不認為會妨礙到其本身的利益。美國雖然力主中國門戶開放，但是在東北也並沒有既得的利益，除了在道義上反對日本佔領東北及支持中國外，此事對美國並無重大的利益損失。更有進者，當時美國並非國聯的會員國，因之在九一八事變後，由國聯指派的李頓調查團去東北實地考察此事時，美國既無從參加，也使不上力。總之對英、美來說，日本佔領東三省，並無大礙。

可是九一八事變後，日本進佔中國東北，使得日、俄之間失去了緩衝區，俄國當然深感威脅了。

日本在佔領東北以後，以此為基地，南下可以進攻中國的華北地區，西進則威脅到已經成為蘇俄的附庸的外蒙古，而北上則可以直接切入俄國西伯利亞地區。

在一次大戰以後，因為俄國帝制派與共黨，即白俄與赤俄的長期內戰，日本乃乘虛而入，曾進軍西伯利亞的海參崴港，協助當地的白俄獨立建國。此雖然為時甚短，日軍即告撤出，可是日本對西伯利亞的野心則為司馬昭之心，由此可見也。

日本在一九三一年佔領了東北之後，若南下則是與中國作戰，此即日後自一九三七年至一九四五年的八年抗戰。可是日本若北進或西進，那麼就是要打第二次的日俄之戰了。

當時中國人因為失去了東北，舉國上下莫不誓言抗日，群情憤慨。可是也有極少數幾位看出了其中的玄機，據我所知，至少有王芃生及龔德柏兩位是有此遠見的。

王芃生留日出身，在九一八之前是東北負責對日本的情報主管，他在九一八之後，轉而替中央政府做對日情報分析工作。抗戰時他主持了一個中日問題研究所之類的智庫。龔德柏則一度擔任過王芃生的副手，後來兩人為了爭權而交惡。總之，在九一八之後，七七之前，王芃生曾向蔣中正先生作過書面報告。他指出了九一八事變，日本佔領中國東北之後，在攻俄與攻華之間，都有可能，因此中國不要急急地引火上身，替俄國人打前陣去擋日本人，不妨坐山看虎鬥，引日本北進攻俄（此事可見諸龔德柏之回憶錄）。

史達林何等精明，當然也看出了此點，所以在九一八事件之後，俄共指使中共，力主中國抗日，引日本南下攻華，以免其北上攻俄也。

日本人中間有沒有想攻俄的呢，至少在策劃九一八事變的關東軍少壯派軍人中不乏其人，而以當時位居高級作戰參謀的石原莞爾大佐為首領。

在抗戰前的那個時代，日本軍中以少壯派的將校為主而形成了所謂的統制派，日本史稱他們是「以下克上」，即是中級軍官結幫成群去挾制他們的高級長官。許多大事都是這些校佐級軍官們未奉上命而擅自做出來的，包括一九二八年關東軍的參謀河本大佐炸死張作霖一事在內。以今日所見之史料去看，這些日本中級軍官真是目無綱紀，胡作非為，亂來一通，他們把日本引向中日大戰與太平洋戰爭的不歸路，終至遭到戰敗投降的亡國之恥。

四、談談石原莞爾這個人

石原是造成九一八事變的元凶，因此中國史家對他的印象很壞。在一九三一年時，石原是關東軍的中佐高級參謀，九一八事變是他與坂垣征四郎大佐兩個人領導與策劃才造成的。然而若只從軍事學的眼光去看此人，我認為他是日本軍方少有的人才，今簡述他三件事：

1. 九一八事變今已可知，是關東軍的擅自行動，東京參謀本部中雖然不乏與之同謀者，例如奉命去東北就地阻止此事的建川美次中將作戰部長，便是其中一個。而日本朝鮮駐軍則更擅自出兵越境去支援關東軍。可是參謀本部作為一個指揮系統，事先並未批准在此時進行這個重大的軍事行動。

目前我尚未看到有關關東軍內部運作此事的資料，還不能得知本庄繁大將司令官是事先參預的陰謀者，還是順從事態發生而被動參預的。我判斷他當然不致於像辛亥革命時的黎元洪都督一樣，是被從屬在床底下拖出來而被迫參加的，然而是石原莞爾中佐與坂垣征四郎大佐兩人以高級作戰參謀身分主使少壯派軍人發動此事，是主事者，應可確定。

九一八事變在中國人心目中，是日本侵佔中國之東北三省。但在日本人心目中則不然，他們認為：

(1) 這是滿族的土地，本來便不是漢人明朝的領土。滿洲人入關建立清朝後仍然擁有滿洲。

(2)在漢人推翻清朝時，建立了中華民國，因之擁有了原來不屬於明朝（漢人政權）之滿洲。

(3)日本人認為如果由關東軍來扶植一個滿人政權去統治東北（滿洲），自有其正當性，滿人在其祖先之土地上重新恢復清國，那就是恢復了滿清入關以前的原狀。

這個想法的錯誤之處，在把漢滿之間的關係定位一如在清朝入關時，成為對抗的兩個民族，殊不知從滿清入關到九一八事變，經過兩三百年間的融合，漢滿已是一家人了。當然有少數遺老（其中滿人、漢人都有）仍然忠於大清，想要搞復辟，可是並不是所有的滿人都想恢復大清帝國，更不用說東北的大量漢人居民了。滿人中反對建立滿洲國者有一個著名的例子，即近代的大書畫家溥儒（心畬）先生。他是宣統帝的堂兄，恭親王奕訢之孫，他就拒絕了滿洲國的任官與招請，繼續留在北京，並且公開撰文言其志也。

石原的想法是以東北為基地去進攻蒙古及西伯利亞，即攻俄。這是日本陸軍北進派一貫的主張，其最為具體的說法即為《田中奏摺》所規劃的日本征服世界之步驟，主張日本進攻亞洲大陸，應自朝鮮、滿洲、蒙古而至西伯利亞，循序而進。在石原這些日本軍人心目中，中國是積弱之邦，根本不配作為日本爭霸的對手，日本在東北亞的對手是俄國，只要日本在戰勝俄國之後，再來對付中國也不遲也。如果把世局看成一盤棋，他們的對手是俄國，中國在他們的棋局裏，是一顆暫時不提的死子，他們不會浪費先手去耽誤日本對付俄國的棋局。

中國清末的李鴻章主持軍國大計時，便是在東北亞居奇於日俄之間，時而聯俄抗日，或聯日抗俄，導致日、俄之戰。因之在九一八那個時代，像石原中佐那種日本軍人，如果中國善加利用，可以用為誘導日本攻俄的工具的。他們狂妄，看不起中國，要和蘇俄爭霸東北亞，反而是對中國有利的。

2. 在一九三七年的八一三事變時，石原是參謀本部第一部（作戰部）少將部長，這是一個極為重要的軍職。八一三淞滬會戰時，中日雙方都投入了龐大的兵力；日本自開戰時原有的六千名海軍陸戰隊，擴編而成派遣軍以後，已迭次增兵至二十五萬人，而我軍由原來化明為暗以地方保安隊為名義的兩師駐軍，也增至七十多個師，七十五萬人以上。

雙方的高級將領早年頗多為師生或同學，又都是師承德國的兵學，系出同源。而我軍之外籍顧問團則是由德國的福根豪森上將（回德國後升任元帥）所領導的德軍將校群。因此雙方的戰法如出一轍，依照上海戰場的地理狀況，只向一側延伸。上海有外國租界，雙方都須避開。此等租界在我軍陣地的右翼，所以雙方都向我方左翼延伸，日軍是要迂迴我方，而我軍則是予以防止。

這種打法是標準的德式戰法。一次世界大戰的德、法戰場亦因地理環境而打成這個樣子的。如以德軍的陣線去看，左翼，即南方，為內德尼斯山區，因之德軍乃加強右翼，向北方的比利時、荷蘭兩國的低平地區延伸，而英、法聯軍亦以此法對應，雙方遂膠著而成長期的壕溝戰。戰史稱此作戰計劃為史利芬計劃，他是一次大戰初期的德國陸軍參謀總長。而八一三之役，中、日雙方在上海就打成了這個樣子。八一三淞滬戰場中並無大規模的壕溝工事，但是是在人口集中的上海及近郊，因此建築物很多，乃成巷戰之勢。總之，雙方大量增兵，戰事拖延日久，傷亡皆重。三個月作戰中，我方出動七十多萬兵力，傷亡二十多萬人，日軍出動二十多萬，傷亡五萬多人，都可以說是損失慘重。而我軍最大的損失，則是消耗掉了二十個在戰前由德國人代訓的野戰師新軍，把我國國防軍主力在八年抗戰開戰之初就給打掉了。

就在雙方相持不下之時，石原少將來到上海實地考查，他一眼看出我方採取德式戰法的一個大缺點，便從關東軍及華北軍合起抽調出三個師團，以組成一個軍，大約十萬人，用海軍運送南下去在杭州灣登陸，以迂迴我上海守軍之右翼。在杭州灣我軍只配置了一個集團軍約四萬多人，遂輕易被擊破。而我上海大軍為了避免被日軍包圍，乃全面撤退，因而潰敗。

這是石原少將引用拿破崙戰法，臨陣忽然改變進攻的方向，造成我軍陣地鬆動，以致大敗。

許多戰史學者批評我軍指揮層，為何在中央及左翼陣地投入七十多萬人，而在金山衛只配置了四萬人，遂被日軍乘虛而入。我認為此是沒有考慮實況的後見之明。

日本的戰史學者認為在抗戰初期，日軍及我軍的戰力，大約是一比三。亦即日方出動一萬人，我軍出動三萬人，則可以互有勝負，此僅是以陸軍言之，尚不包括海空軍助攻之力量在內，如果以此去計算，在我方之中央及左翼，日方投入了二十五萬人，而我方則是七十多萬人，大約是一比三不到些，再加上日軍在戰役中佔了海空助戰之優勢，因之我方在中央及左翼之壓力甚重，不可能抽調大量兵力去右翼空置著備而不用。反過來看日方又何嘗不是如此呢？即使石原莞爾看出來可以攻擊我方虛弱的右翼，日方也不能從上海戰場中就地抽調兵力去就近攻擊，非得遠從東北及華北去調一個軍約十萬人南運來參戰，此示日方在上海戰場中央及右翼（即我軍的左翼）也是壓力極大，無兵可調也。

總之，以石原莞爾少將在八一三淞滬會戰的表現去看，此人確是可當「日本拿破崙」之美名也。

3.在日軍內部素有南進與北進之爭，此不但在二次大戰中如此，自明治維新以來便有之也。日本陸軍自從明治維新以來，就一向以俄國為爭霸東北亞的假想敵。當時英國與帝俄爭霸世界，乃與日本暗結同盟，共同抗俄。在一戰結束時，俄國發生了十月革命，帝俄被蘇俄取代，俄國之國勢遂衰，乃一時失去了與英國爭霸之資格，而英日同盟也在一九二三年解體。此後，英美攜手在太平洋地區抑制日本之崛起，日本海軍乃以英美為假想敵，可是日本陸軍仍然以蘇俄為假想敵。這是因為英美在東亞並沒有強大的陸軍，而且從日本經由朝鮮去中國的東北（滿洲），日本陸軍第一個將要面對的陸上之強大對手便是俄軍。亦即在九一八事變到七七事變之間，日本陸軍想要北上攻俄，日本海軍想南下攻擊英、美、荷等國家之殖民地。

日本在二次大戰中可以聯德攻俄，雙方自東西兩方夾攻俄國，在一九四一年已升任陸省軍務局長的石原莞爾中將便是力主此論者。如此，則日本應當避免向英、美挑戰，以免兩面作戰。因之當日本政府決定要攻擊珍珠港時，主張北進的他便大力反對。當時的日本首相是東條英機大將，他在九一八事變後是關東軍的中將參謀長，也就是那時身為少將的石原副參謀長的直屬長官。在此時兩人位階已大有差別，石原中將是陸軍省的一個局長，而東條大將已是首相。九一八事變之後，東條英機也是一個主張北進攻俄者。可是到了一九四一年六月，日本在爭辯應該與德國合作去攻俄，還是獨自南進東南亞去進攻英、美、荷等西方國家時，當時已升任首相的東條英機大將卻成了南進派。

石原他們這批關東軍的將佐之所以發動九一八事變，是為了貫徹攻俄的北進思想。當日本政府決定要攻擊珍珠港時，東條此時雖然已經改變心意要南進攻擊英、美，然一本初衷的石原並不贊成。兩相衝突的結果，是石原中將被迫退役被編入了預備役，因之沒有參預太平洋戰爭，也因此在一九四五年日本投降後，他幸而逃過東京戰犯之審判的了。東條大將自殺未死，在戰犯法庭中被判死刑，以甲級戰犯之身分問吊。而九一八事變時的關東軍司令官本庄繁大將則在日本投降時，切腹自殺身亡。至於坂垣征四郎，這個與石原合謀造成九一八事變的元凶之一，也以大將身分作為甲級戰犯而被絞死。此即在九一八事變的元凶中，只有石原逃過戰犯審判之問吊也。

日本人在戰後拍了一部東條英機傳的電影，在影片快要結束時，亦即日軍已在硫磺島戰敗之際，東條在首相私邸約見了一位穿著西裝的老人，向他問計如何挽回敗局。那位老人說為時已晚，無計可施。此人即為當時隱退已久的石原莞爾中將也。我相信一般的觀眾不會注意到此老人是何方神聖，頂多會奇怪東條在兵敗如山倒之時，為何會找此號人物去問計？我因為平日注意戰史，知道日軍中有此

「日本拿破崙」之名的石原中將，深感東條此舉實為應當。只是對日本來說，就像石原在影片中所說的此時為時已晚，無計可施了。

五、為敵人尊敬的將軍當是名將

兩國交戰之時，自當全力以赴，對敵人不可寬縱，但是對雙方的人才仍然應當互為尊敬，尤其是在七十年後去回顧，更應如此。我國歷史上陸抗所說的「豈有酖人羊叔子哉？」便是一個例子。這個故事是這樣的：三國時，吳將陸遜用計取了荊州，攻殺關羽之後，吳魏兩國便在襄陽附近對峙。有一天吳軍主將陸抗病了，他的對手魏將羊祜送了藥酒給他治病。陸抗要喝，左右勸他說不可喝，此酒是敵將送來的，萬一是毒酒怎麼辦？陸抗笑著說：「豈有酖人羊叔子哉？」說著就一口把酒給喝了，果然沒事。

像羊祜及陸抗這種惺惺相惜的敵將，中國戰史上所在多有，三國演義中，曹操禮遇被他俘虜的關羽的一段史事，真可以說是中國家喻戶曉的故事了。至於在赤壁之戰後，關羽在華容道義釋曹操以報恩的這個故事，恐怕是小說家言，當不得真。因為華容道在湖南省，曹操在長江邊上戰敗，只有往北逃，是不會南下的。

在二次大戰中，德國的敗軍之將，不論存歿，在戰後普遍受到盟軍及戰史學家推崇的很多，例如隆美爾元帥、古德林上將、曼斯坦元帥等。

八年抗戰中，中日雙方參戰的將領可能多於一千人，我平時多加留心中、日戰史學者有關此戰事的著作，卻很少見到稱讚或推崇敵人陣營將領的文句。此與西方戰史著作不同，這會不會是因為東西文化的不同呢？

我們東方人對角色（role play）的觀念與西方不同。西方人認為執行公務時與個人的角色不同，例如外交部發言人或報紙寫社論的主筆，他們公開以官方地位所發表的言論，不一定就是他們個人的心意。而東方人則認為一個人絕不應該口是心非，君子必須表裏如一的。

一九三八年，軍民哀悼死守滕縣的川軍王銘章將軍。

戰爭中，敵對陣營的軍人都是在執行本國的軍令，兩軍交陣自以消滅敵人，迫使其戰敗投降為目的，此應與其個人心中對敵人的想法無關。除非該人有虧武德，犯下戰爭罪行，彼此都不應以對方為敵人而盲目地仇視。尤其是在戰爭已結束了七十年的今天，在討論這場八年大戰時，大家的目的是在追求史實，還原真相，而不僅是只在記仇報恨。當然前事不忘，後事之師，可是只在記仇報恨，那麼今後中日兩國何以相處？

我方參戰的將領中，為日方所尊敬的，據我所知至少有兩位；第一位是張自忠上將，第二位是方先覺中將。

在一九四〇年的棗宜會戰中，張自忠以上將集團軍總司令之尊，親率騎兵堵擊日軍，不幸陣亡。日軍把將軍的忠骸交還給國軍，在其靈柩運到重慶那天，日本宣布停止空襲一天，以便國人祭弔將軍，以示日方對此勇將的尊敬也。

八年抗戰中戰死的我軍七位上將，殉國時已是上將的只有一位，即張自忠，死後追贈為上將的另有六位。其中的一位亦即在一九三八年死守滕縣殉國的川軍王銘章將軍。然而像張自忠這樣以上將之尊，親率小部隊主動出擊因之陣亡的，八年抗戰中的中日雙方只此一人而已。然而大將輕身，並不足取，張將軍雖是英勇，孔子說：「可以死，可以不死，死傷勇也」，孫子曰：「百里趨利蹶上將」，如張將軍者當為兵法之所不取也。一般來說，世界各國都很少有上將參加小部隊在第一線的作戰的，因之戰史裏上將陣亡的例子並不多。二次大戰時美軍有三位上將都是喜歡親自上前線的；即巴頓上將、史迪威上將與麥克阿瑟元帥。國軍中則另有傅作義上將，德軍則至少有隆美爾元帥一位。

至於方先覺中將，他是一九四四年衡陽會戰中我軍防守衡陽的主將。在這一次戰役裏，方先覺所領導的第十軍以一萬七千人對抗日軍十多萬人，打了四十七日，是八年抗戰中我軍表現最好的一仗。方將軍在一九四九年國府遷台之後，即已遭投閒置散。當他一九八六年在台北逝世時，日軍曾參加衡陽會戰的退伍軍人們自動組團，推派代表專程遠道去台北祭拜，他們依照四十二年前衡陽會戰中的作戰序列排隊，在將軍靈前各自報上其單位番號及個人姓名上香致敬，此示他們每一位都不僅是用個人身分來上香，而是代表所屬的部隊單位來致祭的了。

我認為能夠受到敵人尊敬的將領，應當可以被稱之為具有將才的名將。德國的隆美爾、古德林、曼斯坦，中國的張自忠、方先覺等都是這樣的例子。等到有一天，我們中國人在研讀抗戰史的時候，能夠平心靜氣地去看待日本人，這樣我們才能弄清楚這場戰爭的歷史來的了。

在大家痛罵日本人不認錯，企圖掩蓋南京大屠殺、慰安婦、生物作戰等罪行，是在要修改歷史的時候，為什麼不想一想，我們中國人對抗戰史又怎樣了呢？到了八年抗戰已經結束了七十年後的今天，我們兩岸三地的中國人所寫的那麼許多抗戰史的著作與論文，可有哪一本是客觀公正的嗎？

漫談有關抗戰史的幾個問題的看法

一、前言

抗戰至今已結束了七十年，在中美之間、中日之間、國共之間，史學界對其中有些問題仍有爭執，例如《田中奏摺》的真相如何，此奏摺是否存在？中方大多認為確有其事，而日方則認為此乃子虛烏有之事也。又如史迪威之功過何在？國府與美方的看法不同。至於國共之間的爭執就更多了，大如是國軍抗日還是共軍抗日？小如國軍胡宗南部有沒有抗日？凡此等等，不一而足。在本節中我對其中一些問題提出了個人的看法，謹供讀者參考。這些討論可分六條，合成兩類，即：

1. 在八年抗戰中發生的為：

(1)在抗戰中，是國軍抗日，還是共軍抗日？

(2)胡宗南有沒有在抗日？

(3)由兵學的觀點去批評史迪威將軍的缺失。

(4)蔣中正先生與史迪威之間角色衝突與兵學見解不同之分析。

2. 在抗戰之前發生的：

(1)在一九三七年七七發生之後，日本內鬥以致錯失中日言和之最後機會，此在說明宇垣一成大將組閣失敗之原因。

(2)《田中奏摺》是否存在的研究。

這些題目雖然零散，但是都是大家關心及議論紛紛的題材，因之我在此提出淺見。

二、是國軍抗日？還是共軍抗日？

時下流行的說法，是將抗日戰場一分為二，即正面戰場與敵後戰場，認為國軍主導了正面戰場的戰事，而共軍則主導了敵後戰場的戰事。這種說法之提出，是因為國軍與共軍的戰法不同，國軍多是打傳統正規的會戰，而共軍則採用了毛澤東先生主張的游擊戰。

在一九六〇至七〇年代的越戰中，越共以游擊戰擊敗了美軍之後，游擊戰乃成軍事學中的一門顯學。在此之前，尤其是在研究一九三〇至四〇年代的二次大戰中，游擊戰並沒有受到各國的戰史學者之重視。此不僅是在研究中國的八年抗戰時，即使在亞洲戰區中的菲律賓、印尼、緬甸等地區，以及歐洲戰區的法國、波蘭、捷克、蘇俄、南斯拉夫、希臘等地區都有游擊隊之戰鬥活動，可是除了研究此等游擊隊之專著外，一般研究此等地區戰史之作品，通常是一字不提，要是偶爾有之，也是一筆帶過而已。雖然對以打游擊戰為主要活動的中共軍隊是不公平的，可是這種小規模的武裝戰鬥，實在難以查證核實，一般的戰史學家是難以採信的了。

在抗戰期間，共軍曾經參加過的大型或中型之會戰並不多，例如在一九三七年九月到十一月的太原會戰中，共軍的第十八集團軍（朱德部）曾參加平型關之役（林彪師，表現優良，史稱「平型關大捷」）與娘子關之役（劉伯承師，是「跑得遠遠」的，不服從指揮），不過這種史例甚為少見。因此海內外支持中共的學者專家在研究抗戰史的時候，都是特別誇大及強調毛澤東先生所力主的游擊戰之重要性，並多以「百團大戰」為例子。其實這個「大戰」並非是單一的戰役，反而是一連串大小不一，時間上有前後之別、地理上是綿延數百里的許多次戰鬥。而且共軍在每一次戰鬥中所使用的兵力都是以團級為基數去計算的，可見其規模都是實為不大的了。

在八年抗戰中，華軍（包括國軍及共軍在內）出動了兩個軍或以上，日軍出動了兩個師團或以上之會戰，大約有四十多次。其中只有兩次是由華軍出擊去主動求戰的，此即：

1. 一九三七年的八一三淞滬會戰。

2. 一九四四年到四五年的第二次北緬戰役。

在這兩次戰役中，共軍都沒有參預。至於其他四十多次的會戰，既然都是由日方主攻的，那麼其攻擊對象當然是由日方所決定的，就由不得華軍自己選擇由國軍或共軍去應敵「抗日」的了。

因為強盜喜歡搶有錢人，日方攻擊目標之選擇，是要攻打交通要道、物產豐富、具有經濟、政治或軍事之重要地區。相比之下，共軍多在窮鄉僻壤之地區，而國軍則反之，因此日軍乃是多挑著國軍去攻擊的了。

我的看法是：

1. 在八年抗戰中，除了前述的兩個會戰，即八一三會戰及第二次緬戰之外，其他的四十幾次中型與大型之會戰，日軍都是挑著國軍的防區去攻打，因此國軍「抗」日是比共軍要來的多許多。

2. 這並不是說共軍比國軍不抗日，而是日本人甚少大規模去打共軍。而共軍之出擊，例如「百團大戰」中的一連串戰鬥，因為每一個單一戰鬥的規模都太小，所以通常的戰史都不予考慮或計算在內。同樣的，日軍或汪偽軍之清鄉行動，當然對國軍或共軍都會有小規模的攻擊，一般的戰史也不會去寫此種戰鬥的了。

3. 如果拿八年抗戰中國軍與共軍陣亡的將領人數去作比較，那麼因為前述兩點原因，國軍陣亡的將領人數是要比共軍的多得太多。共軍方面，據我所知只有兩位，而國軍方面則在兩百名以上。

4. 華軍在八年抗戰中是把戰場劃分為許多個戰區，是像打籃球時的區域防守，各有其責任區。因為各戰區的地理位置不同，以及戰略價值相異，所以受到日軍進攻的次數與狀況也不同。例如第九戰區在湖南省，地近武漢，又是華軍的大糧倉，日軍在一九三八年秋天攻下武漢之後，到一九四五年投降前，大規模進攻該地區至少有六次，此即三次長沙會戰、常德會戰、長衡會戰與湘西會戰（或稱芷江作戰）。可是在陝西的第八戰區（一九四五年時調整為第一戰區）則因日軍攻不進潼關去，八年中卻沒有挨過一次攻擊。抗戰期間，湖南的第九戰區司令長官一直是薛岳上將，而陝西的第八戰區掌實權者一直是副司令長官胡宗南上將。因此在一般人心目中，薛岳乃成抗日的民族英雄，而胡宗南之「不抗日」，卻成了千夫所指。

胡宗南是黃埔一期學生，是蔣中正委員長的愛將，他在抗戰八年中固守陝西不出，因此許多國人，包括左派人士在內，都大聲指責胡宗南不抗日，我認為這不但對胡將軍是一個極為不公正的指責，而且也是不知兵法的外行話。容我提出我的看法如下。

三、胡宗南部是否曾分批轉用於其他戰區去抗日？

胡宗南將軍所部在抗戰八年之中是駐守在潼關以西的陝西省境內，負責圍堵陝北的共軍，以及防守陝南與漢中通往川北的要道。因為日軍一直無法攻取潼關，因此胡部乃得安然在陝西常駐。而中共則被其所圍堵，當然對胡部在宣傳上大肆攻擊。

關於胡部在抗戰中抗不抗日的問題，我認為要考慮下面兩個論題，此即：

1. 在戰略上我軍固守潼關，拒絕出戰，是否正確？

2. 胡部有沒有化整為零，分批調到其他戰區參戰的情形？

讓我們先來討論第二點。

在戰史中，我所讀到的是在一九四四年日軍「一號作戰」中，即我軍稱為豫中會戰裏，胡宗南曾派遣五個主力的野戰軍，從陝西進入河南去幫助與之同為中央軍的湯恩伯集團反攻洛陽；此外，我沒有讀到過這一類的記載。也就是說，在八年抗戰裏，胡宗南所部的軍級與師級單位是很少離開陝西去抗日的。左派的說法並沒有錯，可是他部隊裏的團級及以下的單位，也是這樣子的嗎？

大約是在一二十年前，我的中學及大學同學羅大濤兄曾告訴我，在抗戰中，軍委會是逐批以胡宗南所部的團營級為基數，去轉用到各戰區作戰的了。

羅兄的父親羅列將軍出身於陳誠的土木系，可是在抗戰及內戰中則長期在胡宗南麾下服務。來台後，羅將軍曾出任上將級的陸軍總司令。羅兄因為家庭關係，當是此方面的知情者。可是多年來我始終找不到證據，也就無法引用羅兄的說法。

直到最近在寫作有關抗戰初期我方布局的文章時，去閱讀了蔣中正日記，卻意外地發現了有關的記載如下：

一九三七年九月八日　星期三：

預定：

四、令在陝、豫各師，各抽老兵四營二千人來前方補充。

九、令川、陝、黔各師招募補充兵各三團。

由此可證羅兄的說法不假。不過我得指出下列各點：

(1)我並沒有對此問題作過全面的研究，只是在研究一九三七年的八一三淞滬會戰時，於蔣中正日記裏面偶然找到了這一條記載。有興趣深入研究者當可繼續調查此是一個孤證的特例呢？還是在八年抗戰中的通例呢？我個人判斷，在八年抗戰中，以我方兵員折損之多，與徵募新兵之困難，我方轉用胡部之可能性是很大的了。總之，在抗戰中，以作戰序列的官方公開文件去看，胡宗南所部的軍、師級單位是紋風不動的。至於軍委會是不是用了偷龍轉鳳的手法去把胡部的老兵以團、營級的單位轉調出去抗日的呢？則猶待查考。今以蔣中正日記前條記載為例，在調走各部隊老兵之後，卻另外下令其徵收更多的新兵以資補充與訓練。例如此次每一師調走兩千人（四個營），卻准予各自補充新兵三個團（即九個營）。由此可見，蔣先生及軍委會是把陝西當作後方的兵員補充及新兵訓練之基地也。

(2)日軍在太平洋戰爭期間，即自一九四一年十二月到一九四五年秋天日本投降為止，也異曲同工，用了同樣的手法去把駐在中國東北地區的關東軍化整為零地分批調到南洋去作戰。

(3)國軍在胡宗南部與日軍在關東軍所使用的這種偷龍轉鳳的手段，目的都是在「欺敵」。只是日方明顯地在欺騙其假想敵蘇俄，而國軍則是同時想要欺騙共軍及日軍這兩個敵人而已。

(4)國軍及日軍在這兩個史例中之所以要「欺敵」，都是各自在要使敵方不得察覺其所面臨與對峙之軍團的實力已為減弱，因之不敢向之進攻也。

(5)可是這種化整為零的偷龍轉鳳之手法，卻使胡宗南及其所部蒙受了不抗日的惡名。

四、我軍固守潼關不出是合乎兵法之手段

現在讓我們來研究一下前述的第一點論題，即在八年抗戰之中，胡部固守潼關不出，在戰略上是

否正確？

在研究此一論題之前，先讓我們來思考下述的地理狀態。

當時中共中央在陝北的延安，國府中央在四川的重慶。在陝西方面，國府一方面要把中共中央圍堵在陝北，另一方面又要防止日軍假道陝西攻進四川。胡宗南在八年抗戰裏所擔負的重任，就是要完成這兩個任務。

歷史上外敵進攻四川的通路有三條，此即：

1. 北路：由陝南經漢中入北川。此是三國時代魏軍滅蜀之途徑，也是楚漢相爭時，「明修棧道，暗渡陳倉」的歷史故事發生之地區。

2. 中路：即沿著長江經過三峽進入四川。這是三國時代，劉備取得四川所走的道路，也就是「張松獻圖」的史例。

3. 南路：即自雲南北上川南，這是元世祖攻取四川所採取的途徑。

在八年抗戰中，這三條通路分別由蔣中正委員長最親信的中央軍嫡系將領長期鎮守，此即：

1. 由胡宗南守北路。

2. 由陳誠守中路。

3. 由杜聿明守南路。

在八年抗戰裏，不僅是胡部固守潼關不出，以保障陝西之安全，即使在鄂西三峽地區，由陳誠統率的「江防軍」也絕不出擊。當時陳部在宜昌以西地區，與日軍的根據地武漢近在咫尺。可是從一九三八年十月武漢失守之後，到一九四五年秋天日本投降為止，長達七年之久，不論日軍是否多次傾巢而出以攻湖南，我江防軍並不乘虛而入以攻武漢來實行圍魏救趙之計謀。

如果從兵學的角度來看，胡宗南之固守潼關，不派兵去河南或山西作戰，比起陳誠在鄂西不去攻擊武漢，是要更為合理的多。可是左派的論評者對胡宗南不抗日的指責遠多於對陳誠的，這是不懂軍事學、不知兵法的書生之見也。當時我方的戰爭指導原則是要打持久戰，只要能做到「不可勝」，就能等待太平洋戰事之發展去做到「而後勝」，因此絕不能給日軍任何機會去攻入四川。

由陝南經漢中到川北之通路，古稱天險，此為古代冷兵器時代之情況。可是在二次大戰的熱兵器時代，此天險已不可恃矣。在近百年來，有兩次史例，大型軍隊經過此路入川，第一次是在民國初年的護法戰爭，馮玉祥率兵自陝入川去對抗蔡鍔（松坡）的護國軍。第二次是在大陸易手時，共軍追擊胡宗南部。這兩次史例都顯示川北的天險在現代化的戰鬥中並不足以用為防守敵軍之用也。

在護法之役中，馮部的劉汝明將軍後來在一九四九年已升任國軍的中將兵團司令。他晚年在台北發表的回憶錄，即由傳記文學出版社出版的《一個行伍軍人的回憶》中，即曾以當年親自在此路上進軍之經驗去說明，此路在熱兵器時代已非可恃之天險也。

冷兵器時代，中國史上曾有一次戰例，即中央政府在被敵軍攻入陝西後，乃遷入四川，此即唐史中的安史之亂。並且唐軍之錯誤就是失去了潼關。今以此為例，來說明在抗戰時，我軍之固守潼關不出，把日軍擋在河南（古代的關東），確保陝西（古代的關西）之安全，在戰略上是個正確的措施。

唐玄宗天寶十四年（西元七五五年），安祿山造反。當時安祿山是東平郡王，領三州之節度使，此即：

1. 平盧，治青州，今山東益都。
2. 范陽，治幽州，今北京。
3. 河東，治太原。

也就是他原來的地盤是今之山東、河北與山西之北部地區，這也正是抗戰初期日軍所佔領的地區。安是營州雜胡，他起兵之後，聲勢極大，席捲華北，唐軍只剩下少數幾個州縣，例如大書法家顏真卿（魯公）所據守的山東之平原城。

在唐玄宗時代唐軍中番將甚多，造反的安祿山是胡人，在初期負責防守潼關的前後三個大將也多是胡人。他們分別是封常清（蒲州猗氏人，今山西猗縣一帶，乃唐初大臣封德彝之後）、高仙芝（高麗人）與哥舒翰（突厥人）。其中以哥舒翰的年輩較高，最為資深。而封、高二將都曾擔任安西節度使，在西域立下大功，三人此時都是百戰名將。

當時唐軍以封常清守東京（今河南省之洛陽，在潼關以東），中使邊令誠（漢人）為監軍，而以高仙芝率軍守陝西之東部（在潼關以西），為封常清之後盾。封常清在洛陽周邊與安祿山軍大戰數回合，皆敗，遂退入陝西，遇高仙芝，乃曰：「連日血戰，賊鋒不可當。且潼關無兵，若賊豕突入關，則長安危矣，陝不可守，不如引兵先據潼關。」高仙芝從其說。

到此為止，如果把安祿山軍換成日軍，封常清換成湯恩伯，高仙芝換成胡宗南，這相去一千兩百多年的兩個史例，真是何其相似也？

接下來的發展卻古今大不相同，因為胡宗南守住了潼關，陝西包括西安，即唐代之長安，乃得轉危為安；可是唐軍卻丟掉了潼關，長安乃失陷，而唐玄宗及唐之中央政府乃「幸蜀」——逃去四川避難的了。

高仙芝守住潼關之後，原來在前線封常清軍中的監軍，即中使邊令誠就變成了他的監軍。他們兩個是老搭檔了，在天寶六年，即八年前，高仙芝在克什米爾境內滅小勃律之戰時，邊令誠以中使（太監）身分即在其軍中。當時高仙芝的長官，時任安西節度使的夫蒙靈詧嫉功，因而怒斥高仙芝，而邊令誠乃據實以報，因此唐玄宗乃召回夫蒙靈詧，代之以高仙芝。

也就是說，邊令誠不但與高仙芝有長期的合作關係，而且也是幫助高仙芝升官的貴人。可是這次的潼關之戰，因為他們之間的摩擦，邊令誠卻變成了封常清與高仙芝二人的催命閻王了。

原來封、高二將見安祿山軍佔了優勢，唐軍不是其對手，乃同樣主張固守潼關不出應戰。可是邊令誠是權臣宰相楊國忠的黨羽，楊與邊二人都不同意他們的看法，唐史記載如下：「監軍邊令誠數以干仙芝，仙芝不從。（上）令誠入奏事，具言仙芝、常清敗狀，又謂常清誇大賊情，搖動軍心。仙芝棄陝地數百里，又盜減軍士糧賜。上大怒，遣令誠齎敕，即軍中斬仙芝及常清。」

唐玄宗乃以前輩宿將哥舒翰代領高仙芝與封常清的軍隊。哥舒翰到了前線，度量情勢，也與他的前任高、封二將一樣，力主固守，閉關不予出戰。此時在另一個戰場領兵與安祿山戰鬥的唐將郭子儀及李光弼亦上奏，主張「引兵北取范陽（今之北京）……潼關大軍唯應固守以弊之，不可輕出。」

此即有實戰經驗的百戰名將，例如封常清、高仙芝、哥舒翰、郭子儀與李光弼等人都不約而同地主張唐軍之該固守潼關，不予迎戰佔了優勢的敵軍。可是不懂軍事的宰相楊國忠，與他的親信之監軍中使邊令誠卻極力主張潼關守軍應該出戰，「上以為然，遣中使促翰，使者絡繹，項背相望，翰不得已，撫膺痛哭」，乃引兵出關，因之兵敗。安祿山軍遂陷潼關而入陝西，長安淪陷，玄宗幸蜀矣。

筆者之所以不厭其煩地引述唐史去描寫那一千兩百多年前的潼關之戰，便是要指出兵學中的攻也好、守也好，各有其法，並不是只攻不守才算是英勇抗敵的了。

幸好蔣中正先生是知兵的軍人，而胡宗南又是蔣先生的門徒兼愛將，所以才沒有上演唐玄宗那種因讒言而誤殺大將，及哥舒翰撫膺痛哭，被迫出潼關應戰而兵敗被俘、陝西因之失守的悲劇。

有關胡宗南部在八年抗戰中抗不抗日的論題上，我的看法如下：

1. 在胡部固守潼關不出、安守陝西這一方面，我認為這是一個在戰略上甚為正確的做法。

2. 在胡部是否曾以小單位分批調出，轉用到其他戰區去對日軍作戰一事方面，以我舉出的一個例子去看，是曾經發生過的，不過此只是一個孤證，是否是通例，猶待查考。

至於胡部的大單位是否曾出陝西省境外去應戰的問題，在一九四四年六月，即豫中會戰末期之反攻洛陽之戰中，胡部五個軍曾進入河南省去幫助湯恩伯集團之戰鬥。不過在八年抗戰中，我只讀到過這一個史例，確是很為少見的了。

五、由兵學觀點去批評史迪威的缺失

一九四四年十月發生的史迪威事件，是中華民國與美國外交史上的一件大事，而且影響深遠。在此事發生六十多年後的今天（此文成於二〇一二年），中美兩國的史家猶在為此事爭辯不休。

我所讀到過的中方史家對史迪威將軍之指責，多在其外交、政治與待人接物個性上之缺點，並沒有關於他在軍事方面之缺失，我認為這是對史迪威甚為不公平之事。因為他是一個軍人，他的作為只有一個中心思想，即在戰場上去打敗日軍。如果有人用他在其他方面的作為去批評他，不但是沒有擊中他的要害，而且他的這些引人非議的言行，如果其動機是為了有助於他的部隊在作戰中取得勝利，我認為此乃瑕不掩瑜，而且情有可原，不應該在事後去多所挑剔他。

在一九八九年，大約二十多年前，筆者曾試寫了一篇八萬字的長文，以討論及研究一九四四年到一九四五年，即在抗戰第三期中，日軍所發動的「一號作戰」。此即涵蓋了我軍戰史中的「豫中會戰」、「長衡會戰」與「桂柳會戰」等三場戰役者。其間與之幾乎同時發生的第二次北緬戰役，因與我東戰場之情勢相關，筆者也曾加以分析及研究。

這篇長文至今猶未發表，大約在三年前，我請兩位史家友人加以補充，尤其是需要多採用日方之資料。此因拙文只是採用了英文及中文的公私著作，有關日方的資料都是取自於英譯及中譯之二手版本者，當需查考日方之原始文書予以補充也。筆者今年已經七十多歲，又只是一個業餘愛好歷史的寫作者，所以身外之名，已不在我的考慮之中，只希望能盡一己綿薄之力，去找出一些歷史真相來。

現在容我把一九八九年那篇長文裏所指出來的，我所認為的史迪威將軍在第二次緬戰中，在戰略上與戰術上所犯的錯誤，提出來以請大家一起來作研究。

我認為在第二次緬戰中，盟國犯了以下的錯誤：

1. 在戰略上，這是早在一九四二年就決定了的作戰方案，卻延後到了一九四三年秋天才去展開，為時已晚，已錯過了時機。

在當時制定反攻北緬的方案時，盟方的戰略構想是由美國代訓及裝備華軍三十師，在中國大陸上逐步擊退日軍，自南到北，經由朝鮮半島去攻擊日本本土，這是一個出於大陸軍思維的構想。可是等到兩年後，在一九四四年緬甸乾季時，盟軍在美國的麥克阿瑟將軍領導下，在西南太平洋戰區實施跳島戰，以海陸空三軍協同作戰之手法，大有進展。此時再去考慮上述那種由中國大陸去攻擊日本本土的戰略思維，已經是落伍的了。

因此當盟方要進行第二次北緬戰役時，作為盟國在緬甸戰區的司令官之史迪威將軍應該向上級指出這點來，去建議取消這個方案。可是他見不及此，仍是沉迷於大陸軍之思維中，所以他在戰略修養方面，已是一個落伍的步兵將領，是用第一次世界大戰的戰法去打第二次世界大戰的了。

與他同輩，也是步兵出身的麥帥已充分掌握了二次世界大戰的脈動——即為機動與火力，此在陸軍中為裝甲兵，在海軍中為航空母艦，在空軍中則為長程轟炸機。麥帥能把這三者相互結合，因而擊敗日本。可是史迪威卻還是一個扛了一枝步槍，身先士卒，帶著小型部隊在前線血拚的「班長」而已。無怪乎他在美軍中的綽號是「一個軍階最高的班長」的了，一笑。

以上是我對史迪威將軍在戰略修養方面的批評。以下則是對其在戰術方面的批評。

2.當盟軍在一九四四年乾季攻入北緬之後，日方乃匆匆展開反攻，以求以攻止攻。盟軍在第二次緬戰中，是以我方駐印軍之孫立人軍為主力之中央兵團切入北緬中部，而以英軍之一個突擊旅為右翼之助攻，以保護孫軍之右側面。

日方在雨季來臨前兩個星期，以日軍三個師團及印度軍兩個師團（印度國民軍）之兵力去攻擊印緬邊境之印坊（英帕爾），以求迫使盟軍回師印度。盟軍在戰後去檢查日方之文件，才知道日軍作業錯誤，誤把通往印坊的一條公路當作雨季中可以使用的補給線，結果在雨季中不能使用，因此日軍之糧道中斷，這個攻勢乃告失敗，而且日軍餓斃者甚多，是個慘敗。我所讀到過的中、英、美三國之公私著作中，都沒有人提到此次日方的作戰序列裏有兩個由印度人組成的師團在內，承吾友周珞兄在二〇一〇年賜告，我方才得知。

在一九八九年我研究「一號作戰」及第二次緬戰時，我注意到了當時英國駐印軍總司令蒙巴頓勳爵對日軍進攻印坊之反應甚為驚慌，我乃評之以「臨事慌憒」。原先我以為此因他是一個皇親國戚、少年得志的海軍將領，缺少陸戰的經驗，才會慌慌張張的了。

因為作為一個戰區的最高指揮官，在知道日軍進攻的訊息時，他竟然親自坐了飛機去緬甸前敵，分別與英軍突擊旅長魏弗爾准將，以及美軍的史迪威將軍面商，以安排英軍回師印度之事。以當時的戰場實況，坐飛機赴前敵是件甚為冒險之事。須知在此事不久之後，魏弗爾准將即在緬甸戰場中因座機失事而殉國的。當時我很訝異，蒙巴頓為什麼不用電報或無線電去和前方的英軍與美軍將領聯繫？

偏偏要冒此風險而與他們見面的呢？有什麼事不能留下通訊紀錄，非得大家當面商談的呢？

在周珞兄告知了此次日軍進攻印度時使用了兩個印度師團，我才恍然大悟，蒙巴頓之所以如此驚慌的原因了。英國人自己心裏清楚，在印度也好、緬甸也好，他們作為殖民者長期所造成的民怨也。

須知在二次大戰中，包括緬甸、印尼、中南半島、泰國等等地區，至少在一九四一年十二月日本進攻該地區時，有不少「土著」是把日軍當作解放者，是來幫助他們擺脫白種人帝國主義的殖民枷鎖的了。這與我們中國人或南洋華僑對日軍的看法是截然相反的，這也是我們（包括中、英、美等國之學者）在研究這一個地區之對日戰史時不可忽略的因素也。

至於印度，當時領導印度人民爭取獨立的有兩股勢力，主流派是由聖雄甘地所領導的不合作主義，用和平方式去對付英國人。另一派則為居於少數的武力派，其領導人為鮑斯，他公開與日本合作，主張借用日軍之武力去趕走英國人，以謀取印度之獨立建國。

這兩個印度師團便是日軍從其進攻東南亞時，所俘獲的英軍中之印度裔官兵，予以徵集而編訓成的部隊，是屬於鮑斯領導的印度流亡政府之軍隊。有關鮑斯政權之史事，我很少讀到。對英國人來說，日軍中的這兩個印度師團如果攻進入印度對印度人民所造成的政治影響，真是可能成為燎原的星星之火的了。

現在我們可以了解為什麼蒙巴頓會慌慌張張，並且不能經由正常的通訊管道去和魏弗爾准將及史迪威將軍商量此事的緣故了，此因駐印英軍在各個階層與各個單位中，上上下下都有印度的官佐士兵在焉，英方又如何能保密，不使此消息走漏給印度人知道的呢？

3. 我入緬軍右翼兵團之英軍既然已回師印度，那麼我中央兵團之新一軍孫立人部便成了孤軍深入，失去了側面的保護之狀況。此時距離緬甸雨季之開始只有兩個星期，史迪威將軍作為盟軍在緬甸的司令官，可以有下述的兩種選擇，此即：

(1)把孫立人軍亦撤回印度。

(2)孫立人軍繼續留在緬甸戰鬥。

如果採用第一個方案，就是要放棄一九四四年乾季我入緬軍的戰果，等待一九四五年的乾季來臨時再予捲土重來。由後見之明去看，這是一個比較好的選擇。因為到了一九四五年乾季，盟軍在太平洋戰區擊敗日本已成定局，日本投降已為指日可待之事，那麼盟軍也就不會再去反攻北緬，展開第三次北緬戰役的了。可是當時史迪威卻選擇了第二個方案，我認為此在兵學上是一個錯誤，因為：

①為了保獲孫立人軍在中央地區之位置，以免其成為孤軍深入之態勢，美方應史迪威之要求，乃加壓力給國府，要求駐在雲南之我國遠征軍出擊，渡過怒江去仰攻日方在中緬邊境的三個要塞，以保護孫立人軍之左翼側面。

②遠征軍為新軍，缺少實戰經驗，又是在雨季中仰攻日方多年經營的三個要塞（松江、騰街、龍陵），甚為易守難攻。因此我方之犧牲實為慘重，傷亡極眾。

③當時正巧是日方發動一號作戰，我軍在東戰場潰敗之時，在時機上對我方極為不利。

④此處要說明的，我遠征軍之大舉入緬也不完全是僅僅因為美方之要求，我軍令部在做此決定時，正在豫中會戰大敗之時，也想在北緬立功也，將在另文闡述。也就是說，我方與史迪威一樣，也都需負一部分責任。

⑤在一九四五年一月打通了北緬公路之後，八個月內，日本就宣告投降，這條公路遂告廢棄，至今已六十多年矣（本文成於二〇一二年）。因此不但對中國來說，這是一個得不償失的戰役，而且就盟國對日作戰來說，此亦是無關於全局勝負的一個多餘的戰役。

當然我以上的批評是屬於事後諸葛亮的後見之明，然而一個指揮官的將才之高低，便是要看此人能否有先見之明。我認為作為盟軍在第二次緬戰中的戰場司令官，史迪威將軍在此戰役中，不論就戰略及戰術兩方面，都是有了以上所說的之重大缺失者也。

六、蔣中正與史迪威之間角色衝突之分析兼述兩人在戰術方面之差異

在史迪威與蔣中正先生之衝突方面，有屬於：

1. 機構性角色的衝突（Conflict of The Organizational Role）。
2. 個人角色的衝突（Conflict of The Personal Role）。

有關第一點，吾友陳明銶博士（已退休的前香港大學名教授），四十多年前在史丹福大學攻讀博士時便已指出來，美國政府所賦予史迪威的三個角色，此即：

1. 中國戰區美軍司令官。
2. 美國援華物資之總監督。
3. 印緬戰區美軍司令官。

盟國方面給予史迪威的第四個職務：

4. 中國戰區最高司令長官蔣中正委員長之參謀長。

以及中國政府給予史迪威的第五個職務：

5. 印緬戰區華軍之司令官。

在這五個職務中，彼此之間的機構性功能是有衝突的。就蔣中正先生與史迪威的關係來說，在第四個與第五個職務上，史迪威是蔣先生的下屬。在第一個到第三個職務上，兩人互不統屬。可是第二

個職務卻使得亟需美方援助的國府方面，包括蔣委員長在內的各階層人士，都得仰賴史迪威之鼻息，受其壓制。

陳兄當即指出，這種相互矛盾的不同職務所引起的機構性角色衝突，是造成蔣史二人積不相容的主因之一。本文之重點只限於用兵學的觀點去研究史迪威事件，因此暫不討論此事。

就前述第二點，即雙方在個人角色上的衝突，本文也只以兵學部分的見解去討論他們兩人彼此的歧異。我認為此乃種因於蔣先生及國軍高層是採用了德日式的戰法，而史迪威則採用了美軍的戰法，雙方在戰術執行上因觀念不同而產生的爭執。

讓我們先來解釋泛例，再落實到造成雙方爭端起因的第一次緬戰的實例上去。

在抗戰前，國軍是接受了德國與日本的軍事教育的，如果拿軍師級的單位之防禦戰來看，這種戰法是採用「縱深防禦」。例如把一個軍的三個師分成三條防守線，每一線為一個師，就像一個中文的「三」字。當敵人來攻時，第三線與第二線的部隊並不向前挺進去支援第一線的部隊，反而是在第一線敗下陣來時，讓其敗兵繞過陣地，撤到後方去重加整理，成為第四線。如此則第二線就成了第一線，等待敵方來攻。

舊式的普魯士陸軍之所以採用這種戰法，是因為當時是採用傭兵式的募兵制，不能採取散兵群的作戰，因此必須排列整齊，列陣以待敵軍之來攻，守方之軍官才能約束其部下而不致於未戰先已譁散也。總之，這種在歐洲行之有年的古老戰法，由普魯士傳入日本後，再傳入中國。對火力及機動均為欠佳的中國軍隊來說，這也是比較實用的戰法。

這個方法的缺點是：

1. 守方完全是被動的、消極的。

2.兵力成為逐次使用。

優點是：

1.不致於一敗即潰。

2.敗軍仍有機會重整再戰。

3.逐步抵抗，逐次消耗敵之戰力。

這個戰法是合乎東方的兵法，即「未慮勝，先慮敗」，事先要想好萬一戰敗了的退路。

美軍的戰法則不同，他們相信拿破崙的主張，此即「攻擊是最好的防禦」之觀念，他們會把三個師分成前後兩個梯次：第一線分配兩個師，成一個弧形，第三個師作為後備隊，布置在弧形的圓心，即與前線所有的部隊都是等距離之地點，以便隨機相應去支援前線的弱點處。

這個陣法的優點是：

1.雖是守方，卻仍有主動支援前線的積極性。

2.司令部離前線各點均為等距離，可以配合戰況予以機動指揮。

但是它也有一個重要的條件才能實施此戰法，就是守軍，尤其是預備隊必須擁有機動的能力，而這也是中國軍隊最大的弱點。華軍不但缺少車輛，甚至連火炮都往往要用人力去拖拉的了。也就是說，美軍這種作戰方法，華軍通常是無法採用的了。如果華軍也用這個戰法，一旦前線被敵軍突破，不但後備隊來不及運送上去，而且機動及火力都比我軍來得佔優勢的敵軍，會一口氣把第一線的我軍全給包抄掉，整鍋給端了去了。

這就像做生意，有錢的大老闆與小本經營的苦哈哈手法當為不同的。

以上是就一般原則性的泛例去作分析，我認為史迪威習慣使用的許多美軍觀念，在「飽人不知餓人飢」的狀況下，他會覺得華軍的戰法落伍，以及高級軍官怯敵，躲在遠遠的後方之第二線或第三線的了。

現在讓我們把雙方的歧異落實到第一次緬戰中去看，這是雙方第一次在實戰中共事，反而被日軍打得踉蹌大敗，而且在戰敗後相互指控對方誤事，因之種下了在第二次緬戰中扯破了臉，不歡而散的「史迪威事件」之遠因。

七、第一次緬戰盟軍失敗的主因——緬甸人民反英助日

一九四二年（民國三十一年）三月，日軍進攻緬甸。此為日軍進攻南太平洋地區作戰之一部分，即自一九四一年十二月五日的偷襲珍珠港、美日宣戰後，日軍北起香港，南至南洋各國的攻勢之一部分。在那一場戰爭中，日軍可以說是無役不勝，席捲各國。真是所向披靡，旗開得勝，在此次緬戰中亦為如此。也就是說，中、英、美三國之盟軍在此役中大敗，並非偶然也。

日軍之第十五軍下轄四個師團與十二個各種戰車兵、炮兵、工兵等聯隊共十多萬人，兵分三路以攻緬甸。當時英軍為一個軍團，有英緬軍兩師及澳軍一旅，另加一個裝甲旅，兵力不敷使用，乃要求中國派軍入緬助戰。

我方乃組成遠征軍，以羅卓英為司令長官，杜聿明為副司令長官，下轄三個軍，即：

1. 第五軍（杜聿明兼）。
2. 第六軍（甘麗初）。
3. 暫編第六十六軍（張軫）。
4. 另有一個直屬師（第三十六師）及五個營之直屬部隊。

一九四二年緬戰盟軍失利，史迪威率隊穿越河谷，退入印度。

至於在此役中以仁安羌之役而聞名於世的新編第三十八師（孫立人師）則隸轄於暫編第六十六軍。

此時以事出突然，我方乃是就近派遣原來駐在雲南省的第五軍及第六軍進入緬甸以參戰。

緬甸有三條南北向的交通線，即：

1. 東邊的是薩爾溫江。

2. 中間的是南起仰光、北至曼德勒後，轉向西再向北去進入印度之印緬鐵路。在曼德勒向東則有三條公路各自連接中國之雲南，並另有一條公路自曼德勒以及向西北去接印度。

3. 在西邊則是伊洛瓦底江，北上往印度。

至於日軍進攻緬甸則是兵分三路，東面借道泰國以攻薩爾溫江流域，正南方則在登陸仰光後，沿著鐵路北上，並分兵向西，沿著伊洛瓦底江北攻。

當時英軍及澳軍負責仰光及西路之防守，而華軍則負責仰光以北之中路以及東路之防守。華軍入緬雖然是由於英軍之要求，以援助英軍，除此之外，華軍也有自己的目標，此即：

1. 搶救仍然滯留在緬甸境內的美國援華物資。

2. 保護中緬邊境，防止日軍自緬甸切入雲南，最好能阻敵於國境之外。

先來談第一個目標。美國在一九四一年十二月五日的珍珠港事變之前，對歐洲的英法與德義之戰，以及亞洲的中日之戰，名義上都是保持中立的立場。可是在一九四一年三月，美國為了援助面臨亡國之災的英國，乃實行《租借法案》以供應武器裝備給英軍。同時美國也開始用物資支持中國對日作戰，而美國的物資即是運到緬甸仰光，經由鐵路北運至曼德勒再轉向東方，經由公路運往中國。

在一九四二年三月日軍進攻仰光之前，這些美援物資之管理，包括運輸在內，原來是由中國政府自行料理。在日軍進攻之初，美軍參戰之後，才發現中方原先是以運送軍用物資，包括被服、糧食等補給品為優先，而把大量的武器、彈藥、械備等作戰需用之物資給滯留在仰光。美國因之大怒，而後才改變政策，由美軍自行管理其援華之物資也。這也是史迪威之所以出任監督援華物資重責之由來，因而在日後造成其與我方產生重大摩擦之主因之一也。

此非本文之主題，在此之所以指出來，是因為包括梁敬錞先生的大作《史迪威事件》（一九七六年出版）在內之眾多中文著作，每每以同是接受美方物資，英國乃是由英人自己管理，而中國為何需受制於美方？乃指責美方為不公平也。其實美方前述對中方誤事之指責，可見於其官方戰史 **Romanus & Sunderland** 之 *Stilwell's Mission to China* 成書在一九五二年。我們中國人之著作發表在其後，卻不予答辯對方早已所作的公開之指責，只是片面指控美方對中國為不公平之對待，是不對的。

在日軍進攻仰光時，中美乃緊急把部分物資北運，加上在戰役開始前本來已經在途中運送中的，我方當然希望都能予以搶救。所以我方的主力部隊，如杜聿明的第五軍與孫立人的新編三十八師都是配置在中路的鐵路線上，以阻延日軍北上的速度。

至於東緬，我方是在自曼德勒向東的三條公路線上去配置預備部隊，乃是預期日軍沿著鐵路北上，在攻取曼德勒後，轉向東方進攻我方時，我方實施「縱深防禦」時的第二線及第三線。因為在那幾條公路線中，位於最北的一條是主要的道路，所以我方之預備隊之主力及各單位之司令部乃設置於此線上。這幾條公路都是西起緬境之曼德勒，東入我國之雲南。由於地形之關係，這些公路之間南北的聯接通路並不多。

這種布陣是假設來犯的敵人是由曼德勒向東攻擊，可是大出我軍之意外，日軍竟是由南方穿過崇山峻嶺、森林河谷，出現在我軍防線之南邊，而且借助於緬甸及泰國人之嚮導，穿隙而將我方之防線予以切割。

此時緬東戰區之我軍乃被迫迅速向東方撤退，回師雲南，而且在五月初即急急炸毀中緬邊境之惠通橋，以阻止日軍進入雲南。也就是說當時仍在中路鐵路線上作戰的我軍主力，即杜聿明軍與孫立人師東向撤回雲南之退路乃告中斷。

從軍事學觀點去看，此時我留在緬甸之部隊應該西撤，與英軍一齊退入印度。可是遠在重慶的蔣中正委員長為了政治理由，乃下令我軍仍然東撤回國，不得西入印度。拒絕服從此命令之孫立人師長，乃領殘部隨著史迪威將軍西撤而入印度，成為後來我方駐印軍之骨幹。

服從此命令之杜聿明軍長只得北撤，率軍進入野人山，日軍雖然停止追擊，杜部卻在此山區中幾乎全軍覆滅，杜將軍及少數部下因被孫立人部所接引，乃得倖免，自印度搭乘美軍飛機回到中國。

由於我軍布陣之狀況，使得我方東緬防區之陣地成為三條同是東西走向的橫線，而且是把主力及高層指揮所放在上面居北的一條。所以當日軍忽然從南方攻來之時，就出現了美軍戰史所指責的，即我方的高級指揮官躲在後面「怯戰」，我軍防線相互之間的間隔太大，被日軍得以穿隙而予切割及擊破也。

我的看法是：

1. 我軍之布防是假設敵人從西往東打，而不是自南往北打。此因在我東緬陣地的南面，是盟軍認為無法行軍通過之高山深谷、原始森林與惡水湍流也。哪知是：

(1)緬甸人民及泰國人民反英助日，作為日軍的嚮導，使日軍得以穿越之。

(2)日軍也能吃苦耐勞，以最原始之方法，如步行、騎自行車、用皮筏或木排等，長途行軍而出此奇兵制勝也。

2. 我軍面向西方以阻擋預期從曼德勒攻向雲南之來敵，把主力放在位於最北面的主要公路，這個布置並沒有錯。可是當敵人從南面攻上來時，我軍之主力及高層指揮官全都變成了位於後方，而且限於地形之阻隔及交通線之限制，無從南下去援救前線。這不是我方三條防線所選擇的空間彼此相隔之大小的問題，因為我方的防線是沿著既成之公路設置的，我方在布防時是無從決定此三條防線南北之間兩兩的間隔空間之大小的。我們只能在同一條公路上去選擇各部隊防區在東西向之區隔空間也。

總之，在研究了第一次緬戰後，我的看法是：

1. 我軍在東緬之布防是根據下述之判斷，此即：

(1)日軍之中路軍沿著鐵路往北，在攻下曼德勒，擊敗我主力之杜聿明軍與孫立人師以後，再轉向東去攻擊我東路軍。

(2)基於我方採用之「縱深防禦」之戰術，我之預備隊乃分別在起自曼德勒、東至雲南之三條公路線上布防，而且在日軍進攻中路時，並不向曼德勒方向挺進去支援我中路軍。因此招致了美方指責我軍怯戰。

(3)因為這些公路最北面的一條是主要道路，我東緬軍乃以主力防守此路。

(4)日軍卻大出我方之意料，乃是由南方攻來。

(5)我東路軍之主力在北面，高層指揮官也在北面，因地形之阻斷而無法救援南線。而且日方是有乘虛攻入我雲南之可能性，我之東路軍乃被迫回師雲南，並炸毀惠通橋以防日軍進入雲南，以致棄我中路軍之杜聿明軍及孫立人師於不顧也。

(6)所以美軍戰史譏評我軍之重點，即：

①我方高級軍官怯戰，位置於後方。

②我各單位之防線相互之間的區隔過大，以致被日方之東路軍穿隙而擊敗。

這兩點是事實，但是事出有因，而且我方高級軍官位於最北的第三條防線並非怯戰，而且在日中路軍沿著鐵路向北進攻時，我方之預備隊並未向西方前進去支援之也並非怯戰，況且當日東路軍在由南而北切入我軍東邊之陣地時，我預備隊之能及時撤回雲南，也是因為在先前未向西推進的了。

2.我認為我方的錯誤並非在前述布陣時所作的誤判，亦即原本以為日軍應該是由其中路軍在攻下曼德勒之後，再轉向東攻我東緬軍，這是在事先所能做出的一個合理的研判。至於日方之東路軍自南方攻來，完全是一個事先無法預期之事，因此不能以之為指責我方布陣之錯誤也。

3.蔣中正委員長之指揮錯誤，是在我中路軍東撤歸國之路已被切斷以後，仍然堅持不允許我中路軍向西撤退而進入印度。因此迫使杜聿明之第五軍只得北退進入野人山去覓路東歸，因而幾乎全軍覆沒，使我方平白犧牲掉了一個主力的野戰軍也。

在第一次緬戰中，我中路軍有了兩次戰果甚佳的戰鬥，此即：

1. 孫立人師在仁安羌解英軍之圍。
2. 杜聿明等軍在同古的戰鬥。

可是這都不足以決定整個緬戰之勝負。從整體來看，在這一次戰役裏，中、英、美三方都是一敗塗地，日軍是勝利者也，蔣中正與史迪威都被日本人打敗了。可是因中英美三方面的公私著作，都不願說明盟軍失敗之主因，是在緬甸人民怨恨英國的殖民，因而支持及幫助日軍之進攻。在大家都不願承認此事之時，在檢討盟軍戰敗之原因時，只有閉著眼睛說瞎話，各自「爭功諉過」，忙著彼此都以許多枝節性的論點去指控盟友，我認為蔣中正與史迪威有關此戰役的相互指責，當可作如是觀也。

八、日本內鬥以致錯失中日言和之最後機會——兼述宇垣組閣失敗之原因

在七七與八一三戰役中，即在一九三七年秋冬時，中日雙方都有人進行活動希望予以和平解決。在日本政界，這些人是以前首相、元老西園寺公望公爵為首。西園寺公望在當時日本政界的地位，相當於日本戰後的大磯老人吉田茂先生。在軍界，則以宇垣一成大將（時已退役）為首，包括了時任陸軍省次官的多田駿中將、參謀本部第一部部長石原莞爾少將等人在內，日史稱之為「不擴大派」。

至於在中國內部，在蔣先生身邊的圈內人中間，軍界當以何應欽（敬之）軍政部長與軍令部長徐永昌上將，政界則以張羣（岳軍）前外交部長為首。此外，汪兆銘（精衛）也對中國對抗日本作戰的前途甚為悲觀，以他為核心的黨政軍人士，世稱為「低調俱樂部」。

中日雙方奔走言和的努力終於失敗，雙方乃全面開戰，一打就是八年，一直到一九四五年九月二日，日本正式簽署無條件投降書為止。

在下文中，我對中日之所以在一九三七開戰的眾多原因中，只討論兩個重點，此即：

1. 何謂《田中奏摺》？

田中奏摺是否存在，是中日史家迄今各執一端，爭辯不決的議題。我在此提出淺見，如果《田中奏摺》之內容確是日本侵略世界之既定步驟，那麼中日之戰必不可免，即使在一九三七年能達成和談，也不過是稍加拖延而已的了。

2. 宇垣一成大將何以組閣失敗？

中日史家多以為宇垣組閣失敗，對日方來說，是中日失去了避免在一九三七年秋冬展開全面大戰的最後一個機會。

九、《田中奏摺》是不是代表了田中首相意見的「奏摺」？

日本在明治維新後，憲法明訂陸、海軍首長享有「帷幄上奏」之特權，陸軍中只有陸相、參謀總長與教育總監這三名官員有此特權，這相當於中國明清兩代六部堂官的上奏之權。也就是說陸軍中人如果要上奏摺給天皇，必須通過這三人，請其代奏。

現在讓我們來分析《田中奏摺》，為什麼中日兩國的歷史學者會對之大起爭議？

顧名思義，《田中奏摺》是當時日本首相田中義一上呈給昭和天皇的一份奏摺。問題是出在，這份奏摺是田中替外務省代奏的。那麼其內容之級別或屬性究竟為何等層次呢？中國史家認為此乃日本之既定國策，而日本史家則認為此只是一群外務省的事務官們之會議紀錄而已。

一九二七年，日本外務省在東京及中國大連召開會議，出席者為日本駐東亞各國之外交官，其中多數為總領事級者。此會議之決議文，由外務省向內閣會議呈報，並由田中義一首相代為上奏給天皇，此即史稱之《田中奏摺》，其提出的總戰略是：

欲征服支那（指中國），必先征服滿蒙，欲征服世界，必先征服支那。從而進行征服印度、南洋群島、中亞細亞及小亞細亞，以至於整個之歐洲。我大和民族如欲在亞洲大陸出類拔萃，第一步非控制滿蒙不可。」〔請參考胡璞玉，《日本侵華史》（台北：史政編譯局，民國五十五年九月），頁一八六至一八八。〕

因為此與日後日本進攻大陸之步驟符合，中國史家乃以之為日本侵略世界之藍圖是田中首相訂定的國策。可是日本史家則力辯此非日本之國策，只是一群中下級外交官們的一次會議之決議文，並非內閣會議之決議，即使有此奏摺，田中首相也只是代為上奏而已。況且戰後在日本政府及宮內廳的檔案中，始終找不到這份文件的正本。

我的看法如下：

1.外相是這些外交官之本部堂官，他應當也有代為上奏之權力。如果就像日本史家所說的，那麼這些外交官會議決議文即使要上呈給天皇，為什麼在呈報內閣會議後，不由外相代奏，而是要由首相代奏？

2.在制度上及法律上田中首相只是代奏，而且內閣也沒有議決予以採用此文件。可是在政治上及道德上，在內閣已獲知後，再由首相代奏，當然可被視為內閣已認可這個文件，至少不予反對，否則豈不是犯了「欺君之罪」嗎？

3.況且此決議文所提出來的日本征服世界之藍圖，是能做不能說的，日本之中央政府只能予以默認，而且為了在歷史上不留下痕跡，內閣乃不予議決認可。

4.就形式而言，此是由田中首相出面所呈的奏摺，則中國史家名之為《田中奏摺》並沒有錯。所可爭議的是此奏摺之內容是否是日本的既定國策，還是一批事務官層級的外交官之會議決議而已。

5.以事後日本侵略世界之步驟去看，與此奏摺之內容相符合，則日本史家豈能僅以此奏摺為中下級外交事務官之意見為遁辭去狡辯的呢？

6.戰後至今，在日本政府及宮內廳都找不到《田中奏摺》的紀錄，可是因為日本在一九四五年投降時，曾大規模銷毀文件，所以找不到《田中奏摺》並不能證明這個文件是子虛烏有的。

我認為按照《田中奏摺》的內容，中日之戰是不可避免的，即使在一九三七年能達成和議，在日本步步進逼之下，中國忍無可忍，退無可退，遲早會挺身而鬥，與日本開戰的了。只是，對中國人來說，在一九三七年開戰是不是打得太早了？本書宗旨之一，便是在研究八年抗戰是怎麼樣開打的，依據筆者之分析及論證，一九三七年秋冬因為七七及八一三而開打，是由中方主動求戰才造成的，而且對中國來說是打早了。也就是說，即使有《田中奏摺》，中日必將一戰，可是在一九三七就開打，對中國還是不利的了。

十、宇垣組閣失敗的兩個原因

宇垣一成與我國的張羣（岳軍）是在二次革命後蔣先生與岳軍先生流亡日本時結識，而且也是日本政界裏少數理解中國革命者。

一九三七年七七事變時，岳軍先生是中國的政壇重鎮，曾任外交部長，是蔣中正先生的親信，長期負責與日本之外交折衝，而且在一九三八年一月一日即出任行政院副院長。

宇垣一生主張與華親善，在七七事變發生之後，他奉天皇大命出面組閣，可惜因為受到全體日本陸軍現役之中將與大將級軍人之排斥，竟然因為其中沒有一人願意出任陸相，而使宇垣組閣之努力宣告失敗。

許多中日之史家認為，如果宇垣組閣成功，以其與岳軍先生之親密友情，或許中日在一九三七年秋冬不致開戰，但以日本之逐步蠶食中國，遲早中國必須起而抗戰的了，只是中日之戰如果能等到一九四一年六月，德國進攻俄國之後，日本可能北進與德國東西夾攻俄國，此時中國才參戰去和日本作戰，對中國最為有利，即使不能等到一九四一年，只要在一九三七年後開戰，之後愈晚打，對中國就愈為有利的了。

那麼宇垣組閣之失敗，是因為他反對中日大戰嗎？不是的，根本與此無關，是因為兩個與中日和戰完全無關的因素，此即：

1.在一九三六年的二二六事變後，當時日本已恢復明治時代之舊制，陸相、海相必須由現役軍人擔任，退役者不得出任，否則宇垣一成本人以退役大將之身分，自己可以兼任陸相。

2.因為宇垣在擔任陸相時，於一九二五年實行「宇垣軍縮」，在國際壓力下，同意裁減了陸軍的四個常備師團，由二十一個減為十七個，約為五分之一。

在第一個原因中，二二六事變使得日本陸軍中的「統制派」壓倒了「皇道派」，迫使「皇道派」的大將與中將們紛紛退役。為了防止「皇道派」死灰復燃，掌權的「統制派」恢復明治時代的舊制，規定陸相必須由現役之大將或中將出任，以絕後患，使得這些被迫退役者不能東山再起。

至於「宇垣軍縮」，是宇垣任陸相時因國際壓力被迫裁減陸軍四個師團。此之所以引起陸軍的公憤，是因為當時國際壓力的焦點集中在日本海軍方面，並非在於陸軍。而宇垣為了滿足海軍的欲望，竟然予以配合，多裁減了陸軍兩個師團的緣故。

這是因為在太平洋區域，此時是英美在第一次大戰結束後，英日同盟已為中止，乃聯手去壓制日本國力的擴張。英美都是海權國家，在他們心目中，日本的陸軍將大量使用於亞洲大陸上，一時不至於威脅到他們的利益，因此他們在裁軍方面的壓力是聚焦於日本的海軍。可是日本海軍拒絕讓步，而宇垣陸相乃同意將日本陸軍從預定的裁減兩個常備師團，增加到裁減四個，以便日本政府得以過關。

日本自明治維新以來，陸軍與海軍便是積不相容，宇垣此舉雖然幫助了日本政府得以過關，可是有失陸軍的立場，因此引起了陸軍的公憤。七七事變後，宇垣奉命組閣。當時現役的陸軍大將與中將們乃聯手予以抵制，拒絕出任陸相。宇垣本人雖然是大將，可是已經退役，不得擔任陸相，因此組閣乃告失敗。

在一九三七年秋冬，中日大戰將要開始之時，宇垣組閣之失敗，原因完全與他主張對華親善無關，但是卻因此使中日兩國失去了一個避免在此時展開大戰的最後一個機會。讀史至此，豈能不深為感慨呢？

人事，人事，往往十分之七在人，十分之三在事。歷史上因人成事固然有之，事因人而不成者亦所在多有了。

十一、小結

多年來在我研讀二次大戰史，尤其是八年抗戰史的時候，有了些個人的看法，一直沒有寫出來，是因為總覺得做為一個讀書人的我，從來沒有打過仗，又是一個中國人在討論抗戰史的時候，總不免會有民族性的主觀。今已年過七十的我，深感遺憾，在抗戰已經結束了六十多年的今天，我們仍然讀不到一本有關抗戰的「信史」，實在是我輩之恥，此即顧亭林說：「國無信史，士之恥也。」因此才冒昧把淺見寫出來供大家參考，希望大家共同努力，一點一滴地去把真相找出來，願與諸君共勉之耳。

第二章
兩次中日戰爭史著作的述評

- 引　言
- 淺評吳相湘著《第二次中日戰爭史》
  ——國無信史、士之恥也
- 抗戰史料去偽求真難
  ——評介《中國陸軍第三方面軍抗戰紀實》這本書
- 評述《蔣總統秘錄》中的中日戰史

引　言

從一九七〇年代起，四十多年來，我讀過許多中外關於中日戰爭的專著或論文，也曾發表過一些個人的讀後感，因為本書的內容聚焦於抗戰之初始，即是從一九三七年的七七事變，到一九三八年一月，因此有關一九四四年一月開始的一號作戰，不論是我個人的著作或對他人的書評都沒將之包括在本書之內，留待下一本書再予發表。此處先列出本書中包括的幾篇書評，此即：

1. 淺評吳相湘著《第二次中日戰爭史》——國無信史、士之恥也。
2. 抗戰史料去偽求真難——評介《中國陸軍第三方面軍抗戰紀實》這本書。
3. 評述《蔣總統秘錄》中的中日戰史。

淺評吳相湘著《第二次中日戰爭史》

——國無信史、士之恥也

在抗戰勝利之後的第二十八年，也就是一九七三年，中國才有學者編著一本抗戰史，與各國比較，確是令我們慚愧。考其原因在國共對近代史的隱諱太多，政治上的壓力太大，而海外華人的市場又不夠大到支持一部巨著出版，所以物質上的條件迫使學者們不能在海外寫，而學術上的尊嚴，對史學忠誠又迫使他們不願意在大陸或台灣寫，因此二十八年來，我們讀不到一本完整可信的中文著作之中日抗戰史。

我曾與一位住在台灣的李則棻中將通信，他在戰史上的撰述可以說是著作等身，因為他精通數國文學，官至中將副總指揮，抗戰時曾由中級軍官因戰功升至軍長，大小戰役參加過不知凡幾。像這樣一位勤於著述，作品水準極高的戰史學者不寫抗戰史，我非常不了解。但他截釘似地回信告訴我，寫古不寫今，目前他的論文及專著集中在元史的校正方面。他就是一個寧願不寫曲筆，不諱史實，因此避而不寫抗戰史的歷史學者。只是老成凋謝，像他這樣文武兼資而親歷抗戰的人越來越少了，孔子所感嘆的文獻不足徵也，已經為時不遠了。（仁按：此文發表於一九七四年，當時台灣猶在戒嚴時期，我不方便明白寫出李則棻中將之大名，此乃因為李將軍當時住在台北，今予以補記。）

如果就書論書，我讀完吳著第一遍，初步的感想是「繁簡失度，遷就資料，曲諱史實，缺少評析」，覺得這不是部夠水準的書。然而設身處境地替吳先生著想，繁簡失度或因作者個人對史事重要性與評者的看法不同，例如西安事變，此書只用了三頁半，還包括了半頁圖片。這一節的子題是「西安事變的重大影響」，可是吳氏只引了孔祥熙「西安事變回憶錄」中一句話，說「盧溝橋事變，不及一年卒告暴發，不可謂非西安事變有以促成之也」，一筆帶過此事變的影響。在我看來，吳氏至少應提出而未提出來的事有下列七點：

1.蔣鼎文由西安飛回南京，是解決此事變的第一個轉機。

2.蔣鼎文陪同宋子文、端納、蔣夫人，以及戴笠在事變後之自動飛往西安，是解決事變的第二個轉機。

3.當時在南京主軍之何應欽，主持特工之賀衷寒力主十路圍剿，有一石二鳥之嫌，蔣氏生還後，戴笠乃成特工之首，賀衷寒一蹶不振，何應欽則終生未再掌兵權。因之國民黨內親日德之力量稍減。

4.全國各重要軍頭，例如閻錫山、宋哲元、韓復榘、李宗仁、龍雲等對張學良通電反應之冷漠，也是蔣氏生還的要素，若一呼百應，則此事變當不會如此一轉直下，中國可能爆發大規模的內戰。

5.中央軍萬耀煌軍之開入潼關以西，當時萬氏亦在西安被幽禁，其部隊當是奉南京命令推進，因此東北軍與之有一觸即發的內戰可能。

6.中共在此事變中擔任的角色。吳氏不引用《明報月刊》上所發表的張國燾回憶錄，而採用蘇俄外長莫洛托夫對美國特使赫爾利的話：「由於蘇聯政府所給政治上及精神上的支持，委員長始得重返首都。」其實蘇俄對張學良、楊虎城無法直接加壓力，是由王明以第三國際的電報命令（史達林親擬的電報）中共中央，令事後飛去西安的周恩來勸說張學良釋放蔣氏。而張學良因中共改變態度，中央軍又已攻入潼關，深恐無法將兵力集中往西北撤退，與中共結合，以待俄援，亦即無法用軍事解決此事變了，只有釋放蔣氏，和平解決。莫洛托夫的話固然不錯，然而遠沒有張國壽回憶錄之清楚，吳氏捨此就彼，實令我不解。

7.西安事變最大的影響有三，一是蔣氏開始由親德義轉向容共聯俄抗日，日本亦感到此點，此是孔祥熙所云七七事變在此之後一年內發生的原因之一。二是由全國之反應可見蔣氏已被舉國上下尊為唯一的精神領袖，中國精神統一在望，使日本因而加緊侵略。三是東北軍的瓦解，因為張學良之被幽禁，少壯軍官兵變，槍殺王以哲，部分投靠中共，餘者被中央派大員點編，東北軍系遂分散。這一點在抗戰結束後，國共競爭接收東北時有決定性的影響，而東北戰局對國共內戰又有定乾坤之力。

吳氏對上述各點一點未提，至於宋子文保證張學良安全，而張被判死刑，特赦為無期徒刑。張氏八點建議在事變後蔣氏大致做到，張學良因為讀了蔣氏日記，看到預定的作戰序列，因而覺悟蔣氏抗日的決心等等更是枝節性的了，吳著中當然沒了。（仁按：以今已公布之蔣日記去看，當時並無預定之作戰序列，可是蔣先生痛恨日本侵華之文句則是所在多有。凡是讀過蔣日記者當可體會蔣先生一生都是一個堅強的民族主義者，不僅反日，亦為反美、反英、反俄等也。二〇一四年十一月記）

我對吳著的十六字評，繁簡失度與缺少評析，在此例中均可看出。至於遷就資料是私人修史必然之事，因國共均對抗戰史料極端保密，已發表的又難使人信賴。曲諱史實，恐怕是此書要在台發行必然付出的代價。

在再讀吳著之後，我或者會撰寫一篇長文予以評介。不過，我們由中國歷代修史的經過看的出來，私人著作是修官史必須有的準備過程，而且修官史總在換代之後，官史告成之日，作為資料的私書往往被燬禁。吳著充其量只能作此開路先鋒，不過因國外圖書館的存在，此書不會有被全燬之命運，但是因為事關國共雙方，除非海外學者們在不計金錢報酬與時間損失這兩點上，合力修編，一部公正翔實的抗戰史恐怕在國共均覆滅後方能問世了。

顧亭林說「國無信史，士之恥也」，所謂的士，包括你我在內。不過，我仍是推介讀者去試讀吳著，作為一本入門的介紹性的抗戰史，其平易可讀的優點是有的，只是千萬不可當信史看，此書性質在紀事本末與正史之間。然而對吳氏個人在台出版此書所有的一切顧慮，我是寄予同情及尊敬的。

一九七四年七月十八日

——紐約美東版《星島日報》沙上痕爪專欄，一九七四年七月二十五、二十六日

仁按：在二〇一四年將出版本書時，兩岸及日本的政府都在倡言要寫抗戰史。至於我個人也參加了一個包括了中、台、日、美等地的史學界及同好們之計劃去重寫抗戰史的了。

——二〇一四年八月二十二日於北美

抗戰史料去僞求真難

——評介《中國陸軍第三方面軍抗戰紀實》這本書

一九七四年十二月出版的《明報月刊》第一〇八期刊載了我用「夏宗漢」筆名寫的〈國史乎？黨史乎？私史乎？〉，主旨在批評國府假借日人之手發表《蔣總統秘錄》之不當，兼言及國人所寫中日抗戰史之曲諱史實。

一九七一年台灣商務印書館出版了梁敬錞先生寫的《史迪威事件》，我在一九七三年七月的《聯合雜誌》（第五卷第二期）用「夏宗漢」的筆名發表了〈一號作戰〉長文，主旨在批評梁著與美陸軍部戰史雙方之錯誤缺失。

生於一九四二年的我，雖然曾經歷過戰事，但日本投降時我才三歲，童子無知，腦中已無抗戰的印象了。多年來我對中國抗戰史料的搜求是狂熱的，或許心中總因沒有趕上抵抗「日寇」侵略的衛國聖戰而深覺慚愧與遺憾，總想多知道些，算是彌補一下吧。

如梁敬錞先生在《史迪威事件》中，凡是言及豫中會戰處無不錯者，我在〈一號作戰〉該文中曾予指出。我覺得梁氏軍事學知識不夠。以戰爭經過與日軍戰令比較，我認為此役我軍大敗主因之一在敵情判斷不正確，致使戰略與戰術均為有錯。

前述台兒莊會戰、豫中會戰，我所舉出國軍戰術之錯誤，在寫上述文章時都是在研究了戰爭經過後自加判斷的，並無根據。文章發表後，亦未見有高明人士指教，然而這並不表示淺見是正確的，年來常自不安，深恐厚誣他人。最近自友人處借到苟吉堂將軍寫的《中國陸軍第三方面軍抗戰紀實》，初版發行於一九四七年，我所見到的是一九六二年台北文星書局的影印本，列入《中國現代史料叢書》之中。

此書是以該軍作戰日誌為主，配以命令函電地圖等寫成，合乎西洋戰爭史的體裁。作者苟吉堂將軍在八年抗戰中一直擔任該軍的參謀處長、參謀長等職務，是經歷各次戰役的當事人。

台兒莊會戰、豫中會戰等我所判斷的國軍錯誤，苟氏均曾坦白承認，而且加以分析造成錯誤的原因，並以造成錯誤的上級命令為證明，比起我這紙上談兵者的判斷，不但有事實根據，而且深入得多。

這本書既以第三方面軍為主，論點不免主觀褊狹。例如一九三七年八月的南口之戰，湯恩伯防守南口，劉汝明防守張家口，傅作義綜合指揮。湯氏的第十三軍即所謂的「第三方面軍」之前身，因此苟氏在此書中認為南口之敗的責任，一在衛立煌援軍遲到，二在我方交通後勤能力之薄弱，三在劉汝明之杯葛中央軍（湯部），四在劉汝明之擅自撤出察北，迫使全線崩潰。但是比照劉汝明的回憶錄（台北傳記文學社出版，一九六六年初版。）則說辭頗不相同。

劉著未若苟著詳細，但是在劉汝明與湯恩伯之間的猜疑上有畫龍點睛的暗示。劉氏說：「（我）建議湯軍長接防張家口，我本人去守南口，因為民國十五年我曾在南口力拒直奉聯軍四個月，對該處地形十分熟悉。但湯軍長……堅決要去守南口。」若不是了解西北軍（劉汝明是馮玉祥之舊部）與中央軍（湯恩伯是蔣中正的寵將）之歷史者，會覺得誰守南口、誰守張家口又有什麼關係？以我看，當時湯恩伯信不過劉汝明，若湯部進入察北，劉部扼守南口，則萬一劉部有變，不論是附日、擅撤或阻擾湯部之補給與後援，均能置湯部於死地。因此劉汝明雖然有正當理由，即他的部隊在南口有實戰經驗，湯部只是趕運到南口，人生地不熟，仍不能使湯恩作讓劉汝明守南口。

湯恩伯之不信任劉汝明，苟著不會提起，劉氏也不便明說，只有讓讀者自己去分析判斷。這種例子甚多。因此以南口之役為例，我們可以看出苟著有主觀褊狹之處。但是平心而論，此書是我所讀到的中國人所寫有關抗戰書刊中，水準較高的一本。

若讀者中有喜好研讀戰史，不嫌軍事學作品過於枯燥者，我推介《中國陸軍第三方面軍抗戰紀實》這本書給你試讀看看。此書最大的缺點是吹捧蔣中正、湯恩伯等過了分，最大的優點是第一手的資料極多，讀之使我有少年時讀《隆美爾戰時日記與資料》一書的感覺，只是隆美爾武德既高，且罕有敗績，而湯恩伯在河南治軍不嚴，且有「常敗將軍」之譏。因此若你能研判資料，對抗戰史有興趣，而且對大體的史實有個了解，那麼在這本書中既能找到許多寶貴資料，又不被歌功誦德的虛詞所迷惑，就不枉費時間了。

每次看到海外知識分子引用《金陵春夢》那種胡說八道，滿紙荒唐言論的書本來討論近代史，我就很生氣。然而好逸惡勞是人之常性，肯下功夫去研判近代史料的人少，口耳相傳的不經之談則能引起一般人的興趣，奈何。

——紐約美東版《星島日報》沙上痕爪專欄，一九七五年十一月十八、十九日

仁按：在一九七五年寫作此文時，我尚不知道一九三七年的南口之役是由中方主動攻擊日軍所挑起的，連苟吉堂將軍之大作亦未指出此點。此是因為在平津失陷之後，中方希望吸引日軍去進攻平綏鐵路，把日軍吸引到西北方向去，以減輕日軍自北平沿著平漢鐵路南攻武漢之壓力。在瞭解到南口之戰是由華軍主動出擊所造成之真相後，我們當能瞭解當時軍委會把湯集團派赴南口之原因的了。

二〇一四年十二月於金山

評述《蔣總統秘錄》中的中日戰史

甲午戰爭八十年感言
——孔子曰：「以直報怨，以德報德。」

自從蔣中正先生在日本投降時發表了「以德報怨」，對日寬大的政策演說之後，「以德報怨」這句話便成為國府對日宣傳的利器。《中央日報》一九七四年八月二十六日刊載的《蔣總統秘錄》中有文曰：「以德報怨是古代孔子的名言，是依據儒家的四書五經所教導的『人的道理』。」這話大錯。《論語・憲問》篇（第十四篇）的原文如下：

或曰：「以德報怨，何如？」子曰：「何以報德？以直報怨，以德報德。」

可見「以德報怨」不但不是孔子的名言，而且孔子反對這種過度的仁慈，他反問得很好，「孰以報德？」以德報怨則無法報德，否則敵友怨德不分，還有人願意施德惠，做朋友嗎？

兵法有言：「柔不可守，剛不可久」，以德報怨，近乎婦人之仁，過於柔弱。若國府在內戰中取勝則尚可守，今退處台灣，只有柔守之勢，則日本之不領舊情，只是時間問題，能拖到田中執政時期，還是拜了韓戰之福。韓戰使中共與美國的關係建立不起來，因此使同受美國支持的日本與台灣相結合。在尼克遜風暴襲擊之下，這種因第三國而造成的交情，自當飄零而隨風起舞，即使在尼克遜改變美國對中共的國策之前，日本並未拿台灣國府當作真正的朋友。五〇年代，《中日（台日）和約》簽訂時，當時執政的日首相吉田茂就堅持和約對象為國府實質上所控制的區域——台澎金馬，國府則堅持為代表全中國，和約的談判幾乎因此破裂。後來在美國國務卿杜勒斯的壓力下，雙方妥協，認為此和約以國府所控制的區域及未來可能控制的區域為對象。

我讀過吉田茂回憶錄的英文本，並不感覺到他對蔣中正先生的「以德報怨」有何特別感激之處，全文以日本內政為主，外交上則重點在舊金山和約之簽訂。

我並不責怪日人之「忘恩負義」，國與國之間，借用邱吉爾的名言——英國沒有永恆的朋友或敵人，只有永恆的利益。國際間與個人間不同，只講利害關係，不論德也好，怨也好，恩義也好，這種道德觀念是不適用的。一廂情願地以舊恩怨為標準來估量對方的反應，怎能不誤事？

在馬關訂約之前，中國朝野包括李鴻章自己，都希望李鴻章因為與日首相伊藤博文有私交而減少中國的損失。結果在談判時，伊藤對李鴻章態度之難堪，由當時參加談判的日本另一名全權代表外相陸奧宗光的回憶錄——《蹇蹇錄》中可以看出來。當李鴻章要求在割遼東半島時，日本准許中國保留營口港（因其富庶），伊藤竟答以此地並非孤兒救濟院。言下是說中日談判的原則並不是要日本同情中國而予救濟，無禮之極。

今天不論中共和台灣辦理對日外交的人，希望能把甲午戰爭史及《馬關條約》簽約經過的史料研習一下，就能看出中國人以個人交情來辦外交，不但行不通，也不是「唯利是圖」的外交界應有的態度。〈史可法復多爾袞書〉有句云：「大夫無私交，春秋之義。」個人外交以舊恩為念，便是看不清楚此點。

況且，抗戰勝利時，蔣中正先生能採取「以德報怨」的寬大政策，是因為他身為中國抗戰領袖的地位，是基於他的 Organizational Role，並不是他個人的地位 Personal role。因此，即使日本今日要報恩，也不應該是對他個人，否則蔣中正先生退休或死亡後，日本就不虧欠中國了嗎？國府一直把蔣氏個人地位過於突出，認為日本是欠他個人的恩惠，這是觀念上的錯誤。日本要報恩，也應該還給整個中華民族。

中國歷經日本近乎百年之侵侮，今年是甲午戰爭八十年紀念，每當我想到《馬關條約》之國恥，不禁為了八年抗戰之成果因國共內爭而輕棄，感到扼腕之痛。而今事過境遷，日本又已坐大，國府再來數落「以德報怨」的陳事，只有倍增「白頭宮娥話天寶舊事」的感嘆罷了，於時局無補。

——紐約美東版《星島日報》沙上痕爪專欄，一九七四年九月十九日

張之洞、李鴻章與台灣民主國

宰相有權能割地
孤臣無力可回天
啼鵑喚起東都夢
沉鬱風雲已五年

這是丘逢甲先生《滄海樓詩集》中的一首詩，丘先生離開台灣是因抗日失敗，時在一八九六年，則此詩當作於一九一一年。

少年時初讀此詩未能覺其悲憤，稍長，研讀連雅堂先生寫的《台灣通史》，對台胞獨立抗日略有了解，漸知其味。一九七一年三月，彭明敏教授來威斯康辛大學演講，講辭中說到一八九六年台灣民主國的成立是兼有反華與抗日的目的，我心中十分疑惑，所以在暑假裏去芝加哥大學東亞圖書館鑽研了幾個星期，寫成了一篇四萬多字的長文，後來以錢崇實的筆名在台灣商務印書館出版的一九七一年十月號《東方雜誌》上發表，題目是〈中日甲午戰爭後的各國暗鬥〉。其中第二章「張之洞的保台運動」即是研究台灣民主國成立的前因後果，我完全反對彭先生所云的該等運動是反華的。

寫完該長文後，深深了解丘逢甲先生心中的憤怒。

他所說的宰相——李鴻章在割台一事上的作為是令我憤怒的。下列史實可以作證。

1.一八九四年（光緒二十年）十月十一日，張之洞自湖廣總督改鎮兩江，到達南京，十六日就任兩江總督。十七日打電報給李鴻章，堅決反對割台。十九日才發奏電謝恩，向皇帝感謝任命。可見張之洞對保台的決心很堅定。

張之洞的電文說：「竊謂台灣萬萬不可棄，從此為倭傳翼。北自遼、南至粵，永無安枕。……不如不爭高麗，倭亦不能獨吞也。」

2.一八九五年二月四日，張之洞打電報給清廷，建議以台灣礦產權抵押給英、俄，以絕日本之望。李鴻章二月九日離北京去日本議和，十一日李鴻章回電拒絕，同一天，恭王與翁同龢等反對割地的「帝黨」打電報給張之洞暗示其進行質台。（根據《明報月刊》九十二期高岩君的〈中美交流的一段哀樂史〉，張之洞質台之論是由容閎向他建議的。）

3.李鴻章一系的人極力破壞張之洞的保台運動，駐英法公使龔照瑗在接到張之洞二月十二日的電報後，拖到二月二十八日才覆電說英政府無興趣，但是不反對英商人進行，這個尾巴是拖刀計，防止張之洞改向法國試探。張果然中計，二十九日覆電龔氏進行。對於二月十二日同樣的電報，駐俄公使許景澄在十五日即回電俄方無興趣。

中日馬關和議開始於二月二十五日，二十七日日本開始進攻澎湖，二十八李鴻章遇刺，二十九日澎湖陷落。

因此若龔照瑗不予拖延，及早告知英國官民均無興趣，（今日已公布的資料顯示，英國當時為歐洲列強中唯一贊成日本取得台灣的，在還遼確定之後，德俄改變對台灣問題的態度，也支持日本割取台灣。在二月間，則德、俄、法等均反對日本取台，法國在日攻澎湖之前曾向俄國試探一齊出兵干涉，唯俄國以西伯利亞大鐵路尚未造成，故陸軍反對在遠東作戰而作罷。）張之洞能及時改向法國試探，法海軍在日海軍之前到達澎湖，則整個台局將因此改變。

中、英鴉片之戰時，英國曾攻取舟山群島，後來交還給中國，國際間盛傳中國曾答應英國，絕不把舟山群島割給他國。

中、法之役，法曾攻取澎湖與基隆，後來交還給中國，因此日本非常擔心中、法有類似中、英關於舟山群島的默契。這在日本今日已公布的史料中可以看出來。

當時法國用兵於東非有兩萬兵，並且已取得安南。而俄海軍集中在海參崴一帶，若俄法共同夾擊日本，日本以強弩之末，定當戰敗。此是俄德法干涉還遼所以成功的原因。

因此龔照瑗的拖延是張之洞保台運動失敗的最主要原因。張之洞改向法國試探是在三月二十九日，這一個多月的耽誤，影響重大。因為三月二十三日（以上皆農曆，國曆為四月十七日）《馬關條約》簽訂，日本海軍主力南移，並且法國失去了干涉的藉口，而最主要的是日本已表示對遼東問題讓步，俄乃改變對保台支持的態度，使法國孤立，法國轉向佔有菲律賓之西班牙，求取合作，然西班牙無實力，因此法國幫助張之洞保台的運動乃告失敗。

李鴻章一系破壞保台的另一個證據是當割台之後，台灣巡撫唐景崧（張之洞派）與台南總兵劉永福（太平軍餘黨，中法戰爭時由兩廣總督張之洞派唐景崧為代表招撫收編。）決定組織台民抗日。台灣提督楊歧珍（淮軍、李鴻章派）則服從朝命，率軍回到廈門，並且打電報給李鴻章，由李氏轉報清廷，其文曰：「台事實情，兵多烏合，紳士正者知難，劣者圖利，當道性偏，紳民無識者隨聲附和，假民為主已見形跡。」這完全是一面之辭。因為參加抗日的有閩南人的領袖，大地主林維源；客家人的領袖，進士丘逢甲，這些人絕不是圖利的劣紳。

4. 台灣民主國成立的外在原因是法國之鼓動及張之洞之策劃與支持（撥款三十萬兩白銀及運送槍械三

萬支。）內在原因是台胞基於民族主義反日。然而促成其誕生的是李鴻章在四月底的一封奏電，他指控台灣巡撫唐景崧領導民變，清廷遂於五月一日下令唐景崧內渡，五月二日台灣民主國即正式成立，唐景崧就任大總統職。

5.張之洞在三月二十九日令王之春以張氏私人代表的資格向法國政府試探保台，四月一日王之春向法外交部試探，法國以須與德、俄商量，要求中國拖延原定四月十五日在山東煙台換約——正式承認《馬關條約》的日期。四月五日，德、俄拒絕干涉台局，法國正式答覆王之春說若一併索還遼台，恐日本民變。王問以若台灣民變則又如何？法國暗示如此則可商量，王氏急電張之洞，張轉告唐景崧，要他「在台言台，亦不妨從民變著想。」這是台民獨立抗日開始構想的原因。四月六日法國答應即日派軍艦到台灣淡水，四月七日張氏取得清廷同意，授權王之春正式代表清政府與法國交涉，四月六日清駐英法公使龔照瑗（李鴻章派，常駐倫敦）趕到巴黎，八日王龔二使同去法國外交部，龔氏不許翻譯將張之洞提出的「懇租台、恐民變、探所欲、許厚謝、託展限」等五大要求向法國提出。因為龔氏控制了駐法使館，使得臨時過境的王之春一籌莫展，張之洞與法政府的聯繫乃告中斷。四月八日起，法外交部不再答覆王之春的照會。

四月十三日，張之洞電告唐景崧：「法確允保台，王商甚力，龔阻撓，事將敗，請速電奏，以民變為詞，懇朝廷懇法，遲恐無及」。同日清廷下令龔照瑗回倫敦，向法國交涉事專由王之春負責，龔抗命不走，並且不許使館將王之春擬好，法國已同意的中法保護台灣之協定拍電回國請示。一直到十五日中日換約之後，割台已成定局，龔才回倫敦。

王之春在四月十七日才能與張之洞聯絡上，他的電文令我今天讀了都為之憤怒，他說：「法既允許，當先定約稿請旨，龔匿不令知，故電台展緩，洎諭旨屢頒，復輾轉宕延，直待換約而止，可為痛哭。春駐此無益，乞婉陳召歸。」

中日既已換約，台灣已正式割讓，俄德又不支持法國，法國干涉台局的努力也就命中注定失敗了。若深究其罪魁，是李鴻章與其黨羽在中間破壞張之洞的努力。以李鴻章這一派系的觀點來說，戰既已敗，若和局又不成，實在是不能了局。然而丘逢甲先生所說的「宰相有權能割地」對李鴻章來說，指責得還是太輕了一點。

6. 保台運動失敗的另一個關鍵是中日煙台換約未能展期。四月十五日，日本代表伊東佑亨與中國代表伍廷芳（李鴻章派）會於山東之煙台。當時日本已答應還遼，然而因撤出旅順港之日期以及其他細節未能使德俄法三國滿意，因此十五日早上，三國駐華公使通知清政府，要求展延七日換約。清廷電令伍廷芳延期，伍氏急電李鴻章請示，李氏急電清廷，清廷乃於中午改變心意，下令伍廷芳換約。日方代表伊東亦急電本國請示，日相伊藤博文以三國壓力太大，回電同意展期，然而當日方電報到達煙台時，清政府已撤回延期換約之要求，於當日簽字換約，割台乃成定局，而法國遂不及干涉。

當我研讀台胞抗日史的時候，我所注意的不是已經發生的壯烈史實，讀這些文章的已太多了。我要追尋的是沒有發生的事情，而且一天一天地計算這些幕後活動所以失敗的原因。

歷史像北冰洋裏冰山，百分之九十是沉在水裏，看不見的，若我們只看那表面的百分之十，是浮淺的，是佛家所說的「皮相」者言。

如果我們不了解法國對於鼓動台民抗日有巨大的影響，我們不會了解為什麼台民抗日要採用「台灣民主國」總統制，成為遠東第一個民主國，更不會了解張之洞在幕後策劃台民獨立抗日的原因。五月二日台灣獨立，五月十三日日軍攻擊猛烈，唐景崧有出走之意，張之洞打急電給他說：「台地廣、倭兵少，但存一府一縣，即有生設。相持三月，各國必有出頭者，僕當力籌。台北府即為倭佔，仍可自存。何遵云事不可為？若至糜爛過甚時，可將總統印付與劉永福，公在台南設法內渡，聽劉與土民為之。」張之洞的基本概念即與日本在台打持久戰，希望國際干涉，一如三國干涉還遼。在同一日，張之洞託外商匯三十萬兩銀子給唐景崧作軍餉，不料第二天唐景崧、丘逢甲就狼狽逃回大陸，而且沒有安頓潰兵，致使燒殺甚凶，害民不淺。

連雅堂著《台灣通史》，對國人目為抗日英雄的唐景崧、丘逢甲與劉永福均無好評，他甚至指控丘逢甲席捲十萬兩白銀逃走。

台灣民主國的成立純為抗日，絕非反清，康景崧在五月二日任總統職，五月五日打電報給清廷時即表明立場：「以後奏事及行文，台地暨內地各省，均仍用本銜及巡撫印。台倘倖存，自仍歸中國，其印旗，係為交涉各國待援而設，免中國牽累。」

他所說的與各國交涉主要是待法國的援助，然而法援從未到達，而張之洞在五月十四日唐景崧內渡後也停止了對台民的援助，甚至在八月還阻止易順鼎援台，台事遂不可為了。而今讀史，緬懷陳事，每常扼腕，甚至泣下。

近讀《蔣總統秘錄》，於台民抗日事言之簡略，於英、俄、德、法之縱橫其間更未提及，張之洞對保台的種種努力亦不見一字，中國方面純以李鴻章一人為主，此非但不合史實，兼且缺乏史識，只見冰山露出水面者百分之十，未見其深藏者百分之九十也。

此為作者古賢君之過，亦為提供資料，協助編寫者之錯失。此處不過是野人獻曝，貢獻愚者一得，寫此短評，就正於方家。

——紐約美東版《星島日報》沙上痕爪專欄，一九七四年十一月二十一——二十三日

國史乎？黨史乎？私史乎？

——抗戰是中國軍民用血肉打勝的

日本第五大報《產經新聞》自一九七四年八月十五日（日本宣告投降之日）關始長篇連載〈蔣總統之秘錄——日、中關係八十年之證言〉，預備連載二至三年。據《產經新聞》自云，《中央日報》於八月六日譯載的消息，有下面兩段話：

《蔣總統秘錄》由中國國民黨（蔣總統兼任總裁）對於《產經新聞》的連載計劃全面協助，自去年五月開始準備，無條件地提供了有關官方紀錄、戰爭紀錄，以及私人日記、回憶錄等過去從未公開的重要文獻。《產經新聞》依據這些資料，編撰以中日關係為中心的紀錄，予以揭載。本來被列為不發表的文件用這樣的方式公開於報紙上，還未曾有過前例。

《產經新聞》的預告中指出：該報從去年五月開始，以一連三個月的時間從事這篇鉅構的策劃、資料收集與寫作。在籌備期間曾得到中國國民黨當局的全力協助，使得他們得以參考過去一向從未公開的國民黨的紀錄、總統府檔案、外交文書、國防部的戰爭紀錄以及蔣總統的日記及回憶錄等重要文獻。

該報強調，有關中日關係史的歷史資料，日本方面，在戰後這些年來發表了不少，可是中國方面，對中日有關的資料發表得不多，尤其是以蔣總統為領導中心背景的歷史資料，過去從未發過，這篇鉅構的推出，彌足珍視。

一、不應文過飾非

該報並且說，中日戰爭是日本近代史上的大事，應該把真相告訴日本人的子孫。

讀了這些談話，我不禁憤怒地要問一句，難道八年抗戰不是中國近代史上的大事？我們不應該把真相告訴中國人的子孫嗎？中國史家寫有關抗戰的史書，我讀過的有李則棻著的《中日關係史》，吳相湘的《第二次中日戰爭史》，這兩本都是私人寫的，李著中關於抗戰部分非常簡單，全書二十二章，六四〇頁，自九一八至抗戰勝利只佔了一章，七八頁，為全書百分之十二，在該章開宗明義時，李氏自己承認由於「事實的限制，這一章只算開列一張大事記清單，聊備一格」。李著精彩的地方是在甲午戰爭及其前。很明顯地，他雖然是國軍的將領，參加了抗戰，但並沒有得到《產經新聞》那種來自國府的幫助，只有限於資料，聊備一格了。吳著則更妙了，中國方面的史料，他多半引用的是坊間已發表的，其全著精彩部分，反而取自日本官民的公私文件。

用中文寫作的另一本《抗日戰史》是官方出版的，國防研究院與中華大典編印會合作出版，由十餘名將領分章撰述，而由魏汝霖將軍總其成。這是一部純由軍事學觀點寫的傳統式的戰史，然而掩敗諉過，實在不足稱為信史。例如在四二〇頁，第三十八章檢討中日整個戰事的時候，該章作者陸軍中將李樹正指出我軍會戰失敗之例有五，淞滬會戰、太原會戰、徐州會戰、武漢會戰及緬甸會戰。然而，除了緬甸會戰（第二十八章）因作者為李氏，因此在該章自承我軍失敗之外，其餘四個會戰，執筆者為魏汝霖中將及退役少將劉仲平，竟沒有一句話自承我軍失敗者。例如第八章徐州會戰，在我方檢討部分中竟有一「政略、戰略配合適當」，「最高統帥英武睿智、卓越無比」等一分節標題，關於李樹正在第二十八章總檢討時所指出的「若我軍當受包圍後，能將主力撤至敵進犯路線之兩側，施行尾擊、側擊，則挺進之敵，或不會如是猖狂」的指責，也就是我方戰術錯誤，在該章中就絲毫沒有答辯，反說「大軍安全轉移，貫徹我持久消耗之目的，政略戰略之配合，毫無遺憾」，試問同一本書，前後矛盾至此，令讀者何取何從？

我從小好讀戰史，中英法德俄美波荷比等國古今的戰史，只要有中文譯本或英文本，遇之如狂，可以廢寢忘餐地讀，但在我讀過的上百本中外戰史中，如此掩敗諉過的真還少見。

其實徐州會戰的關係重大，在我方言，因為挺進之敵追擊甚快，而我軍轉進過早，被迫決黃河堤防以阻追兵，致使河南、江蘇、安徽數千萬人民流離失所。日方的資料顯示，因此會戰我方失敗過快，致使日本參謀部中「不擴大派」的石原莞爾、多田駿等聲勢減低，而日方對和談條件亦提高，德使陶德曼之調停因而失敗。

李樹正的檢討還是溫和而且避開主題的，而魏汝霖說的「政略戰略之配合，毫無遺憾」，接著又說黃河決堤是最高統帥（蔣中正）「本焦土抗戰之國策，痛下決心，造成黃河大氾濫，其裨益戰爭全局至偉」，實在令我生氣。固然在徐州敗後，非決堤不足以阻止敵人由隴海路轉平漢路下武漢，切斷我華中大軍沿長江後撤之運動，是裨益戰局至偉，改變了全盤戰略的軸線，迫敵沿長江仰攻武漢。但是黃河決堤不但使三省人民損失浩大，而且若台兒莊之役及徐州會戰我方戰術正確，是可以避免敵軍在乾旱季追擊入豫東平原的，這樣就沒有決堤的必要了。

更令人生氣的是魏汝霖是當時參預在河南花園口決堤者，孟子說：「聞其聲不忍見其死也」，是指人之殺牛，何況施於同胞？我不知道他執筆寫黃河決堤時，有否想到決堤之夜，他所看到的堤下的萬家燈火？

見到國府全力協助一家日本報紙刊載中日戰史，而對中國史家私人修史又毫無幫助，官方的戰史把我軍大小會戰都寫成了無役不勝，這種種現象，真令我傷心及痛心。

二、不能厚此薄彼

抗戰是中國軍民用血肉打勝的，史料不屬於蔣氏個人、國民黨或國民政府，史料是屬於全民的。我們能了解國府多年予以保密的理由，個中是非恩怨，在當事人猶在世時是難以公布的，各國莫不如此。但是若要供史家引用，就當大公無私。梁敬錞寫《史迪威事件》時，獲准採用蔣氏個人檔案——大溪資料，我已覺得不滿，但在批評梁著時，我忍住了，沒提這一點，我不願意因此使國府堵住了這一絲小縫，使別的得寵史家不能引用祕件，這雖然不公平，總比一切諱莫如深要好。可是這一次，我忍不下了，我要責問國府，為甚麼你們能全力幫助日本人，無保留地供給資料，但是不能幫助中國史家？吳相湘先生的《第二次中日戰爭史》下冊在台出版於一九七四年二月，《產經新聞》開始到台灣收集資料是在一九七三年五月，我們要問國府一句，中國抗戰時，到底誰是敵人？誰是自己人？

這些話，在台的史家不敢說。我既不學歷史，又在海外，只是以一個中國人的身分要求國府在化敵為友時，厚此薄彼的不要太過分。至少應該給中國史家與日人同等的待遇，因為我們中國人也有責任要向子孫們解釋抗戰的真相，這八十年來中日關係的真相。而國府對中國人的責任比對日本人要大得多，不是嗎？

一九七四年八月十五日

——筆名夏宗漢，《明報月刊》一〇八期，一九七四年十二月

失之過簡與輕重不分

《蔣總統秘錄》長編在《中央日報》連載至今，顯出作者史德、史識與史觀均非上乘。其優點限於資料豐富，頗多源自蔣氏個人祕密文件者，然如七寶樓台，炫人耳目，拆之不成片斷，做的只是抄錄工夫而已。如果蔣氏日記等祕密文件中無事不可與人言，還不如影印原件，公諸於世，遠比透露一鱗半爪，尚須勞師動眾，廣為輯纂，卻又無史觀貫穿其間，浪費編者、讀者許多功夫來得好。

以一九七六年五月五日《中央日報》所載之秘錄言之，其力予否認有《何梅協定》，並以何應欽致梅津美治郎之信件為證。就不知此事重要性之讀者言，只讀何氏信函及秘錄否認《何梅協定》之文字，當不了解所謂《何梅協定》之重要性何在，為何在三十餘年後之今日，秘錄尚力予否認之。而對稍知其事之讀者，則知其關鍵非在何應欽致梅津信件之文字，而在該信函有否附件，即某些中日史家所言之但書。

按何氏原函為：「敬啟者，六月九日酒井參謀長所提各事項，均承諾之，並自主的期其遂行。特此通知。」

以此含糊之文句而作為中國對日方之承諾，若無附列文書說明酒井所提究竟為何事項，我方承諾者又為何事項，不啻是任憑酒井在事後開價，如果何應欽真的這樣辦外交，實在胡鬧。這就像開一張空白支票給人家，任憑收票者填上付款數目一樣地荒唐。

《何梅協定》是造成宋哲元部隊駐防河北與中央軍及國民黨組織退出河北的因素，深招左派及華北人民之不滿，亦為九一八至七七間國人批評國府不積極抗日罪證之一。其意義不在何應欽以何種方式承諾日方，梅津美治郎曾否與何氏締約，而在酒井隆向何氏當面提出了什麼樣的條件，何氏在寫給梅津信中承諾國府自動遂行酒井的要求事項是那些。即何應欽代表中國政府在實質上向梅津所作的讓步是什麼？是不是如左派指責的，變相同意了華北特殊化。

世人流言傳述的《何梅協定》如下：

一、河北省內一切黨部完全撤退。

二、第五十一軍（東北軍于學忠部，力主抗日）移駐河北省外。（于之河北省主席職務亦因而免職。）

三、中央軍第二師及第二十五師移駐河北境外。

四、禁止一切排日運動。

在一九三五年七月該「協定」成立之後，國府除了命令黨部改為地下工作外，軍隊與憲兵均撤出。秘錄作者既不介紹所謂的《何梅協定》之來龍去脈，以及為何此事為中日史家所重視，及國府因此而受之批評。只輕描淡寫地將何氏短箋抄錄，卻不列出酒井隆自述向何氏當面提出，亦即何氏承諾梅津的項目，以及酒井為人宣稱何氏信函附有但書是否屬實，我認為是失之過簡，是史德與史識均為欠缺。

周日刊出的秘錄有一小節題目為「日本國內倫紀廢頹」，是記載永田鐵山被刺殺事件。我認為此事不論對日本內政及中日俄三國關係，均有重大影響。而秘錄作者簡言此事後，只記下蔣氏是年八月分反省錄短短一段感言，其結語云：「從此日軍氣燄或將稍殺乎？」則恰與後來之發展相反。

我認為欲使讀者明瞭永田被刺殺之影響，必須解釋下述各點：

1.當時日本陸軍派系鬥爭之經緯。

2.永田鐵山所擔任的陸軍省軍務局長職位之重要性，其權勢實在次官之上，僅次於陸相。

3.永田鐵山在統制派中的地位，以及他對侵略中國的看法。

4.造成永田被刺之原因——統制派壓制皇道派，林銑十郎陸相違背陸軍傳統，擅自罷免同為陸軍三長官之一的真崎甚三郎教育總監職務。（當時另一長官為閑院宮親王參謀總長，皇族位尊而不掌實權。）引起皇道派軍人之不滿，而將箭頭指向統制派靈魂的永田軍務局長，殺之而後快。

5.凶手相澤三郎之審判使皇道派軍人不安，遂於一九三六年二月二十六日發動「二二六事變」。事變失敗後，皇道派大將級與中將級之軍人如荒木貞夫、真崎甚三郎、小烟敏四郎等均被迫退役，而此等將領恰巧都是主張北進攻俄者。

6.統制派為了預防皇道派復活，恢復大正四年被棄的舊制——陸相必須由現役大將中將擔任，預備役者不可出任之。此事影響甚為深遠，因為一年後，一九三七年春，主張侵華的廣田內閣倒台，宇垣一成退役陸軍大將，受天皇大命出面組閣，可是因為他前在任陸相時贊成倫敦海軍軍縮會議中，為了延緩國際壓力，同意多予裁減了兩個陸軍師團，因此深為全體陸軍不滿。又因主張對華緩和，與張羣等中國政要有深交，為陸軍中之統制派不滿。更主要的是他在一九三一年任陸相時，曾同意參加軍中少壯軍人櫻社所策劃的政變，在起事前兩日反悔，命令小磯國昭出面阻止政變，深為少壯軍人所痛恨。因此統制派軍人在一九三七年一致拒絕出任宇垣內閣的陸相，而宇垣以退役大將又不能自任陸相，組閣計劃遂告流產。不少中日美三國史家認為，當時中日最後的和平機會是由宇垣組閣，因此遂成泡影。由軍人要挾而使宇垣內閣流產一事看去，蔣總統聽說永田被刺時所作的感言：「從此日軍氣餒或將稍殺乎？」實為錯誤之判斷。

由永田鐵山被刺而引起皇道派與統制派之兵戎相見，造成了二二六事變。因事變失敗而使主張北進論攻俄之皇道派受挫，因統制派為了壓制皇道派而修改陸相任用資格，限於現任陸軍大將中將，因此後來使宇垣一成組閣失敗，失去了中日一個可能造成和平的機會。更有甚者，七七事變時軍權恰巧落在杉山元與梅津美治郎等侵華派之手，遂使參謀本部中主張不擴大事變而對俄進攻者如石原莞爾作戰部長與多田駿參謀次官等人屈居下風。假使當時荒木貞夫或真崎甚三郎二人中仍有一人擔任陸軍三長官之一，不擴大論可能得勢。總之，此等雖為某些史家推測之辭，但永田被刺事件於日本陸軍內部及中日、日俄間之和戰，影響極為深遠，而秘錄作者一筆提過此事，只是借蔣氏之口感嘆日軍官以下犯上，軍紀淪喪，真是輕重不分，無史識之至。

——紐約美東版《星島日報》沙上痕爪專欄，一九七六年五月二十七、二十八日

仁按：在本書出版之二〇一五年，即在此文發表了以後的三十九年之後，蔣中正日記已全文公開，現由美國史丹福大學之胡佛研究所代存，並有全套影印本供中外人士閱讀及抄錄。在本書中我也有大量引用有關《何梅協定》之蔣日記及電報。此文中有些資料不夠完整，我之所以仍予納入本書而未予刪除，一方面是「白頭從讀少年文」之喜悅，另外也有使讀者可以看到一個人經過了三四十年之久，其筆鋒與文風之變化也。在本編第二章〈兩次中日戰爭史著作的述評〉中所收各文，多是我在一九七〇年代之舊文也。

國家圖書館出版品預行編目資料

蔣中正日記中的抗戰初始

阮大仁著. – 初版. – 臺北市：臺灣學生，2015.03
面；公分
ISBN 978-957-15-1641-7 (平裝)

1. 蔣中正 2. 傳記 3. 中華民國史

005.32　　　103027089

蔣中正日記中的抗戰初始

著作者：阮大仁
出版者：臺灣學生書局有限公司
發行人：楊雲龍
發行所：臺灣學生書局有限公司
臺北市和平東路一段七十五巷十一號
郵政劃撥戶：〇〇〇二四六六八號
電話：（〇二）二三九二八一八五
傳真：（〇二）二三九二八一〇五
E-mail：student.book@msa.hinet.net
http://www.studentbook.com.tw

本書局登記證字號：行政院新聞局局版北市業字第玖捌壹號

印刷所：長欣印刷企業社
新北市中和區中正路九八八巷十七號
電話：（〇二）二二二六八八五三

定價：新臺幣七〇〇元

二〇一五年三月初版

57303

ISBN 978-957-15-1641-7 (平裝)